Y0-AAU-504

现代家庭百科文库

新婚必读

XINHUN BIDU

主编 程思雨

远方出版社

责任编辑:李　燕

封面设计:李自茹

图书在版编目(CIP)数据

现代家庭百科文库:百科类/程思雨著. 一呼和浩特:

远方出版社,2005.7

ISBN 7 - 80723 - 050 - 9

Ⅰ.现… Ⅱ.程… Ⅲ.百科-家庭-中国-文库

现代家庭百科文库

作　　者	程思雨
出版发行	远方出版社
社　　址	呼和浩特市乌兰察布东路 666 号
邮　　编	010010
经　　销	新华书店
印　　刷	四川省南方印务有限公司
开　　本	850×1168　1/32
字　　数	4800 千
印　　张	500
版　　次	2005 年 7 月第 1 版
印　　次	2005 年 7 月第 1 次印刷
印　　数	1～5000 册
标准书号	ISBN 7 - 80723 - 050 - 9/G · 30
定　　价	1000.00 元

前　　言

当爱情开出它最绚丽的花朵,那芬芳四溢的花香令人陶醉。幸福使你不由自主地闭上眼睛,朦胧之中爱之果已悄然挂上枝头,仿佛伸手可及……

你们彼此信任,不再为一点误会闹得天翻地覆;你们彼此忠诚,不再左顾右盼。互相已认定对方是自己一生的红颜伴侣;你们彼此宽容,夸赞对方的优点,包容对方的缺点,可以用爱粉碎一切纷争……然而,走在一起意味着单身生活的结束,同时也意味着单身自由的丧失;走在一起,意味着责任,对家庭、对伴侣的责任,不能再任性和不羁;走在一起,意味着朝夕相处,周而复始过着一日日、一年年的平凡生活。在琐琐碎碎、平平凡凡的生活中,激情将逝去……面对这一切,你是否茫然?

结婚是人生的重要转折点,在憧憬、期望之余,我们不禁要慎重的提醒徘徊在婚姻殿堂前的人们:你了解新婚前后的生活知识、人情礼仪和情感问题了吗? 你审视到那些匆匆走进婚姻围城又匆忙退出的新婚男女了吗?"婚姻不是最大的幸福,便是最大的痛苦"名人如此云。人们崇尚完美,不要让美好的东西浸染阴霾。

为了让即将走进新婚殿堂的朋友们,全面了解新婚前后的礼仪和问题,不再受婚姻前后各种问题的困扰和情感折磨。编者从男女双方、多方位、多角度分析和总结新婚期所触及到的各种知识和问题,系统编写了这本《新婚必读》。期望它能从更理性的角度指导你的新婚生活,成为你婚姻问题的指南,婚姻幸福的宝典。

目录

婚 前 序 曲

婚 礼 前 曲

婚礼中曲

目录

婚礼插曲

3

婚礼进行曲

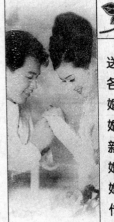

目录

附录　浪漫之旅

下　篇

婚姻馨曲

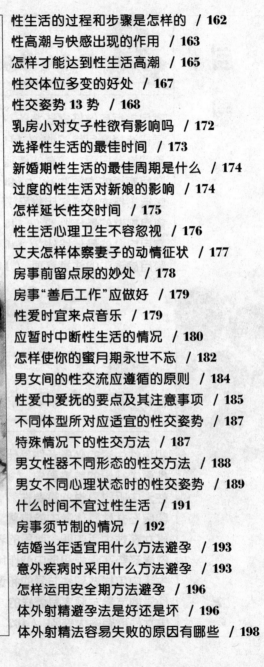

目录

6

婚 姻 妙 曲

目录

7

婚 姻 佳 曲

婚姻痛曲

9

婚姻家曲

附录 新婚姻法点析

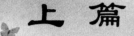

上篇

婚　前　序　曲
婚　礼　前　曲
婚　礼　中　曲
婚　礼　插　曲
婚礼进行曲
浪　漫　之　旅

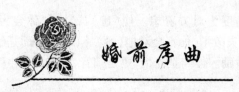

婚前序曲

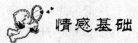

情感基础

朋友,当丘比特的幸福之桥为你们架设一条通往美满、幸福的家庭时,当两颗燃烧跳动的心,正沿着感情的桥梁迅速接近之时,五彩缤纷的生活画卷,即将展现在你们面前,是多么令人心驰神往……

此时,你是否问过自己——"爱之果成熟了吗?"此时,你是否理智地睁开你幸福的双眼,仔细地审视那近在咫尺的果实,是否丰硕饱满、成熟得足以令你们俩终生品味?

成熟的爱之果包含着情感的完全成熟。

你们彼此信任。你们不再为一点误会闹得天翻地覆,你们坚信你们之间的爱足以使对方在任何情况下都不会弃你而去,你对所爱的人全心全意的付出将获得对方同样的爱的回报。你拥有完全的自信和自豪,虽然你的爱人不是世界上最优秀、最聪明、最漂亮的,但他(她)在你眼中却是最可爱、最值得信赖的,他(她)的怀抱是你生命中最安全的依托,最宁静的港湾。

你们彼此忠诚。你们互相已选定对方是自己的生活伴侣,不再左顾右盼。为了那一份值得珍惜的爱,你们愿为对方献上自己的忠诚。即使爱不是永恒的,但在你们真心相爱,彼此相拥着走进婚姻的时候,你们是彼此情感世界的惟一。

你们彼此宽容。你欣赏他(她)的优点,也能谅解他(她)的缺点,他(她)的一切你都能涵容和接纳。你们也许无法避免矛盾和争吵,但你们彼此的宽容足以化解一切危机,涵纳一切琐碎的纷争。

你们彼此理解至深。相知是你们相爱的基础,你们的性格和品质彼此了解,生活态度彼此相容,在任何情况下,都能够站

在对方的角度为对方着想。他(她)成功了,你会为他(她)自豪;他(她)失败了,你不会对他(她)施以抱怨,而是给予别人无法给予的激励。你们是伴侣,更是知音,是彼此人生弥足珍贵的拥有。

善于驾驭爱情小舟的情侣,需要有冷静的思考,周密的安排,会迅速地驶向幸福的彼岸;不善于驾驭爱情小舟的情侣,被感情的潮水冲得晕头转向,操之过急的收获往往适得其反,功亏一篑。

在新婚帷幕拉开之前,婚前应当有哪些准备呢?

结婚,是人生旅途中一个重要转折点。经过精心浇灌和细心培育,爱情的苗圃是已经含苞欲放、绚丽多彩的崭新的生活一页,即将掀开时,也许你陷入兴奋、欢愉、陶醉在现在和将来的幸福之中,你们可曾考虑到成功的恋爱并不意味着成功的婚姻。要有美满的婚姻,一定要重视婚前精神和物质以及诸方面的准备工作。

恋爱期间是幸福而又浪漫的,月下漫步,花前谈心,湖心荡舟,林间追逐,影院厮磨,舞厅缠绵,说不完的柔情,叙不尽的蜜意。展现在一对恋人面前的是花好月圆,憧憬在一对恋人眼中未来是朦胧浪漫,你们所设计的婚后生活蓝图是绚丽多彩的,人们崇尚纯正的爱情,赞美完善的婚姻。

然而,世事艰难,人格迥异,并非每个人都能达到理想婚姻的境界,如果以这种浪漫的色彩去缔结家庭,一旦遇上生活的转折,社会的复杂情况,就会从狂热的巅峰上猛跌下来,致使双方显得束手无策。因此,结婚前夕,当帷幕即将拉开之前,男女双方应该以理智的头脑,清醒地思考一下结婚前的准备工作,深远审慎

地思考一些具体的问题:婚前自己的生活习性,个人行为、兴趣爱好都有着独特的个性,婚后要和爱人携手并肩去创造未来,去追求共同的生活理想,需要在性格爱好、生活方式上协调,求大同存小异,对这些变化能否适应? 婚前爱人的形象在自己心目中是完美无缺的,彼此对对方有着迷人的魅力和神秘之处,婚后要朝夕相处几十年,彼此要经常"舌头碰到牙",容貌、性格、爱好,脾气发生变化怎么办? 举办婚礼仪式是追求社会上的操办、讲时髦风,还是节约办喜事,婚后过日子,赡养老人,抚育子女,思想观点是否一致? 对于诸如此类问题,考虑得越详细,思想准备越充分,对婚后出现的矛盾就不会感到突然和束手无策,对婚后家庭中出现这样或那样矛盾,就会有心理上的准备,会得到妥善处理。

成熟的爱包含着心理的完全成熟:

你们已经长大,不只是身体,更是心理,已经具备完全的独立能力,独立地面对世界,面对人生,面对自己的选择;不再是父母怀中撒娇的孩子,不再视父母的家为自己的避风港,而要独自走出家门,去和自己相爱的人建立自己的小家;你有能力独立处理自己的一切,可以无怨无悔地承担自己选择的后果。

你们已有足够的心理准备迎接婚姻,也有足够的心理承受力,承担婚姻和家庭的责任,你将为此付出,他(她)也将为此做出某些牺牲,你们充分地明了婚姻的含义。

成熟的爱还意味着对建立小家庭达成的共识,能够展望共同的未来:

你们愿意共同生活,不但在感情上进入伴侣关系,也愿意进入经济的伴侣关系。你愿和他(她)分担家庭费用,增加家庭积累,建立舒适温馨的属于你们俩人的小家。

你们都喜爱孩子,共同渴望有一个聪明美丽的爱的结晶,你们将心甘情愿地为你们的下一代付出父母无私的爱心。如果,你们俩人或其中一人愿意选择单纯的二人世界,不想承担抚育孩子的重任,那么,你们要有充分的协商和共识,能够承受或尊重双方或一方的选择。

在这一系列理智的审视之后，你和他(她)都确信，那诱人的甜美的爱之果已经成熟，那么，毅然地告别单身，携手走向婚姻的圣坛，会是你和他(她)美好的人生选择。

爱情储备

当相爱的两个人携手走过婚礼的红地毯，当恋爱时的诗、画、琴、棋、书、酒、花，终于都变做了婚姻中的柴、米、油、盐、酱、醋、茶之后，如何才能不使婚姻成为"爱情的坟墓"，才能使婚姻的"围城"成为一座幸福和谐之城而身居其中"乐不思出"呢？要做到这些，婚姻还需要用心去"经营"。

两个来自不同的家庭环境、成长背景的人走到一起，难免会有大大小小的不同，更何况就像有人说的"Man and women are from the different planets."(男女来自不同的星球)两性之间本来就存在着许多差异，女性多比较感性、理想主义，易于为肥皂剧中的悲欢离合唏嘘不已；男性则多为理性、现实主义，他们更崇尚力量，崇尚成功，天性与运动和政治更为接近。

两个人在思想和行为方式上的冲突，常常造成彼此的不理解，甚至不了解。一位女子曾这样表述这种状况说："我很爱我的丈夫，但他住在一个岛上，我住在另一个岛上，我们都不会游泳，于是两个人永远不相会了。"所以，婚姻中很重要的一点就是要"学会游泳"——学会了解和沟通。不仅要努力去了解对方的想法，在婚姻中一天天摸透对方的脾气，也要多表现自己的观点与想法,甚至于自己的忧心与恐惧。这样才能更好地增进了解,避免或减少误解。有些颇具"男子汉气"的丈夫们认为,麻烦事自己承担好了,不愿给深爱的妻子增加负担,或给别人添麻烦。但你面对的不是"别人",而是你相濡以沫的人。一起分享快乐固然幸福,但一起分担困难、压力和忧愁,又何尝不是另一种幸福呢? 社会心理学家认为,婚姻的幸福感就是在知己知彼的默契、思想感情的共鸣过程中产生的。

夫妻关系是情感关系,在沟通了解的基础上,更要善于感受和珍惜。记得一位朋友曾说起:"……漆黑的夜,起了很大的风。他低声问我:'冷不冷?'忽然就有莫名的感动。原来在不经意之中,互相就有十分的关怀,只是我们彼此都习以为常。"是啊,在日常的平凡琐事中,在日复一日的习以为常中,我们是不是已逐渐麻木了自己感应的触角,忽略了生活中一些温馨的细节? 幸福人人都应该有,只是有些人懂得感受和珍惜,有些人不会。

与感受和珍惜至少同等重要的是包容。不仅包容彼此的不同,更要能包容对方的缺点,包容对方身上某些自己不喜欢的人格特点。步入婚姻,恋爱的激情慢慢变为生活的平凡,在共同的生活中,难免会发现对方一些以前未曾注意的缺点。在这种情况下,能够接受现实、彼此包容是相当重要的。婚姻中的两个人首先都是"人",有着人性中都会有的缺点,都受着义气、错误、疾病等的支配,共同生活又怎么会永远没有困难和冲突呢? 法国作家莫罗阿曾说过:"没有冲突的婚姻,与没有政潮的政府同样不可想像。"在任何情况下,不要轻易怀疑爱情已逝,甚或怀疑自己当初的选择。婚姻本身就是一种承诺:"我和她(或他)终生缔结了,今后我的目的不再是寻访使我欢喜的人,而是要使我选定的人欢喜。"如果没有这种婚姻是木已成舟的定案的念头,不愿去接纳和包容,夫妻在第一次碰到阻碍或困难时,便有决裂的危险。

最后还有一个很重要的问题,那就是在婚姻中两个人都要保持自己的相对独立性，不要失去自我。爱情的一个基本的、核心的倾向是奉献，爱得愈是深切，便愈是乐意帮助所爱的人做他（她）所期望的任何事情。但是千万不要在这种忘我的奉献中丢了自己，成为爱的奴隶。有一个古老的故事：一位男子双目失明了，他美丽痴情的妻子为了所爱的人毅然献出了自己的一双美目。重见光明的男子欣赏着失而复得的美好世界，对妻子感激得无以复加，发誓要更加爱她，直到海枯石烂。可是，随着日子一天天流逝，他却发现自己无法兑现昔日的誓言：丈夫成了盲妻的整个世界，他们很少再有关于外面世界的愉快交流；而因为害怕失去丈夫的爱，妻子总是不停地提醒丈夫是自己的牺牲换来了现在的一切，这使他感到压抑和烦闷。渐渐地，他开始不愿面对昔日明眸生辉今日却不忍卒睹的妻子。最后，（也许大家都猜到了）他离开了她……这是一个心酸的故事，却相当地具有代表意义。确实，婚姻中需要道德和责任，但是婚姻却不能仅靠道德和责任来维系。有时，无私的奉献和牺牲，反而使你失去了魅力和光彩。理想的婚姻应是"双赢"的，双方都能从中汲取活力，不断提升自己的生命质量。

总而言之，婚姻是一项需要用心去经营的事业，其"经营之道"是：沟通、欣赏、接纳和包容，以及彼此珍视并适度保持自我，等等。

爱之箴言

在即将迈入婚姻大门之前，笔者有必要这样告诉你：

❋ 婚前睁大眼睛，婚后半睁半闭。

❋ 一旦结了婚，须以爱来经营你的婚姻——如果你想有一个成功的婚姻的话。

❋ 漂亮只能悦目，只能带来一时的欢乐，而喜悦可以赏心，可以缔造终生的幸福。

❋ 获得一人的爱情而摒弃众多的友谊，是愚蠢的狭隘。

❋ 如果要自由，就选择独身；如果要安宁，就选择婚姻。

※纯粹用金钱堆砌的婚床,总会出其不意地倒塌。

"婚姻不是最大的幸福,便是最大的痛苦。"曾有名人如此言,一语道破婚姻于人生的重要。可是,却有许许多多男女未及深思,就匆匆进入"围城",尔后发现婚姻远不是他们想像的那样,带着深深的失望,他们最终只能选择绝望的突围或无奈的困守。这便制造了人生最大的痛苦。

那么,如果能够认认真真地想一想呢?能够明明白白、胸有成竹地跨进婚姻的门槛去呢?也许你能避免跌落婚姻的悲剧,也许能够创建一个成熟和美满的婚姻。

婚姻,首先意味着单身生活的结束,同时也是单身自由的丧失。恋爱中每一次难舍难分的约会使相爱的双方急切地期望长相厮守,如果在这种激情的渴望中,想到的只是婚姻将带来的甜蜜,而无视婚姻所造就的束缚和你将为此作出的牺牲,那么,婚后也许会有缕缕失望,异常怀念那昔日单身的自由;或者无所顾忌一如婚前那样,依旧随性而动,逍遥自在,只是伴侣的不满恐怕难免。所以,进入婚姻之前,你最好这样地问自己:你愿意为婚姻的幸福放弃单身的自由吗?或者,你和你的伴侣能有充分的信心为你们的婚姻制造一种宽松的氛围,在自由和安宁之间寻找到一种平衡吗?

婚姻,意味着责任,对家庭的责任,伴侣的责任,还有对孩子的责任。单身时你只需对自己负责,甚至把自己完全交给父母,依赖于父母的庇护,婚姻却使你为人夫为人妻,还要为人父为人母,你必须承担养家的责任,对你的伴侣给予关心和体贴,施以爱心和保护,你有使他(她)幸福的责任。如果你们共同创造出一个小生命,那么,你将为他(她)的成人付出十倍、百倍、千倍的辛苦和劳累。婚姻使你获得爱的甜蜜、家的温馨,但同时赋予你无可逃避的责任。你愿意承担吗？能够承担吗？

婚姻意味着朝夕相处，周而复始地度过一日又一日、一年又一年平凡的生活，在琐琐碎碎、平平庸庸中，激情将会逝去，热恋不复存在，爱的浓情蜜意转化为平平淡淡。平平淡淡才是真，你能够从从容容地接受这一份平淡，而后在平淡中品出一种血肉相连、生死相依的深情吗？

婚姻意味着在孤独的人生之旅上，拥有一个相濡以沫的伴侣，在持久和谐的婚姻生活中，他（她）和你生命交融，心心相印。日积月累的平淡中会埋藏无数细小珍贵的回忆，也许曾有冲突，也许曾经迷失，但深挚的伴侣之情始终不会泯灭。所以，你选择的伴侣可以不是最完美的，却必须是最合适的。他（她）符合你的生活要求和生活目标吗？他（她）和你志同道合吗？如果是，你愿意为此做出一生的承诺，和他（她）一起相依相携，共同走完人生的漫漫旅途，并始终如一地珍惜历尽沧桑的伴侣之情吗？

如果你自问已对婚姻的含义有了足够的了解，对婚姻有了充足的准备，你相信那是你和你的伴侣人生幸福的起点，你愿意为此牺牲某些个人的自由；你会自觉且有能力承担责任；你能够忍受平淡并在平淡中寻求生活的真谛；你将无怨无悔地和你所选择的人相伴而行并始终不渝，那么，你可以坚定地迈进婚姻的大门，坦然地、甜蜜地接受亲朋的祝福。

 ## 怎样养成正确的婚恋心理

❀巩固爱情的基础

男女成长到一定年龄后，生理上随着性器官的成熟，产生异性之间的仰慕。这种微妙的心理变化，正是"情窦初开"。这种异性之间的倾慕，经过一定时间以后，可能发展成为爱情。但异性吸引只属于一种生理现象，属于人的本能，它不是爱情，也不是爱情的基础。

爱情的基础是思想上的共鸣。爱情不单单是异性吸引，它是以高尚的思想和对社会生活的一致理解为基础的。当自己的志向、爱好和情操与某个异性产生共鸣时,便会产生爱慕之情。思想的一致程度,将决定爱情的成熟程度。如果思想基础牢,那爱情的基础也就牢;没有牢固、统一的思想基础,就没有爱情。单纯凭性的冲动,是不能凝成纯真的爱情的,相反只会带来不幸。

※分清爱情与友谊

爱情与友谊是不同的概念,两者之间有着本质的区别。友谊是存在于人们生活、工作和思想中的朋友感情,存在于异性之间,也存在于同性之间。爱情则不同,它是异性吸引与感情融洽、思想共鸣的有机结合体。爱情与友谊有着本质的区别,但也存在着密切的联系。有爱情必有友谊,有友谊不一定产生爱情;友谊常常是爱情的前奏,爱情则是友谊转化的高级形式。

异性友谊可以向爱情转化,但并非所有异性友谊都可转化为爱情。对可以向爱情转化的友谊,应创造转化的必要条件发展它,防止错过;对不能转化为爱情的友谊,应该珍惜它,不要主观地、毫无基础地去捏合它,防止使自己陷入单相思的境地,从而损害高尚的友谊。

※处理好爱情与事业的关系

爱情与事业密切相连。爱情的成功未必促成事业的成功,爱情的失败未必导致事业的失败,但成功的爱情常是事业成功的良好因素,失败的爱情又常对事业成功产生某些消极作用。一个人事业上的力量源泉,主要来自他的事业心,即工作进取心。有了这种事业的进取心,就具备了事业上成功、工作上积极的基本动力。爱情也好,友谊也好,都不能代替这种基本动力。相爱的双方本来并没有为祖国为人民在自己的岗位上做出一番成绩的事业心,而只是因为爱情的因素,便陡然"精神振奋",在事业上有所作为。相爱的情人中,一方有着崇高而坚定的事业心,另一方本来没有,在相爱之中,前者感染了后者,爱情成了为后者获得事业的源泉,在相爱双方都有事业心的情况下,他们的爱情则常成为互促奋斗的动力,努力进取的决心。

爱情与事业有时也有矛盾。多出现在相爱者事业心不平衡的情况下,事业心强的一方,不能在相互感染中影响另一方,而事业心甚弱或无事业心的一方,反倒感染、影响了前者,导致双方放弃事业,而去追求安逸的生活;或因相爱者事业心强弱不同而导致生活的不协调,矛盾重重,以致分道扬镳。男女在择偶时对双方的事业多加考虑是必要的。

※协调好爱情与职业爱好的关系

男女之间谈恋爱,总会考虑对方的职业和爱好,这是很正常的。若恋人之间职业相近,爱好相同,共同语言多一些,兴味情趣和谐一些,容易引起感情上的共鸣,是建立美满家庭的理想条件。但爱情不是职业的结合,爱情也不等于爱好的交往。

恋人之间的职业、爱好不同,是个比较普遍的社会现象。在我们的社会里,恋爱双方都有职业,都有自己的志趣爱好,摆脱了私有制婚姻关系中特有的从属性和对抗性,这是新型爱情关系的基础。共同劳动的平等地位和相互爱慕的真挚感情与职业、爱好的差异比较,则是大同小异的关系了。

男女双方处理职业爱好要注意优化组合,选择同一职业者共同语言多一些,在事业上可互帮互学、相互促进。对双方扬优抑劣有好处,同时对婚后的家务劳动拾遗补阙也有好处。但在事业、性格、兴趣、爱好都和谐的情况下,不要过分拘谨于职业的相异,讲一点奉献精神和牺牲精神,这不仅表现恋人之间的感情坚贞,也是高尚的社会道德所要求的。

※认清爱情与性格和谐的重要性

男女在性格上相投,是决定爱情幸福的一个重要因素。性格上相投,则在思想上相互理解,生活上相互体贴,事业上携手进取。反之,就会遇事争执不休,在生活上各有所好、互相离弃,事业上互不关心、毫无促进。性格是爱情的要素,不能不加考虑。

若要求性格完全相同才恋爱,也是不现实的。把性格作为恋爱的条件,只能求大同存小异。只要在大的、关键性的问题上一致,就表明恋爱的性格条件基本符合,否则就是不实际的苛求。性格不是僵死的,可以随着客观条件变化而变化,关键在于启发、诱导和帮助。恋爱是改造人的一个动力,在实践中改变性格是可能的。

※爱情与相貌之间的关系真的那么重要吗

找一个品貌兼备的人做伴侣,是最理想的。相貌是促发爱情的因素之一,但不是惟一的因素。最能激起爱情的是思想上的共鸣,其次才是相貌、举止和风度等。人不能光看外表,重要的是要看内心美不美。

心灵美与思想美才是崇高爱情的牢固基础。外表美是暂时的,无论怎样漂亮的青年在 10 年、20 年以后,也很难俊美依然。而内在的美却是长远的,不因岁月流逝而消失。在现实生活中,真正德才貌兼备的人并不太多,历来的有识之士在德、才貌的权衡中,总是重德才,轻外貌。

※年龄真的不是爱情和谐的问题吗

男女双方恋爱很注意年龄差别,甚至有"宁可男大女 10 岁,不可女子大一春"的说法。从人的生理特点上考虑,年龄与恋爱有一定关系。女性的发育成熟要比男性早些,衰老同样也早些。女孩子通常到了 13 岁开始有月经,男孩子则一般要到 15～16 岁才开始有遗精。妇女 45～55 岁就进入更年期,而男子则在 55～65 岁才进入更年期。婚姻规定的青年最低结婚年龄,男的要比女的大 2 岁;国家规定的职工退休年龄,也是女的比男的早。

选择恋爱对象,应注重年龄的相配。老夫少妻或老妻少夫无论从情感自然属性、生理特点上讲,还是从婚姻的伴随期来讲，都是不适宜的。但年龄相当，也只是建立美满婚姻的一个条件。随着人类的进化，文化的发展，人们对于婚姻的要求，也从单纯的性结合、外貌上的相悦，发展到更高的阶段，即感情的共鸣，心灵的相通。爱情的主要基础在于思想一致，志趣、爱好、性格的相投。年龄作为爱情的条件不应该绝对化。

怎样消除婚恋的心理障碍

大凡男女双方对异性了解的渠道主要有这样几条：一是自己的交往和接触；二是通过其同事、领导、邻居或家长来了解；三是通过对方的工作或学习成绩、表现来了解；四是通过报刊等新闻媒介的宣传来了解。并非所有的人都能客观地评价自己的恋爱对象，恋爱中的认知受到炽热的爱情强有力的影响，常妨碍男女双方客观地、全面地认识对方的优缺点。"爱情使人盲目"，就是这个意思。

对自己的认知，是恋爱中认知的首要方面。只有清楚地认识自己的主客观条件，对自己的能力、性格、地位作出符合实际的评价，才能理智地决定择偶标准，客观地评价对方。但因青年人缺乏生活经验、阅历浅等原因，对自己的认知往往出现偏差。主观猜测异性对自己的评价与实际上异性对自己的评价之间常存在很大差异，给恋爱婚姻造成阻碍。常见的几种自我认知偏见有以下几种：

※摒弃自傲心理

男女双方在选择恋爱对象时，认为自己长得漂亮、工作好、有文凭、出身高门等等，因此形成一种优越感，自高自大，爱挑剔对方的缺点，甚至以追求者众多为荣。追求者愈多，愈强化其自傲心理,自傲心理愈强,又愈看不起人。这些人常常错过良机,拖延再三,直到青春将过,方才着急起来。自傲心理又容易转化为自卑心理,随便选一个对象完婚。自傲心理导致的苦果抵消了自身优越条件可能给婚姻带来的好处。如果把个人和家庭的优越地位作为抬高身价的筹码,就易使对方产生畏缩心理,从而使不少本来可能成为合适伴侣的人从身边离去。

※去除自卑心理

与自傲心理相反,是一种缺乏自信,认为自己不如他人的自我意识。许多人要求对方在各方面都超过自己,对自己周围那些条件与自己相似的人不屑一顾。这表面上是一种优越感,实际上是一种自卑感。再者,生理缺陷、家庭困难、个人缺点等都可能导致恋爱失败,产生自卑心理。若想克服自卑心理这种自我认知偏见,就应该正视现实,不能把自己放在等待别人施舍爱情的卑微地位上,要努力采取措施来弥补自己的缺陷,做出成绩,赢得别人的尊重。

※避免"爱屋及乌"

"迷"是恋爱中最常见的偏见,这是指对恋人某个特征的印象影响到对其整体形象和其他特征的认知与评价。往往把自己恋爱对象理想化,所谓"情人眼里出西施"、"一俊遮百丑"、"爱屋及乌",说的就是这种现象。因爱上了对方的某一点,看不到对方的缺点,即使看到了,也由于被狂热的情感冲昏了头脑,认为无关紧要或者是"可爱的缺点",不能正确评价对方被掩盖的某些人性品质。常使人昏昧迷惑,若不及时冷静地纠正它,随着时间的推移,当狂热的冲动过去后,就会发现自己心目中的"完美偶像"原来还有这样的缺点,以致感到失望,影响婚后夫妻感情。

※择偶何必拘于条框

也就是用自己头脑中关于某一类人的固定形象去评价眼前的异性。比如有的女方认为煤矿工作肮脏、粗鲁,因而对矿工不屑一顾,即便男方是个多才多艺、品德高尚的人;有的男方认为女党员、女劳模、女知识分子都是只要事业不顾家庭、缺乏温柔性格的人，因而退缩；有的人认为对方受过高等教育，一定是事业心强、涵养很好、处事稳重沉着的人，对其寄予过高的期望。这种定型效应常成为障眼的迷雾，使许多男女错过结成良缘的好机会，或者找错了对象，抱憾终生。

※规避囿于单相思

爱情错觉也叫单相思。可见于一些青年由于与某个异性经常接触，把对方的友好表示当成爱慕的信息，误认为对方爱上了自己。产生这种爱情错觉的人通常是自己对异性有了爱慕之心，于是把自己的情感投射到对方身上，以为他（她）也爱上了自己，因而开始追求对方。这种错觉可能会得到对方的响应，也可能遭到对方的拒绝。如果双方处理不当还会造成不必要的纠纷甚至悲剧，破坏原有的关系和友谊。

※剔除"一山更比一山高"的思想

许多男女在恋爱中，事先缺乏比较明确的标准，结果在恋爱中眼花缭乱，不知其爱何在。如见到第一个对象，别的方面都满意，就嫌对方性格急躁；第二个对象又认为性格过于内向，缺乏热情……就这样，年近三十，恋爱仍未成功。每谈一个对象，都要跟过去的对象比较一番，谈的对象愈多，可比较的人愈多，他们的优劣长短也就愈难肯定。要克服这种自感心理，必须有一个正确的恋爱观和比较符合自己实际情况的择偶标准，不能朝三暮四，拿不定主意。

恋爱中自我认知和对异性认知中的偏见和不冷静的情感的消极影响，是择偶过程中的心理障碍。为了预防和克服这些择偶心理障碍，必须树立正确的恋爱观，培养坚强的意志，增加自己的生活阅历，不要过分相信自己的主观猜测和感觉。注意用理智控制情感，尽可能从多方面、多渠道去了解对方，检查双方是否有牢固的感情基础。选择配偶几乎都有一个曲折过程，随着对异性的认知和了解的加深，就会逐步正确地认识异性，产生深厚而热烈的爱情。

怎样克服异性恐惧症

青春期,是异性意识发展和形成的时期。第二性征的发育,性激素的分泌,产生了对异性的爱慕和希望与异性交往的欲望。在儿童时期曾接受过错误异性观教育的青少年,到了青春期如能顺利开展异性交往,则大部分人的异性恐惧感会逐渐消失。

但目前社会上有人对此并不重视,甚至人为地给青少年的异性交往设置障碍。

童年时期若受到双亲粗暴的虐待,或者父母婚姻不和,时常争斗,子女就会慢慢形成错误的异性观和对异性的恐惧情绪。有些父母从小向子女灌输男女授受不亲的思想,使将正常的异性交往,也视为不正当的行为,会使孩子形成异性交往的恐惧症。

怯懦与自卑(又称分裂性格)的人,表现为胆小、懦弱、自卑、孤僻、害羞、沉默寡言、不爱交往和缺乏知己;疑虑和刻板(又称强迫性格)的人,表现为多思多虑、极为敏感,遇事举棋不定、优柔寡断,办事刻板,清规戒律多和过于克制自己。如果一旦遇上上述的几种因素,就会强化对异性的恐惧感。特别是强烈的社会刺激,倘若恋爱中受到对方当众羞辱,就会削弱与异性交往的自信心,进而从异性羞怯变为异性恐惧。

 ## 要让别人爱,首先要学会爱人

爱情中的矛盾孕育于情窦初开的时候。所见所闻都是心上人的闪光点,缺点似乎微不足道,恋爱的对象究竟是现实的人,还是自己大脑所虚构的形象,这恐怕是很难分辨的。与此同时,爱情确也有其他感情所无法企及的、非凡的洞察力。恋人能发现对象自己都未意识到的,蕴藏在性格和心灵深处的高尚品质。

爱,意味着理解。热恋中的男女,尤其是女青年,对于情侣不需言传就能意会的本事,常常感到诧异。有时自己还很模糊的愿望,对方却能一下子"猜中"。这正是爱情的"先见之明",它使人情愫相通,心心相印。

爱情能给人无与伦比的幸福,但也会把人引向痛苦的深渊。爱情是一种复杂和充满矛盾的感情,常会从一个极端滑向另一个极端。爱情可以表现为自我牺牲、忠贞不渝、两情缠绵和同居的欢乐,也可以使人疑神疑鬼、妒忌误解、心灰意冷或与旧日的情人纠缠不休。

婚后爱情会有不少内忧外患。最大的暗礁就在于激情蜕变为呆板的习惯,爱情失去原有的光彩。如容貌和仪表,不久以前曾使情人动情和倾倒,但在后来的生活中就并不觉得有什么特别的魅力。

婚后若不给爱情以营养,感情也就容易发生蜕变,只有常常浇灌,爱情之树才不会随岁月的流逝而枯萎。

稳固的爱情,取决于男女双方的同一性。这种"同一性"在心理学上被称为相容性。家庭冲突的一条重要原因,就是缺乏"心灵上的一致"。但不能把"相容"理解为两个人毫无二致。重要的是生活目标的一致,有共同的价值观念,有相应的文化水平。如两个极端自私的人未必能相容,他们自顾追求个人的特权,都想占上风而不肯让步,反目也就在所难免。气度恢弘者与小肚鸡肠者、满腔热忱者与落落寡合者结为夫妻,则日子不会过得很顺利。

爱上一个不相容者,是完全可能的。能使爱情地久天长的只有相容的夫妻。在共同的天性中,有着共同的生活需要。某些局部的不一致,以及作为这种不一致的结果,而出现的一段时间的冷淡都会存在,只要真情在,有维持家庭的愿望,这种不一致不会出现家庭危机。

男女在择偶的心理上有什么差异

随着年龄的增长,生理发育的成熟,青年男女通过接触,自然而然地会产生爱情。但男女在恋爱和择偶心理方面却有着明显的差异。

❀**对异性的认知有差异**

男青年较容易陷入冲动的爱情漩涡之中,常常影响到他们对异性的认知能力,使其在初恋阶段容易对异性的外貌一见倾心,在短时间内就决定是否喜欢对方。女性则较少一见钟情,对爱情多从婚姻本身和未来的角度进行考虑。女性的认知比较现实,不易受一时的情感所影响,大多会着眼于未来的家庭和共同生活。

❀**在对异性的爱慕和追求的表现方式上有差异**

男青年的情感比较热烈和外露,更容易坠入情网,很快进入热恋阶段,情绪容易激动,难以自制。倘若患起"单相思"来,十有八九不轻,其心理所受的打击程度比女性要大,常表现为垂头丧气、失魂落魄。而女青年对异性的爱慕情感,大都比较含蓄内向,显得羞涩敏感,但也不乏热情奔放者,通常能够控制住自己的情感,初恋阶段尤其如此。

❀**在择偶标准上有所不同**

男女在情感与认知方面存在着差异,加上由于社会文化背景的影响和社会生活方式的制约,社会对男女性别角色提出的不同要求,男女之间个性的差异等均影响着各自的择偶标准。

❀**男青年的择偶标准**

女方容貌端庄,年龄要小于自己,性格热情,文静不庸俗,温柔会体贴人。不少男青年还要求女方的学历与自己相当;一部分男青年在传统的婚姻家庭观念影响下,只要求女方当好"贤妻良母",不愿意寻找事业心强的女性为伴侣。男青年比较讨厌高傲、自以为是、举止粗俗、心胸狭窄、喜欢卖弄风情的女性。

※女青年的择偶标准

要求男方身体健康、高大魁梧,文化程度高于自己,起码不低于自己;有才华,事业心强,善于交际,性格坚强,稳重大方,能体贴人,理解和支持女方的事业;有的要求男方老实听话。女青年大都讨厌平庸、粗鲁、缺乏男子汉气概、无进取心和事业心、献假殷勤的男性。

再者,因各自文化程度、职业情况、家庭背景等方面的不同,还有许多具体的要求。例如,有的对对方的身高、外貌、工作单位、住房条件、家庭成员甚至居住地段等都有具体的要求,认为完全具备这些条件的才是"理想的伴侣"。很多农村女青年希望找有经济头脑、能说会道、有致富才干的男青年;一些女青年要求对方必须掌握某种专业技能等等。

择偶标准看起来似乎只是一种个人行为,反映个人的要求或愿望,但它实际上是在社会现实生活制约下形成的个人恋爱婚姻动机的表现。婚恋并无一个固定的模式,男女双方大可不必事先划定一个不可变更的框框,不要在那些爱情、人品以外的条件上过分苛求,不适当地提高择偶标准,为满足一时的虚荣心而错过找到称心如意伴侣的好机会。

如果为了婚后能支配对方而要求对方必须是"贤妻良母型"的或"听话型"的,就更不应该了。按照这种标准建立起来的家庭,是很难有平等、和睦的爱情生活的。男女双方真心相爱,有坚实的爱情基础,在人生观、理想等方面达成一致,不必过分讲究对方的身高、年龄、学历、职业、经济条件、家庭成员、籍贯等条件。

切勿以不切实际的东西来取代爱情,不然就玷污了纯洁高尚的爱情,也会给婚后生活埋下不和的种子。

交往在完美婚恋中的重要作用

社会交往是人的一种基本需要，尤其对于青年人，更是有着特殊的意义。

青年期是身心迅速发展的时期，生理、心理变化使人产生全新的体验，也产生了自我尊重的要求。更加需要别人的支持，尤其需要生活中正面临类似变化的人的支持。比如，有关性的知识，很多是从同龄人那里获得的。一个青年若没有任何途径获得这种知识，就有可能妨碍心理的正常发展。

青年逐渐从依赖父母的关系中独立出来，与父母早期联结起来的情感逐步分离。心理学家形象地把这种分离过程称为"心理断乳"。青年在心理上与家庭疏远后，就会把情感能量投放于同龄朋友之中，以求得新的感情寄托。同龄朋友之间年龄大致相同，彼此谈不上指导与被指导、保护与被保护的关系，而是平等的伙伴关系，青年人能从这种同龄人的交往过程中，获得安宁感、稳定感，学到社会生活中所必须的知识、技术和态度。还能帮助青年在这种交往中摆脱以自我为中心的旧模式，从而发展个体的社会性，有助于青年人自立。

青年人在交际过程中，需要发现哪一种行为是可以被接受的，哪一种行为是不能被接受的；哪一些个性特征是被人喜欢的，哪一些个性特征是被人拒绝的。为了试探新的行为方式，青年人又必须探索自己的需要和动机怎样才能与社会环境相一致，探索哪一种角色是符合自己发展方向的。这个探索、发现过程往往是很伤脑筋和充满困惑的，这就需要友谊，需要加入到同龄人的团体中去方可解决。

友谊能够提高青年人的自尊心,可以使他们学到必要的社交技巧,使他们在情绪上与别人相联系,增加安全感和力量,并能促进有益的行为和个性的发展。失去社会交往和友谊,对青年人来说可能是一种威胁。有人把青年社会交往的作用归纳为以下几点:给他们带来稳定感,度过快乐的时刻,使他们获得与别人合理相处的经验;为人宽厚并发展理解能力,提供获得有关社会和技能知识的机会;使他们得到批评别人的机会,提供了求爱行为的经验,促进诚实的心胸的发展。

青年人社会交往和选择朋友的标准是相互一致的,导致这种一致性的条件是:地理上接近,年龄上的接近,身体、能力、兴趣相类似,性格类似及性格的互补,社会经济地位接近及互补。在青年前期,青年人希望生活在较多的朋友中间,常常以朋友多而自豪,而且具有自信。但自进入青年中期就发生变化,朋友人数少了,然而更认识到保持深厚友谊的重要性。

"同病相怜"不可"同病相恋"

俗语说"同病相怜"是指患有同类疾病或同样遭遇的人,往往会相互同情和怜悯,这本是人之常情。但如果从"相怜"发展到"相恋"未必能得到幸福。因为一些相同的遗传基因所致的疾病患者一旦结合,其后代也往往患有同样的遗传病。据调查,两个高血压患者婚配,其子女将有3/4可能发生高血压。若先天性聋哑与先天性聋哑的人结婚,其子女得聋哑病的几率会大大增加。如果只是一方有病,一般就不容易传给下一代了。因此,选择对象的时候,不仅要了解本人健康的状况,还要了解双亲甚至上一辈的疾病情况,避免同病相恋,以免增加后代患有同样遗传病的机会。有人说得好:"同病相怜莫相爱,相爱要害下一代。"为了优生,应科学地选择伴侣。

青春期中胸罩的作用

乳房是由底层的胸筋膜、覆盖乳房的皮肤来支持的。支撑乳房最重要的组织是胸筋膜和皮肤。乳房向上隆起一点时不带胸罩关系不大,但当乳房发育比较大且有一定的重量时,如果不用胸罩紧紧兜住,筋膜和皮肤便难以支撑乳房保持和适对称的部位,而使乳房慢慢下垂。从保持形体美而言,当乳房发育到一定大小时,就要戴上胸罩了。

 ## 女性的副乳是怎么回事

女性分娩后三四天,乳房便会发胀,有的女性感觉上就要开始分泌乳汁时,常会发现腋下有一块发硬的东西。会认为这是淋巴腺肿大,但有时也会出现一个像小乳头似的东西,这就是副乳。

从动物的身上可以看出,哺乳动物本身有几个乳头,人的副乳就是人类进化中已经被退化了的乳头所残留的。

有的女性有副乳,这不是患有什么像动物似的病。长副乳这种生理现象,许多健康女性也有,几乎都认为这是乳腺发达的现象,不必施行手术治疗,只要冷冻3~4天,就可以消除了。

出现副乳时,可以去医院门诊就诊,待到哺乳后乳房缩下去后,再确定是否必须进行手术。女性乳房病,可到妇产科的外科就诊,但在产褥期的女性应去妇科就诊,而其他时期,到外科就诊就行了。

女性青春期的生长发育是怎样的

❋青春期到来的标志

青春期是指年轻人开始有生育能力的时期。女孩这时卵巢里的卵细胞开始成熟;青春期最重要的生理现象——月经开始出现。

但这只是生理变化的一部分。另外还有其他方面的变化,甚至影响到身体每一部位。伴随这些生理发展而来的,是青春期中非常重要的情感和心理的变化,会使一个小孩逐渐变成一个成人。

❋月经初潮

近年以来女性青春期的来临越来越早。但初潮的时间仍有很大差异。

许多因素可能起一定作用,如父母遗传的作用、营养等级、居住条件、生理和心理状态。

以上因素好像比其他因素,诸如种族或气候的影响更为重要。一年四季中,青春期发育的比率确实有差异:春天个子增长最快,秋天体重增加最多。

❋女性性体特征发育的机理

青春期女性身体上发生的这些变化都是由大脑的一个特殊部位——下丘脑所控制的。大约月经初潮的两年前,下丘脑便开始产生一种被叫做"释放因子"的物质。这些释放因子进入脑下垂体,导致激素产生。刚开始产生的激素叫"促卵泡成熟激素",它促进卵巢内含有卵子的卵泡和成长。在"促卵泡成熟激素"的作用下,卵泡产生雌性激系,雌性激素促进生殖器和乳房的发育。

血流中雌性激素的上升对下丘脑产生一种叫"负反馈"的影响。它使"促卵泡成熟激素"释放因子减少,同时使下丘脑释放另一种物质——黄体激素。黄体激素同样使脑垂体产生女性性机能。

黄体激素使一个卵泡破裂,为可能的受精释放卵子。残存的卵泡被称作"黄体",继续分泌雌激素。同时开始分泌一种新物质——孕激素。黄体激素为受精卵营养和受精卵的着床准备了子宫内膜。倘若排出的卵子不受精,血流中雌激素和黄体激素的数量会减少,导致子宫内膜脱落,由此产生的出血便是第一次月经。月经通常为 28 天一个周期,从青春期一直到绝经期。

❋身体发育的表现

女性青春期始于 9 ~ 14 岁,结束于 14 ~ 18 岁(男孩子比女孩子成熟较晚,也较慢)。一些女孩青春期刚刚开始,而有些已进入了复杂的青春期过程(尤其是那些延续时间可能较短,但青春期开始较早的人)。通常,青春期开始于 11 岁,到 14 岁时达到顶峰。青春期的发育过程很不一致,但正常女孩的发育变化可以归纳为:

(1)青春期前期(9～11 岁)

此期乳房还没有发育。没有生出阴毛和腋毛。身体形状呈孩童状。

(2)青春期早期(11～13 岁)

此期脸部开始变圆满,骨盆开始变大以便将来生育。腹部开始沉积脂肪,乳房发育,乳头隆起,阴毛开始在阴部长出,内外生殖器开始生长。阴道壁变硬,有的开始来月经。

(3)青春期后期(14～16 岁)

此期乳房继续长大,阴毛变得厚密,腋毛出现,月经来临。

(4)成熟期(17～18 岁)

此期身材日趋丰满,骨骼生长停止。生殖器官发育成熟,月经周期稳定。

身体的其他组织增大。喉部发育,声音有所变化。血压、血流量和红血球数量都增高。心跳变缓,体温下降,呼吸缓慢下来,但肺活量增大。骨骼开始坚硬。通常到大约 18 岁时,生长高峰便已过去,正常女孩这时已达到身高和体重的最顶峰。

(5)青春期出现的问题

有些情况下,因为激素不平衡,可导致青春期发育受阻。

多数女孩子青春期的问题主要来自心理方面。即使是像脓疱、黑头粉刺、发胖或多汗这些生理现象,也使她们觉得不好意思。

心理变化使青春期的女性的表现喜欢吹毛求疵,具有反叛精神。敢于向父母和老师的权威挑战。普遍而暂时性的问题是嗜睡症。原因有心理方面的,更多则是生理激素影响。"猛长"或睡觉太晚也有可能导致嗜睡。

女性的手淫现象

虽然在异性间性行为中手淫很普遍,但是,手淫还是主要用于自我的性刺激。6个妇女中至少有1个人,在一生中的某个时期有过手淫。手淫是达到性高潮最直接也最能成功的途径。

手淫常被看做是比与异性交欢更该禁忌的事情。人们反对手淫几乎成为一种神经质。

但越来越多的人对手淫有了较正确的认识:它是正常性体验的一部分,不会导致身体上或智力上的特别损害。这种看法的正确性是以科学为依据的,手淫不仅会解除因不成功的性生活缺乏偶尔引起的剧烈的性紧张,还可以作为妇女更好地了解自己性反应的学习过程,使其和配偶的性生活更加和谐。

虽然社会的态度越来越开明,但大部分妇女还是对手淫有犯罪感,忧虑重重。

通常,对性器官自然的好奇心引起的有意识的手淫,女孩明显的比男孩早。到45岁,60%的妇女有过手淫。上了年纪的妇女的手淫行为比年轻妇女的手淫行为更普遍。40多岁的妇女中,几乎60%的人经常手淫,而青春期的女性中只有20%的人经常手淫。虽然这部分是由于社会因素造成,但也反映了女性性欲发展的一般规律。

通常,性爱臆想只属于男性,但实际上,少则50%,多则70%的妇女,在手淫是进行相应的性爱臆想。这种方法在性交时也同样适用。许多妇女对这种臆想性爱很惊慌,以为这种臆想是性倒错或性机能衰退的表现。如果说臆想性爱确带有某些想像满足的色彩,那么,臆想也是性行为中极为自然的一部分。

月经期的麻烦问题

※月经前的不适

主要病症（经期开始前7天最明显）有头痛、腰痛、恶心、胸闷、心理紧张、身体机能减弱等。如果上述病症严重，一般可以采用激素疗法。

※痛经

有两种痛经比较明显——痉挛性痛经和充血性痛经。痉挛性痛经开始时阵痛，后来整个下腹部疼痛，被认为是由于子宫肌肉收缩引起的。充血性痛经是经期前感到的隐隐作痛。痉挛性痛经常常在怀孕后消失，充血性痛经则要延续到绝经期。

※月经不调

青春期月经常常是有规则的。有些成年妇女则发现月经周期的长短月月不同。正常的月经周期应在22~35天。

※无月经

无月经有两种情况即：原发性无月经和继发性无月经。若是一个女孩到18岁尚未来过月经，她便患有原发性无月经。也许是激素紊乱引起的，应当找医生检查。

继发性无月经是专用来指已开始行经而后停经的状况。这是很正常的，怀孕期间孕妇不行经。有时分娩后过了好几星期才重新开始行经。在哺乳期中的妇女更是如此。继发性无月经也可能由惊吓、恐惧、紧张或抑郁等情绪波动引起。激素紊乱、疾病、乱用药物、出外旅游或身体素质差也可能引起继发性无月经。

※经血过多

一次月经一个妇女一般流失 2 ~ 4 大汤匙血。但有些妇女则失血过多。

失血过多或经血太多(带避孕环的妇女容易发生)通常由贫铁症引起。治疗可以多吃含铁丰富的食物或进行一个口服铁剂的疗程。经血过多(和两次经期间的失血)可能是诸如激素紊乱,子宫肌瘤或子宫炎等病的先兆。心理因素有时也会引起经血过多。由激素不平衡引起的子宫出血,可以导致大量失血。此时如使用刮除术不起作用,需要施行子宫切除术。

如果有过分失血情况都应去咨询医生。

婚前有性行为好吗

恋爱中的男女都非常重视双方情趣爱好,乃至生活习惯的协调一致! 却极少有人公然申明自己也在对他或她进行性的选择。

不少人婚前极为忌讳在异性面前谈论性的问题,所以往往以为只要"两情相悦"就可以结婚成家了,极少考虑到对方的性健康状况、性强度及性能力大小等问题,而这些正是许多夫妻婚后性生活不幸的重要原因。

实际上,夫妻性生活和谐是婚姻美满的重要的必要条件之一。那么,在形成各自的性习惯的过程中,要受哪些方面影响呢?

※性生理强弱程度

美国性学家金西经过大量调查发现:青春期以首次月经、遗精为准开始得越早,人的终生性能力就越强,表现为性生活频度高,连续性生活多。这一发现适合 85% 的人。男性性能力在18 ~ 25岁最强,以后不可逆转地逐步下降,大约每10年下降一半。女性性能力在 35 ~ 45 岁最强,之后开始下降,但下降速度缓慢于同龄男性。

※性心理强弱程度也是性欲强度的体现

从小接受新文化和新思想较多、乐意和善于在性生活中发现乐趣及浪漫色彩的男女,与配偶协调性生活能力较强,性心理十分丰富。生活在愚昧、封闭环境中的人,则常常发生性心理的偏见和障碍。文化水平较低的男性,忽视性感受的交流,一个性态度积极、对心理的浪漫感受要求很高的女性若和他结婚,就会觉得他太"粗鲁"、"没人情味",男方也会觉得她太"淫荡"、"杂事多"。反之,性保守的女性若和性态度积极的男性结婚,她会觉得男方在"摧残"自己,男方会觉得女方是个木偶,性生活乏味无聊。

人的年龄越大,性能力越低,所以从性的角度出发,一般认为性欲极强、性要求较多的中青年人不适宜与老年人结婚。一般双方年龄相差不宜大于 15 岁。

老年人再婚的性生活主要是为了满足性的接触欲和抚摸欲,故而性交能力的大小无关紧要。但如果个别男性的性能力很强,则须选择一个和自己性能力差不多的女性,年龄最好在60 岁以下,因为 60 岁以上的女性阴道分泌功能已经比较差了。

两个过于肥胖的人也不太适宜结婚,因为过于肥胖的人由于超重可能引起关节方面的退化,在选择合适体位性交时会发生困难和其他的不便。

显然,婚前考虑对方的性习惯非常重要。尽管封建道德对此严加非难,但从古到今的群众实际上却一直在暗中谈论和实行,可是其中大多数说法并不科学,听信之反而会坏事。这里略作澄清:

有人说男性个子高,阳具就长大,容易满足妻子;女性嘴大就阴道宽,欲望强烈。这没有任何根据,因为:一是男女生殖器官大小与身体高矮胖瘦不成正比,而且没有互相决定的关系;二是性欲强弱与生殖器大小更没有任何关系;三是性交中的快感主要来源于摩擦,女性更源于对外阴的摩擦,与双方生殖器大小也没有关系。

有人说男性脸红或黑，粉刺多，就是性欲强烈；女性唇腮红润就易于动情。这也没什么根据。因为掌管性欲的是中枢神经系统，面色、粉刺等却由血液循环系统决定，两者没有必然的联系。

每个人的性欲强度是不相同的。一个性欲旺盛的人选择一个性欲低下的人，婚后性生活是很难融洽的。如何获悉对方的情况呢？结婚前男女双方应到医院去接受性健康的查询，了解双方是否有性疾病及性心理是否健康。恋人们在交往中须自学一些性知识，对另一方须多加留意，双方也应坦诚相告。

 ## 手淫问题不必大做文章

❋手淫的定义和范围

手淫是性冲动时的自慰行为，手淫是没有异性参与的性行为。男人在性欲冲动以后用手指摩擦、抚弄阴茎来引起快感而达到射精的目的；女子在性冲动时用手指或其他器物刺激阴蒂、阴道而达到快感的目的，都称为手淫。手淫一般发生在青春期以后，男多于女，男青年100%的有

过手淫史，女青年约为50%有手淫史。过去曾认为，手淫是解决性要求的一种不正常手段，是一种不良习惯。社会上也宣传手淫是十分有害的，说手淫会抽干骨髓，大伤元气，甚至精神失常或双目失明等。很多人认为，为了生命更有活力应该储留精液，认为御而不泄，还精补脑最有道理。

❋手淫是性行为的一种

由于存在以上这些认识，使一些有手淫的人产生严重的思

想负担,惶惶而不安,却不能自拔,形成了心理上的手淫恐怖,表现为精神忧郁,有些医学杂志竟公开宣传手淫有三大害处:一是可导致阳痿、早泄,影响夫妻感情,甚至导致离婚;二是可导致肾亏、脑髓枯竭,引起神经衰弱和精神病;三是可导致人产生一种荒唐的性幻想冲动,从而走上性犯罪。社会上还有宣传精液是元阳,十个馒头一滴血,十滴血一滴精等等。其实,这些宣传都是没有科学根据的。

男性身体发育成熟后,睾丸就会产生精子,前列腺开始了分泌,二者混合在一起,便形成了精液。精液是人体体液的一种,与血液等含蛋白的液体一样,除了有生殖作用外,不具什么奇妙的作用。人类的器官组织有不断地进行新陈代谢、发育和排泄的规律。成熟的男人,精满自溢,发生遗精,就像成熟的女人每月来经一样不是病理现象。现代医学认为,无意识的做梦遗精,或有意识的手淫排精以及有意识的夫妻性交的射精,只要不过分频繁都不会造成什么不良的或严重的后果。手淫是标准性行为的一种,这种行为本身并没有多大害处,但因对手淫持有错误的看法,所以在手淫时伴有犯罪的内心焦虑与恐惧,会对自己身心发育与健康带来不利的影响。据调查,手淫的人98%的身体是健康的,性功能是正常的。手淫之后的精液排出,身体松弛是射精后的神经反应。其实,只要不过度频繁,手淫是无害的。

❋一种发泄需求

社会上把手淫行为看成是思想落后,道德败坏,这也是错误的看法。从性生理的角度讲,人到青春期以后,产生了性兴奋与性冲动,但因环境决定无法解决这种性要求,在这种矛盾情况下,于是用手淫来作为一种发泄,当然不是什么严重的问题。

❋正确分析手淫的后果

其实,应该宣传产生手淫的原因,分析手淫的后果,从而解除那些有手淫行为的人的沉重思想负担,但也不能无条件地宣传手淫无害论,鼓励通过手淫而寻求性刺激。标准的性行为是夫妻之间的性交。手淫属于性行为,但仅是在性要求和一时无法实现这种要求的矛盾下的一种发泄行为。手淫前，手淫时，手淫后，手淫的人常会陷于思想矛盾和精神力量崩溃的心理状态之中。对意志薄弱的人，不断的、没完没了的性冲动，都有可能采取手淫的方式来追求快感。手淫之后，又可能追悔羞愧、忧虑、焦急——这些不良情绪的保持，日久会使人变得没精打采，食欲不振，睡眠不佳，工作学习时注意力不集中等。经常有手淫的人，手淫时头脑中常有某些假想的情欲对象，性兴奋高潮中，则可能呼叫某些异性的名字，这种不健康的欲念会使人的趣味变得低级、庸俗，情操不高尚。

※把握手淫的频率

对于青少年，手淫和过度手淫并没有明显的界限。青少年克制自己的能力较差，一旦从手淫中获得了快感，则沉溺其中而不能自拔。倘若过度地手淫，不仅对生理而且对心理也会产生某些不良的影响。人的生理和心理有密切联系，手淫造成精神上的过度紧张，精神上的过度紧张又会造成某些疾病的发生。单纯无条件地宣传手淫无害是不对的，但把手淫行为视为瘟疫病毒也是不对的。假如对手淫加以绝对禁止是办不到的，采取放任自流、任其频繁发生也是不正确的。

※对待手淫的正确做法

（1）向青少年进行有关性的科普宣传教育，使他们掌握有关性卫生的知识，消除性的神秘感，培养克制自己的性欲冲动能力，用理智战胜本能，正确处理有关青春发育期的性冲动问题。

（2）加强思想教育。青年不仅有人的基本生理要求，更应有赢得荣誉，受到尊敬，拥有威信，追求真理的高级要求，把自己的主要精力用于工作学习中，没有闲空想入非非，手淫则不会发生或很少发生。

（3）通过各种有益的活动，培养青少年的坚强与顽强意志，在性冲动时能尽力克制，考虑到因此可能导致的不良后果，用更有益于身心健康的活动，去阻止、转移、冲淡已发生的性冲动。

（4）青少年在积极参加各种有益的社会活动中，扩大与异性的接触和正常交往,这样便于保持性心理的平衡,则有利于克制手淫行为。

(5)教育青少年要养成良好的卫生保健习惯,按时睡觉,按时起床,定期洗澡,尤其注意性器官的清洁,加强体育锻炼,尽可能阻止手淫的发生。

婚前有过手淫的人,婚后通常情况下对夫妻的性生活不发生任何影响。如果因婚前频繁的手淫,婚后使夫妻的性生活长期无法和谐时,应请医生处理,避免更严重的后果发生。要正确认识和对待手淫,不要对手淫有犯罪感和恐惧感。

阴茎是怎样勃起的

男子正常的性功能包括性兴奋、阴茎勃起、性交、射精和性欲高潮等过程。如果想性交成功,阴茎必须勃起。阴茎勃起是男性功能中最重要的和最基本的一个环节。

阴茎勃起有赖于健全的神经反射通路、正常的内分泌功能、充分的动脉血输入和有力阻断静脉血液流出、正常的阴茎解剖结构等四个环节的相互协调和配合,无论哪一环节都缺不得、错不得。还必须有健全的性心理倾向,不然即使上述四个环节均正常,阴茎仍然不能勃起。

※血运系统和血液供应的机理

阴茎血管本身和血流的供应在阴茎勃起机制中占有非常重要的地位,阴茎勃起的本质是血管充血反应,如果血运系统出了毛病,会造成阴茎勃起不良。阴茎内动脉的分支有:位于阴茎背面白膜外的两条阴茎背动脉,沿阴茎海绵体走行的一对阴茎海绵体动脉,以及沿尿道海绵体走行的尿道腹侧的两条尿道球动脉。这些动脉的末端分支,即螺旋动脉终止于小毛细血管,后者又直接开口于海绵体腔。静脉回流有两条通路,浅表背静脉引流整个尿道海绵体(包括龟头和尿道球)的血液,深部背静脉引流阴茎海绵体血液。

三个海绵体腔行使阴茎勃起组织的功能,龟头和尿道海绵体提供体积,而对阴茎海绵体提供硬度。由称为小梁的纤维和平滑肌索带将组织分隔成许许多多不规则的间隙,又称血窦,窦间隙表面覆盖有内皮。位于海绵体中央的窦隙较大,倘若阴茎高度充血时,直径可达 1～9 毫米,松弛时则为不明显的间隙。每个血窦都有深动脉和输出静脉与其直接相通,而深动脉与输出静脉之间还有直接的交通支,称为动静脉分流系统。在深动脉、输出静脉和动静脉短路的管壁上都存在瓣膜状平滑肌皱襞,受勃起神经调节。在勃起中起主要作用的是动脉,但阴茎内静脉血管瓣膜部分关闭并限制静脉血液回流也非常重要。如果血液排放系统关闭不全,静脉排放流量过大,勃起减退而形成阳痿。当白膜退化过分松弛时,使贯穿而过的导静脉不能关闭,导致静脉血大量回流,勃起也不能实现。如果动静脉交通支在勃起时不关闭也可造成阳痿。这种皱襞瓣膜组织于婴儿出生后2个月即已开始出现,自3岁起大量增加,这说明男性儿童能有勃起现象。新生儿阴茎勃起,纯属神经生理反应,不存在瓣膜问题。

　　阴茎像一个天然液压机械装置,勃起与消退的生理反应表现为一个器官在一定容量下呈现出的流入与流出的血液动力学的巨大变化。根据阴茎的大小,勃起时血容量的增加约为80～200毫升。阴茎勃起时,阴茎内动脉扩张,进入阴茎的血流量比松弛时大8倍之多。当达到120毫升/分时(海绵体内压增高至75毫米汞柱左右)引起勃起,阴茎一旦勃起之后维持勃起的血流量只需原先灌注率的60%左右,或70毫升/分即可,这说明静脉没有完全关闭。如果静脉完全关闭,只能引起阴茎水肿和发胀,而不是真正的勃起。年轻男性,勃起只需要5秒钟,年长者可能需要6～7分钟之久。人的体力、精力、心理与精神因素在年龄增长过程中,对性欲与阴茎勃起有一定影响。

✵神经反射的参与

　　阴茎勃起是一种反射,来自许多感受器的神经末梢的刺激和条件反射刺激都能引起阴茎勃起反射。参与控制勃起功能的神经成分包括上至大脑皮层、下至阴茎血管壁神经肌肉终端的各级结构。如大脑皮质，有性功能中枢；间脑、下丘脑，有皮质下中枢；腰骶部脊髓内，有勃起和射精中枢，但胸腰部及骶中心也有协同作用，各中枢之间有密切联系，脊髓中枢又经感觉和运动神经与生殖器官相联系。

性活动是由一系列复杂的条件反射和非条件反射组成，同时受到中枢神经系统高级部位的控制和支配，它们能提高或抑制性感。性欲和勃起本身亦是大脑综合了许多外界刺激后产生的，特别是条件反射更为重要。后天性条件反射联系，可以使大脑皮质和高级感觉器官的刺激，如各种思维联想、回忆、视、嗅、听及其他感觉与非条件反射一样，引起大脑皮层性兴奋。并且，大脑皮层又参与着人类精神、情绪活动。人类的各种精神和心理因素都会干扰大脑性活动中枢的正常反射过程。当然，心理作用，尤其是情感，对动情区起着非常重要的作用。如果有感情的话，触摸动情区会引起快感；如果没感情，甚至怀有憎恨心理的话，即使以最诱人的刺激方式，对最敏感区域施加刺激，非但不能引起快感，反而引起厌恶与恐惧。

凡来自大脑皮质的后天性条件反射的性兴奋，能够扩散到皮质下中枢和脊髓中枢而引起的阴茎勃起，称为心理性勃起。直接给与阴茎的刺激引起勃起中枢兴奋后形成的勃起，称为反射性勃起。两种勃起都由位于脊髓的勃起中枢发出指令，并通过神经来传递和撤销这种指令。

※内分泌的调理

雄激素促使胎儿期性器官的分化和发育，更重要的是它在青春期后是性兴奋、勃起的关键因素之一。倘若因病导致雄激素缺乏时，会丧失阴茎勃起能力而引起阳痿，当补充外源性雄激素后，则可恢复勃起能力，就说明了雄激素在勃起中的关键性作用。雄激素尽管不直接刺激性中枢，却能提高性中枢的兴奋性，使性中枢保持一定的反应能力，但雄激素怎样影响成年期感觉神经尚未予以研究。有人提出生殖器官的皮肤有使睾酮转变为有活性的双氢睾酮的能力;有人则认为雄激素有使生殖器皮肤对触觉刺激敏感的作用。事实上,双氢睾酮并非性兴奋和勃起所必须,如5—α。还原酶缺乏的男性,无双氢睾酮,但阴茎同样能勃起并进行性交。

睾酮的产生则受大脑、下丘脑的调节。大脑也是性体激素的一个靶器官。人类精神因素中的恶性刺激,通过高级神经中枢能够干扰和影响下丘脑的内分泌调节中枢,从而使得人体血循环中维持男性性功能的雄激素水平往往处于不平衡状态,这也是导致精神性阳痿的原因之一。

如果睾酮水平明显低下时,常伴有性欲低减和阳痿,但补充睾酮后症状会得到缓解。激素和性行为之间的关系仍不明确。

精子是怎样射出的

精子的排出过程是一段复杂的漫长的旅途,这是因为大约60微米长的精子在睾丸的曲细精管产生后,必须经过长6米以上的男性内、外生殖管道(其中曲细精管150厘米,附睾4~6米,输精管50厘米,尿道10厘米左右),即经历相当于它本身长度为10万倍以上的漫长旅途,才能排出体外。

男性内、外生殖道及附属腺体的位置。精子在曲细精管中成熟后,从睾丸支持细胞上脱落下来进入管腔内,随着支持细胞分泌的睾丸网液进入精直小管。精直小管进入睾丸纵隔后反复分支、吻合,形成有网眼大小不等的网状管,即睾丸网。在睾丸网的后上部发出大约12~15条输出小管,组成了附睾头。输出小管汇合形成一

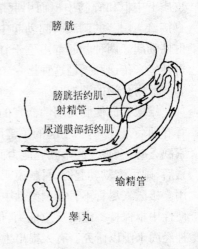

膀胱

膀胱括约肌
射精管
尿道膜部括约肌

输精管

睾丸

条极度迂回盘曲的附睾管,组成了附睾体和附睾尾。精子在附睾内要停留大约3周,更加成熟后进入输精管。此后精子的迁徙不再是仅由睾丸网液流动而引起的,而是由于输精管肌肉收缩造成的。在输精管壁内具有比较厚的三层平滑肌,即内外两层纵行肌与中间的环行肌。射精时肌肉的强有力收缩,可将附睾内贮存的精子迅速排出。输精管在接近前列腺附近扩大而成输精管壶腹,是贮存成熟精子的仓库。输精管壶腹在前列腺的后上方与精囊腺汇合之后形成射精管,贯穿前列腺体,在精阜处开口于尿道前列腺部。这时精液中掺入了精囊腺液和前列腺液。最后在阴茎根部,尿道球腺液也加入了这一行列。尿道球腺是一对豌豆大小的腺体。男性性兴奋时,尿道口流出的透明清亮的液体就是它分泌的,其分泌量尽管仅有几滴,但作用可不小,能够起到滑润尿道的作用。

性刺激引起"射精中枢"兴奋时,输精管、精囊腺、前列腺及球海绵体肌和坐骨海绵体肌有节奏地收缩,膀胱颈括约肌在交感神经支配下关闭,尿道外括约肌在副交感神经支配下舒张,这样将精子连同精浆一起一下排出体外,完成射精过程。

婚礼前曲

为什么要举行婚礼

按照《婚姻法》规定，男女双方只要取得结婚证，即已经是夫妻关系。但按照我们国家的传统习俗，结婚还要举行结婚仪式，一则是得到社会的认可，二则也是希望结婚能够有纪念意义，更体面、光彩。我国古代的婚嫁中有所谓"六礼"（纳彩、问名、纳吉、纳征、请期、迎亲）习俗。现今青年们结婚的婚礼形式有婚宴、茶话会、集体婚礼、旅游结婚、宗教婚礼等等。一般说来，人们重视婚礼，多是出于这样几种需求：

❋心理需要

我国传统婚姻风俗之一是讲究"明媒正娶"。许多青年担心，不举行婚礼，被人议论，似乎不够光明正大，或太小气，在同事中太显眼，被孤立。只得屈从传统习俗，随大流而举行过分铺张的婚礼。

❋"入世"需要

结婚是人生大事，自己的婚姻要得到社会的承认和尊重。若只领取结婚证，似乎自己的婚姻大事还不为人所知，担心被旁人轻视；而隆重的婚礼则"露脸"、"体面"、"光彩"，为许多人所称道，新郎新娘的身份也好像得到提高。

❋社会交往需要

不少青年认为自己结婚，应该邀请亲朋好友、同事故交来欢聚一堂,热闹一番,大家在欢庆婚礼的同时,加深感情和友谊,使婚礼更有意义,特别是那些对自己的恋爱婚姻出过力的亲朋同事,更不可不请,怕被人议论自己不讲交情。

※经济方面的需要

通过讲排场的婚礼,可收到大批"红包"、礼物,弥补筹办婚事的花费,增加某些物质好处,得到物质享受的满足。

由于受上述原因以及社会传统习俗、社会风气影响,目前大多数青年结婚均举行隆重的婚礼,其心情是可以理解的。但同样的婚礼,其形式是否适宜却可以给人的心理带来不同影响。好的婚礼能使新婚夫妇感情更融洽,甜蜜幸福,心情振奋,周围的亲朋好友也由衷地高兴并祝福他们。不适宜的婚礼却可使新婚夫妇的心境长期处在苦闷之中,婚后对婚礼感到后悔、懊丧、烦恼,周围的人们也可能受到影响,产生不满情绪,以至造成家庭冲突或感情裂痕。

希望社会承认与尊重自己的婚姻是对的,但不应该有虚荣心,把简单、俭朴的婚礼看成寒酸、冷清。应该认识到,不量力而行,铺张浪费,借钱摆阔气,是不光彩、不体面的事情。不要把婚礼排场当作生活的最大欢乐和荣誉地位的主要体现形式,志同道合、相亲相爱的美满姻缘,即使没有隆重婚礼,一样受到人们的真诚尊重。

增进与亲朋好友的情谊是可取的,但不能盲目模仿他人,拼命追求婚礼的时髦和热闹。时髦的东西虽能引人注目,但于己于人却未必有好处。结婚送礼,常把友谊庸俗化。婚礼大讲排场、摆阔气,会使亲属、朋友、同事们受到一种压力,感到不送礼不好意思,有的送礼还必须送重礼,从而造成与结婚者的关系疏远,沉重的经济负担可能使送礼者心情不畅快。有时同志之间、亲友之间还为了送礼的价值或品种产生隔阂,导致不和,不仅不能增进友谊,反而对周围的社会心理气氛有害。

婚前应充分做好思想方面的准备

结婚是一件十分严肃而又郑重的事情,也是你一生中重要的转折点,当你和她(他)携手即将迈进家庭的门槛,可曾知道,这里有着无穷无尽的奥秘。尽管生活一再告诫热恋中的青年男女,恋爱是浪漫的,婚后生活却是现实的。因此,不要把恋人作为偶像的崇拜,也不要用虚幻的色彩来描绘未来的婚姻生活。家庭的诞生是男女共同生活旅程的起点。在爱情的历程中,恋爱时期尽管是那样火热,那样动人心魄,那样甜美,但它毕竟只是一段很短的路程,而婚后的爱情生活才是遥远而漫长的,是会遇到各种意想不到的困难和曲折,是活灵活现有血有肉的实际生活。夫妻婚后生活不仅是同一程,而且它将伴随夫妻的一生。现实生活中,有许多青年,经历过这样一个阶段,恋爱是浪漫的,婚礼是幸福的,婚后是痛苦的。他(她)们沮丧而烦恼地讲:早知道这样,真不该与他(她)结婚,甚至觉得"婚姻是爱情的坟墓"等等。

相关部门对离婚状况进行调查,其结果是婚后感情不和,感到生活不理想、不愉快,大致发生在婚龄 5 年左右,一般在 35 岁以下。这一时期出现的矛盾,因为处理不慎,导致婚姻关系破裂的占离婚总数的 40% 左右。经过分析认为,问题发生在婚后,但是种子在婚前种下的,主要是由于夫妻双方在婚前思想和心理上认识不足,在婚前恋爱的过程中,没有对自己作一番自我剖析,没有对对方作全面的了解,感情的因素往往会使双方缺乏足够冷静地、客观地、全面地观察对方、了解对方,看看双方在对待婚姻、家庭的基本观点是否合拍,双方的个性是否已经较为成熟等。热恋中的男女双方不管是多么搭配,"郎才女貌",不管是多么志同道合,"心心相印",也会在气质、性格、习惯、作风、爱好等方面存在着差异。在热恋时,双方都尽量表现自己的优点,掩盖自己的缺点,甚至在因差异引起矛盾时,也往往被热恋的情绪给予原谅,"求大同存小异"了。例如:约会时都要精心打扮一番,即使不修边幅的人也不例外,另外,事物的本质还有个暴露过程。人的性格差异或者人的本来面目需要经过一段过程,或者在关键时刻才能暴露出来。如婚前大操大办,购置高档家具等,婚后暴露是借钱欠债而添置的。伟大科学家爱因斯坦在晚年的时候曾经对爱情作过精辟的论述,他说:"爱情是了解的别名"。爱因斯坦的婚姻曾一度走过弯路,但在他与米利娃离婚,与艾丽莎结成夫妻后是与相互充分了解是分不开的。对比之下,你对自己的爱人在婚前是不是真正了解了,婚前应该力求做到基本了解,如果仅是大致了解或者一般了解,应该最好别匆忙结婚,抓紧对你爱人做些了解工作,还要正确的认识相互之间所存在的差异,只有这样培植的爱情之树,才会冬夏常青,健康成长。

婚前知识方面的准备不能马虎

当你的爱情之舟结束了恋爱的航程,怀着喜悦的心情即将进入一个新的家庭时,你想过没有,怎样当好一个丈夫(妻子)让家庭中的每个成员都品尝到由你酿造的甜蜜生活的玉液琼浆? 确实,你揭开新生活的第一页,会有许多陌生的问题接踵而至。你过去同自己父母、兄妹朝夕相处,性格脾气彼此熟悉而和谐,现在将组成新的家庭,为爱人和将随之而来的小生命而改变自己的生活规律,你原来独立的经济,现在要合二为一,共同支配,或者当家理财……对这些问题的正确处理,就需要具备一些必要的知识。如怎样适应配偶,建立稳定的婚姻家庭;如何在婚后生活中发展夫妻间的感情;婚后如何解决随时遇到的问题,这里面有很多常识,需要很多知识,其中要学习包括婚姻法在内的法律常识,伦理学,心理学,道德修养的知识;婚后性生活方面的生理卫生知识;计划生育和哺育子女的知识;烹调,料理等家政方面的知识;待人接物、社交种种知识。

美满幸福的家庭需要有稳固的婚姻,而稳固的婚姻是建立在相互信任基础之上的,夫妻双方在婚前就要相互信任,相互增补有关知识的缺欠，毫无保留地奉献你的忠诚。忠诚是开启人心灵的钥匙，是人与人相知的捷径，是互信互任的前提。要把你的基本情况告诉对方，包括你的家庭情况，个人的弱点、长处、恋爱史等等，以便对方有一个思想准备，婚后比较容易接受它。思想上的准备，是完全必要的，是增进夫妻感情的枢纽，是婚姻美满的保证。因此，我们不能忽视思想上的准备，不能不学习工作、生活、处理人际关系的一些基本知识，有的夫妻认为反正已经登记是夫妻了，婚后遇到问题再研究吧，这样婚后就容易发生冲突，遇到错综复杂的人际关系或者现实生活矛盾就会束手无策，很难保证夫妻感情的融洽、纯真和长久。缺少必要的知识方面准备，心理就会遇到冲击，经受不住未来生活的考验。

婚前物质方面的准备不可忽视

随着社会主义物质文明和精神文明的不断发展，人们的物质文化生活也日益提高，青年男女在结婚前做一些物质准备是十分必要的。婚前的物质准备不外乎家具服饰的添置，新房用具的布置，婚礼举行时的费用等三方面物质准备。对于这三方面，双方需协商，共同研究。决不能一方说了算，更不应要"大男子主义"，或者"妻管严"，如果婚前不通气，婚后遇到不可心时会互相埋怨，影响夫妻感情。应本着适当、实用、素雅、美观、大方的指导思想进行购置，要根据双方的经济条件，不能盲目图排场、讲阔气、追时髦。结婚时大操大办，婚后经济拮据，双方为经济问题争吵不休，造成痛苦。尤其近几年来，由于社会上舆论导向的影响，一些青年人盲目追求高消费，出现攀比风，结婚大操大办，结婚费用逐年上升。以城市为例，每家按两个职工算，平均月工资按500元计算，每月攒300元，一年只能攒3600元，如果给一个子女操办婚事就要积蓄十余年。农村青年的结婚费用还包括彩礼和建房两项可观的一大笔开支。社会上还有的在经济条件尚不具备的情况下硬要打肿脸充胖子，铤而走险，走上犯罪道路，致使未进洞房而先进牢房。有这么一对青年人，男方叫何明,是某国际保密厂的保卫干事,为了满足女朋友尹莉的"爱情"需要,显示婚礼的隆重,摆设的阔绰,不惜代价,从保管的仓库内,私自盗窃了价值5000元的金条、银元、麝香等待上交的赃物,并挪用了科里的15000元公款,购买了彩电、冰箱、收录机、金戒指、金项链、家具等全套结婚用品。举行婚礼这天,正当新娘与来宾翩翩起舞的时候,被公安人员戴上手铐进了牢房。何明和尹莉本应当有甜蜜的爱情和美满的婚姻,只因他们把金钱物质当成"爱情"的肥料,走上了犯罪的歧途。这样的婚前物质准备的来源教训是多么深刻。还有的女方娘家趁结婚时大要彩礼,不给不嫁,不给够不嫁,甚至发生结婚之日新娘不下车,给婚后的小家庭留下了难以弥合的裂痕。在人生旅途上要同舟共济,患难与共,在婚事的筹备上也应双方共同努力,这本身就是两性相爱的具体表现。如果一方硬要对方脱离现实离开经济实力去办婚事,这也给今后家庭埋伏下不幸的种子和发生矛盾的导火线。巴尔扎克说:"婚姻的幸福并不完全建筑在显赫的身份和财产上,却建筑在相互崇敬上。这种幸福的本质是谦逊和朴实的。"这就告诉我们男女双方结合应是心心相印,结为秦晋之好,成为终身伴侣,而不是和高档家具、彩电、冰箱结为伴侣,青年男女切莫将有生命、有思想、有情感、有个性的活人降为无生命的世俗之物。新婚本来是喜事,为了办一桩婚事背了一身债,为了图一时欢快造成一辈子痛苦,是不值得的。居里夫妇结婚时谢绝亲友赠送的家具,说是没有时间和精力去为家具擦洗,而且家具少点平时可以少待客,客人见没有多余的椅子坐就不会久留长谈而耽误宝贵光阴。我国著名科学家李四光和夫人结婚时只请了几位好友吃了一顿便饭,第二天他们就埋头于科学研究之中了。革命老前辈,在军旅生涯中,在炮火中举行俭朴婚礼,然后就投入战斗,终于在平凡的岗位上,在革命事业上做出了极大成就,他们的俭朴婚礼与辉煌的业绩相媲美。

婚前生理方面的准备不能流于形式

婚后的家庭生活状况,除了与精神、道德、物质、文化等方面的因素有关以外,还与生理方面的因素密切相关。婚前体检是结婚准备的一项重要内容。通过婚前体检,全面了解男女双方的身体情况,及时发现一些生理缺陷。如男性包皮过长,小睾丸症,隐睾丸症及一侧丸阙,女性卵巢不发育,先天性阴道闭锁,阴道膈等,查出这些病症,有的可以经过治疗会好转,有的可经过手术矫正,即使不能治愈的也可以使男女双方对今后的共同生活有充分的思想准备,或正确对待,不至在婚后突然出现而影响婚后感情。还有的也可以暂缓结婚,等治愈后再结婚。通过检查,发现男女双方的一方患有某些遗传疾病者,应听从医生的劝告,婚后最好不要生育,因为这些病既容易传染给对方,又容易造成病情加重,还会把疾病遗传给下一代。早期《婚姻登记办法》规定"患麻风病或性病未治愈的"禁止结婚,我国 1950 年颁布的第一部婚姻法曾明确规定"患花柳病或精神失常未经治愈"不得结婚。花柳病是一种恶性传染病,俗称"杨梅大疮",包括梅毒、淋病等。此种病是由梅毒引起,主要是通过性交传染的,梅毒可以由孕妇传染给婴儿,形成先天性梅毒。精神病是大脑功能紊乱,神经失调,理智不清,不能主宰、控制自己的一种严重疾病。麻风病是麻风杆菌传染所致的一种恶性传染病,除好侵犯皮肤和神经组织外,还侵犯到全身各种组织和器官,是一个全身性、系统性疾病。性病是指梅毒,淋病等多种形式的传染性较重的疾病,主要是性接触传染,传染途径是在母体内把性病原体的物质传染给胎儿。由于上述疾病主要是通过性生活和生育等行为进行传染,因此,婚姻法规定有上述疾病不能结婚是完全符合优生学理论,是有科学道理和依据的,青年男女都应自觉遵守。现行《婚姻法》排除了麻风病的这一禁止,因麻风病即可治愈的病种(无论何种病况),希望在婚前都以治愈为宜。

结婚意味着男女将开始过两性结合的夫妇生活,所以除婚前检查外,双方均应学习一些性知识,以利日后夫妻双方进行合理,谐调有节制的性生活,既能防止因为性生活的不协调而相互责备影响感情,又能防止婚后过分沉湎于性生活当中,以致使心理和生理方面产生萎靡不振,头晕眼花等不良反应,磨灭人的事业进取心。夫妻双方在结婚前还应学点妇幼保健知识,怀胎、分娩、哺婴、避孕等方面的生理

卫生知识懂得并掌握,这对于安排好家庭生活,保证夫妇双方和后代的身体健康以及迈向金婚之路都是很有裨益的。

即将举行婚礼启开家庭之门的男女,当你们沉浸在温馨而浪漫的恋爱气氛中,可曾想到婚前工作准备好了吗?如能认真、审慎、周密、充分地做好各种必要的准备,就能使蜜月很蜜甜,婚后其乐无穷,永度蜜月。

选择婚期应遵循的原则

由于一个人的心理状态、思想情绪、生理状况等因素对举行婚礼有着重大的影响,所以,婚礼的时间要选择在自身各方面条件较好的时期。同时,充足的时间也是举行婚礼必不可少的条件。若男女双方中有一方具体条件不太好,就会影响婚礼的效果。如果一方时间比较紧张,难以做好各种准备,婚礼同样也会受到影响。因此,男女双方只有选择自己的心理状态轻松愉快、思想情绪比较稳定、生理状态处于高峰时期,才是婚礼能够顺利举行的保证。对于生理状态,女方更应该多加注意。按照我国传统习惯,一般男女双方要在举行婚礼后开始夫妻生活,如果这时遇上女方月经来潮,对男女双方来说,都不是件愉快的事,应

尽量避免在这个期间举行婚礼。

什么是性爱

性爱是情爱和情欲,即爱情。性爱是异性间的本能反应,是人类社会存在和延续的一种本能行为。可以通过表情、语言、动作,即通过视觉、听觉、嗅觉和触觉使爱意交融。

性爱是人类获得欢乐、幸福的精神源泉。人类有 5 种情爱:血统爱、抚爱、敬爱、友爱和性爱。性爱是最复杂的一种情爱,它是人的理智、精神、性交的综合,性爱是人类的性欲、性交与理智相结合的产物。

性爱在人类应该受到道德规范的制约。具有高尚道德的性爱,必须具备以下四性:一是性爱的指向性,性爱必须指向异性,只有异性相爱,才是性爱的健康心理表现;二是性爱的专一性,性爱应该是指向专一选定的、无血缘关系的、允许范围内的异性对象;三是性爱的非占有性,性爱男女双方应该没有猜疑,只能是相互尊重和相互信任,一方并不占有另一方的一切,谁也不从属于谁;四是性爱的诚实性,诚实是性爱的基础,又是高尚道德的重要体现,男女双方应该以诚相待,只有诚实相待才能使性爱保持永远。

什么是性功能

性功能是指人类生殖器官的生理功能,能否进行性交是衡量性功能的重要标志,但性功能决不仅指性交。广义的性功能至少应该包括两种功能,即性行为功能和性感觉功能。

❋性行为功能

从目的性讲,性行为功能是指正常的性交,以此满足性的需要。从过程性讲,性行为功能包括性交前准备动作(包括接吻、抚摸、拥抱等调情动作)、性交以及性交后的情感交流动作。还应包括非性交需求的各种性爱交流动作。

❋性感觉功能

性感觉功能是指对性刺激出现的反应。例如在性交之前的接吻,男性抚摸女性乳房及乳头,男性拥抱女性等调情动作,男性的这些动作既可以启动女性的性欲,也是为了强化自己的性欲,这属于过程性性行为。女性在接受男性各种调情动作时,或是作出积极反应还以类似的调情动作,或是作出消极反应表现出无大兴趣。上述表现则属于性感觉功能。

什么是性生理

性生理一般是指人类性行为活动中的各种生理活动。性行为活动既是人类繁衍后代的一种本能行为,又是一种具有高尚情操的行为活动。通过性行为,完成生育后代的任务,增添夫妻间的情感交流,培养小家庭中的乐趣。性生理活动由性心理所驱动,是在神经系统、内分泌系统和生殖系统等一系列健康协调的情况下进行的。

性行为活动是在人的思想意识支配下发生的,又是在人的某些心理因素和精神动力驱使下变化的。性行为活动的积极一面,能给生活带来欢乐和幸福,消极的一面也能给生活带来痛苦和终生遗恨,而在其中起着最基本作用的是人们不同的心理素质。人的心理活动在人的性行为活动中,占有非常重要的地位。

什么是性意识

意识一般是指人类对客观世界自觉的、有目的的反映,是在心理发展的基础上,通过社会劳动、人际间交往和语言的作用而产生,意识活动是人类特有的。

从生理学角度讲,意识是指觉醒状态。从心理学角度讲,意识是指人类自觉的、有目的的心理活动。性意识则是指人类在性行为活动中自觉的、有目的的心理活动。

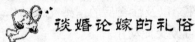

谈婚论嫁的礼俗

时代的车轮前进到今天,当代议婚的过程也就是男女平等、自主婚姻、自由恋爱的过程,这使得当代的婚姻与传统夫妻关系的"拉郎配"有了质的区别。但是,传统议婚的父母包办,男女有别的封建性质,造成婚姻悲剧的情况,至今在乡村仍有存在,即使是城市也可看到其蛛丝马迹。因此,我们还不能忘记婚姻领地的反封建斗争。

所谓谈婚论嫁,即"议婚",就是确立择偶动机、标准的过程,也是初步确定婚恋对象的过程。建立一个美满的婚姻家庭,议婚起着打基础的作用。当代的议婚具有如下特点和趋势:

※择偶方式多样化

男女双方除了通过自己认识、介绍人或婚姻介绍所介绍等方式,随着现代信息科学技术的普及和提高,当代通过收音机、电视机、电脑等媒体寻找恋爱对象的人已越来越多。

※观念改变

当今人们已经认识到,人们的自由恋爱,其关键是要选择好如意对象。很多人已从单纯传代型、性爱型、政治功利型、经济功利型、生活依托型等婚姻动机转向了人格型的婚姻类型。有人已将如何选择好对象归纳成"十相":一是志向相同,二是爱好相似,三是年龄相近,四是文化相当,五是感情相投,六是心心相印,七是性格相融,八是语言相通,九是平等相待,十是有事相商。总之要双方的基本条件相当,大致"门当户对"。可说这十相是当代人格型婚姻动机的具体化。当代议婚当事人也注重在正确运用婚姻自主权利的前提下,注意听取亲友的善意意见,不是将父母亲友的意见统统视为"干涉"。

※注重科学和理智

议婚已具更科学的优生知识。譬如我国上古就已存在同姓不婚的风俗。此俗是为了避免生育弱智、畸形的后代或不生育后代。到了近代，由于我国同姓的人群太多，而不同地区的同姓往往并不是近亲，所以"同姓不婚"这一原则被更科学的"近亲不能通婚"的婚姻法所替代。只要不是近亲，同姓也可以通婚；只要是近亲，不同姓也不能通婚。

当代男女在自由恋爱的过程中，也有一些共同遵循的礼俗，总的原则是男女双方互相尊重，互相关心。如不论恋爱是否成功，任何一方都不能对对方恶语相向。在热恋中注重维护各自的人格尊严，重视建立真正的爱情基础，明白性欲只是生理的事情，性要求是短暂的，满足后即告消失。而爱情是需求，爱情以及与之相符合的精神因素是持久稳定的存在，不同于偶然发生的性爱激情。要避免将个人性欲要求与婚姻扭结在一起而造成男女婚恋悲剧。在公开的场合，男女的行为也要"发乎情、止乎礼"，注意自己的行为对周围环境的影响。小事的礼俗行为可在"互相尊重、互相关心"这一大的礼俗原则下因人而异，因事而异，因时而异，灵活处理。

"缘定三生"——订婚的礼俗

议婚之后，一对男女再经过一段时间的恋爱，感情进一步加深，决定要将终身完全结合在一起。这时，一般都有订婚（也叫定亲）的礼仪，以定下终身大事。

订婚礼的功能是将双方的婚姻关系用礼俗的方式加以确定，并以之获得社会承认和监督。男女一旦正式订婚，男女双方都要对这种关系负起一定的道德责任，婚约的终止再不是随便的事情。如果发生婚变，便得经由双方协商或外人调解。协商调解不成，要废除婚约，一般也要通过一定的场合公开宣告，或登报声明。否则就被视为是一种不道德的行为。如发生送彩礼方面的经济纠纷,经协商调解不成的,可上法院"打官司"。城市的订婚礼中还有一些细小的礼俗。由于男女双方自主婚姻的程度很高,为了防止在他们宣布订婚计划前父母还未见到自己的订婚对象,因此,当两人感觉他们的关系最终会发展到结婚,便安排一次与父母见面。如果因为地域关系,没有机会让父母见到自己的未婚夫或未婚妻,那么,两人就用电话、信件或电子邮件的方式,在告知订婚前,向家人提及他们的特殊关系。

未来的新郎并向未来妻子的父母解释他的生活计划和建立家庭的安排。这种谈话始终是新郎对新娘父母表示尊敬的一项重要证明,一种不能忽视的礼节。这种礼节相当于西方的求婚。

在城市,买卖婚姻的习俗已经消失,男女平等已成为一种普遍的被人们内化了的观念。因此城市订婚已不再下什么聘礼。最常见的是举行一次宴会。宴会的规模可大可小,就参加人而言,最小的可以是两个大家庭,大一些的则延及一定范围的亲友。此类宴会一般在饭店举行,宴会上的礼仪不外是由家长宣告子女订婚的消息。在这样的聚会后,新郎新娘一般会寄上表示谢意的便函以巩固这种新的关系。也有人不举办宴会向亲朋好友通报,在确定订婚关系后,新郎新娘双方的父母亲只是相互见面和熟悉,如相距较远,不易见面,则用电话、信函或电子邮件等方式联系。有不少人已采用西方的通行礼仪,只是举行极简单的订婚仪式,届时由男方送给女方一枚具有庆贺与纪念双重意义的订婚戒指,在送金戒时,有人是送宝石戒指,一般以蓝宝石最为流行。有的按女方的出生月份来选:一月石榴石,二月紫晶,三月蓝宝石或碧玉,四月钻石,五月绿宝石,六月珍珠,七月红宝石,八月缠丝玛瑙或橄榄石或光玉髓,九月蓝宝石,十月蛋白石,十一月黄玉,十二月绿松石或天青石。订婚戒指由男士亲手戴在女士的左手无名指上,以之象征双方相互承担的义务和牢不可破的感情。

从订婚之日起,对对方父母的称谓便开始改变。不管过去做何称呼,现在则称为爸爸、妈妈了。

在农村,举办小型宴会向亲朋好友进行通报是最常见的一种订婚礼形式。有的地方称订婚仪式为"查人家",即女家父母兄弟姐妹等去男家探望。查人家后双方无意见,男方则做订婚酒,请女方父母兄弟姐妹及亲友赴宴。

农村的送彩礼是订婚仪式的重要内容。送彩礼来自传统的订婚礼俗,它是男方以"下聘"的方式确定男女双方的婚姻关系。订婚索要彩礼,实际上是把妇女变为可供买卖的商品。它在旧时的出现和传承,是男女不平等的封建买卖婚姻的必然产物。如果说这种礼俗在旧时还有某种存在理由的话,那么在这男女平等社会的今天就完全没有必要了。然而在有些农村,有的女方家长总是要把向男方家长索要彩礼的标准抬高,有的多达几千上万元的。除了给女家彩礼,男方接待女家"查人家"时,还得给随行的女家亲友每人数十或数百上千元的礼金。对于一些家庭收入并不多的男方家庭来说,送彩礼就成了一笔不小的甚至是沉重的负担,为此而引出各种问题。更令人不解的是:男方越是穷困,女家要得越多,这就使得农村里,特别是边远、穷困的村庄光棍队伍不断扩大。因此,社会各方应该下大力气改变这种送彩礼的陋俗。

在农村,当代一些不随俗的青年男女不行订婚礼俗,而是恋爱成熟准备就绪,就到婚姻登记机关办理婚姻登记,取得合法婚姻的资格,然后操办婚礼。在走出本乡本土去外地的打工族中,有的人不行订婚礼,也不行结婚礼,而是生下孩子后才回父母所在地的老家,办一次将结婚礼与儿子诞生礼合在一起的"双喜"(俗称"两喜一岁")宴。

在绝大多数家庭中,如果男女双方已经订了婚,下一步则开始准备结婚登记办喜事了。

置办嫁妆的礼俗

传统意义的办嫁妆,就是女方家庭给女儿准备出嫁的礼物。

当代城市办嫁妆一般是双方家庭共同为儿女婚事所需物质和金钱谋划和准备。双方家庭送给儿女的一般包括两个方面的物品:一是组织新家庭的必需品,诸如家具床上用品、家用电器之类;二是表示喜庆的纪念品,如工艺品或首饰之类。当代独生子女增多,有些父母的口袋已鼓了起来,这样给儿女所送礼品也就贵重和多样,诸如送房子、金钱等。

有些农村,还保留有"报日"(也叫"过日")的传统礼俗,所谓"报日",就是将举办婚典的日期报知女方。女家得到"报日"后,就得加紧给女儿办嫁妆和送嫁妆,一般是女方家将男方送来的彩礼礼金,或自家再贴补一些,给女儿置办嫁妆,如购买彩电、洗衣机、电冰箱、摩托车、煤气灶及其他日常用品等。但这得依据自家的经济状况,不应"不得已而为之"。现在嫁妆是在结婚日之前接到男家,免得结婚日这天太忙太累。

选择婚期应注意的问题

结婚是人一生中的大事,选择婚期,过去人们称为"择日",即商定结婚的日期。这种活动,一般由男方的父母出面,登门拜访女方父母俗称为"求亲",实际上是双方家长,共同商议结婚日期和搬嫁妆的日期。

由于一个人的心理状态、思想情绪、生理状况等因素对举行婚礼有着重大的影响,所以,婚礼的时间要选择在自身各方面条件较好的时期。同时,充足的时间也是举行婚礼必不可少的条件。若男女双方中有一方具体条件不太好,就会影响婚礼的效果。

由于受传统婚嫁礼俗的影响,有的人把选择婚期理解为什么"黄道吉日"或什么"逢双不逢单"等等。这都是不科学的。
一般来说选择婚期要考虑以下几个方面:

❋看女方月经期

月经期内结婚,往往会因性交把细菌带入阴道,通过宫颈进入宫腔,引起子宫内膜炎,输卵管炎,还会因盆腔充血而造成血量增多。所以,选择婚期应避开女方的月经期,最好选择在下一次月经来潮前的一周内结婚,因为这段时期为安全期,可以避免结婚当月怀孕,有利于优生优育。

❋看时节

一般来说,节假日或农闲季节结婚比较适宜,此时男女双方都有时间和精力来做婚前的准备工作,如体检,办理结婚登记手续,安排新房等,同时也便于亲友前来参加婚礼,旅行结婚的则可以有充裕的时间,伉俪携手,尽情地游览名山大川,领略大自然壮丽风光,使婚礼更添几分色彩。

结婚的准备工作是否就绪了,如新房是否布置好了,该添置的衣物是否都添置齐全了,主要亲友是否都能参加,等等。

考虑工作任务是否繁重,婚期最好挑选一个工作比较轻松的日子,使婚礼举行得从容些,甚至还可以有一个短期的蜜月旅行。

婚礼一般选择在节假日或节假日前夕举行,婚期和节日结合在一起,可以增加喜庆的气氛,可以使时间更加宽裕,而且参加婚礼的亲友会更多些。

婚期一般应选在春秋。春天——生机勃发;秋天——金风送爽,都是结婚的佳时。

 ### 准新娘护肤秘诀5法

新娘的皮肤一般可分为五大类型,包括干性、中性、混合性、油性和敏感性皮肤。

❋干性皮肤

皮肤水分和皮脂分泌较少,红白细嫩,毛孔不明显,干净美观,但经不起风吹日晒,表皮容易干裂,甚至有脱皮现象;眼部及唇四周易出现细纹和皱纹。适合选用刺激性小的香皂和油性护肤化妆品。

❋中性皮肤

水分和皮脂分泌大致平衡,皮肤细嫩平滑,纹理细匀,毛孔纤细不明显,对外界的刺激不太敏感,是理想的皮肤类型。适宜选用中性香皂和一般化妆品即可。

❋油性皮肤

皮脂分泌旺盛,令皮肤表面油脂积聚,毛孔大,容易积聚污垢,形成暗疮或黑头,脸上易长粉刺。适合选用温水和香皂洗,洗后用粉质冷霜或直接扑粉。

❋混合性皮肤

皮脂分泌较多,但水分却不足,既显油性又显得干燥,通常在T位有油光,较容易出现黑头,但面颊却显得滑柔。

❋敏感性皮肤

上述四种不同的肤质,其实也可能同时属于敏感性皮肤,它的特点是极易受外来刺激的影响,出现红点或红斑,严重者甚至会出疹或发炎。

一般情况下,作为准新娘会因婚礼前的繁忙过度疲劳而显得面容憔悴,失去光彩,为此,应注意日常生活皮肤护理。

新娘必须保证充足的睡眠时间。睡眠不足会使血液循环减慢,造成眼圈发黑,皮肤显得粗糙。

新娘要多吃蔬菜、瓜果,多喝水保持皮肤滋润光洁,少吃油腻和刺激性食物,避免皮肤出现瑕疵、斑点。

新娘在晚上临睡前应做两三分钟的面部按摩护理。

按摩前将按摩膏均匀地涂于面部,然后按面部肌肉的走向按摩。动作应该有节奏,手指要柔和。结束后,用十指指肚有节奏地轻弹面部,使肌肉放松,然后用纸巾擦掉按摩膏。坚持每天做面部按摩,就会见效。

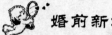 ## 婚前新娘手的护理与保养

准新娘对自己的纤纤玉手也不应忽视。人的手掌只有很少的皮脂腺,在日常生活中,手掌会出汗,却不会出油,再加上手掌上的角质层相当发达,很容易变得干燥、老化,时间久了,老化的角质层会日渐积累,使双手看起来粗糙,失去光泽。双手每天都面对外在环境的伤害,太阳暴晒、含刺激成分的化学品,以至不同程度的摩擦或碰撞,倘若没有适当的保护,粗糙的表层、黑斑、皱纹等将会慢慢侵害准新娘的双手,应及早进行手部特别护理。

※手部皮肤护理要点

准新娘每星期最少一次。先用中性沐浴乳或香皂将双手彻底清洁。

在手背上涂上专去角质的清洁液,反复按摩,去掉老化的角质层,再以清水洗净双手。

用面部专用的保湿或滋润面膜,在手背、手腕及手指间充分涂匀。

裹上保鲜纸或棉质手套,大约10~20分钟后,清洗双手。

涂上适量的护手霜,然后按摩手指及手背,约5~10分钟左右。

※怎样涂指甲油

先涂适量的护甲油,将指甲油先涂在指甲的中央,再由两边涂上,待指甲油干后,接着补上第二层,最后涂一层透明快干的指甲油,增加指甲的表层保护。

涂指甲油的要诀是第一层要尽量薄,第二层可以厚一点,这有助于涂抹均匀,如果时间紧迫,指甲油未干,可将双手浸在冷

水中,使指甲油在冷水中凝固。

清洗指甲油的要诀是将沾有洗甲水的棉花覆盖在整片指甲上,约 3~5 秒,可使指甲油充分溶解,易于清理。

 ### 令准新娘健美肌肤的食物

※微量元素

(1)维生素 A

可抗老化,减缓表皮细胞硬化速度,改善皮肤柔滑程度。鱼类中含量丰富。

(2)维生素 B_6

合成皮肤胶质蛋白和弹性蛋白要素。麦谷类中含量丰富。

(3)维生素 C

可促进血液循环,减少氧化物的出现,增强抵抗力。蔬菜和水果中含量丰富。

(4)维生素 D

有助于身体吸收磷质和钙质,帮助牙齿、头发及骨骼发育。奶类中含量丰富。

(5)维生素 E

可抗老化,中和体内不饱和脂肪。豆类中含量丰富。

(6)锌

可帮助吸收维生素 A,改善皮肤素质。海鲜、果仁中含量丰富。

(7)碘

促进新陈代谢,增加甲状腺素,加速头发生长。海鲜、紫菜中含量丰富。

※食物

(1)胡萝卜素

增强免疫力,清除体内毒素,对抗自由基。橘类水果、胡萝卜、南瓜中含量丰富。

(2)番茄

富含维生素 C,且有助于分解脂肪。

(3)胡萝卜

富含胡萝卜素。

(4)红薯

含多种维生素、矿物质、蛋白质及淀粉质,能增强人体消化能力,帮助分解体内积聚的蛋白质。

(5)糙米

有大量的蛋白质、维生素 B、纤维素和硅元素,有助于身体吸收不同的矿物质。

(6)小麦

富含蛋白质、镁、磷、维生素 B 等,能提供身体所需的热量。

选购新房家具一定要慎重

俗话说,有家就得有家具。要结婚了,可以先不置彩电冰箱,也可以不铺地毯,不贴壁纸,甚至可以不开炊,先到父母家或下馆子吃一阵,但不能没有睡床,不能没有衣柜。可见,家具是新婚青年除了住房外要面临的第一物品选择。

要合适地选购一套家具,首先应知道家具的作用和功能,它具有坐卧、凭依、悬挂、贮藏、搁放、分隔等使用功能和创造室内环境气氛的艺术欣赏功能。

一般来讲,选择一套适宜的家具,应从以下几方面考虑:

※根据住房条件来选择

按我国人均住房面积的现有水平,新婚夫妇的住房一般都不大,往往兼有卧室、客厅、餐室、书房多种功能,购置家具时,应少而精,可配置线条明快造型整洁大方的折叠式家具和组合式家具,一物多用。特别要注意不宜选用横向、面积大而低矮的家具,应选高一些的,以充分利用空间,扩展活动区,当然,如果您的住房很宽敞,则不必受此制约,尽可根据不同房间的不同功能合理配置家具。

※家具风格应统一

注意家具的统一风格和整体的韵味,是购置家具时不可忽略的,否则花了再多的钱,买的家具有多高档,东一家西一店地买来放置于一室,会把新房搞得不伦不类,杂乱无章。所以家具最好成套买或尽量挑选式样、颜色的格调较协调一致的,力求形成统一的风格。这样也才能显出主人的品位和修养。如自己原来已有家具,只需再添置几样,也应本着彼此和谐的原则,或者把原有的家具改制一下,重新油漆上色,与新买的协调起来。

※确立好自己需要的家具类型

家具的种类很多,从大的分类看,一般有单件家具,折叠式家具,组合式家具,多功能家具。单件家具虽有很大灵活性,但不利于室内空间的利用,放在一起也很难协调。故近年来,更趋向于采用折叠式、组合式、多功能式。

(1)折叠式家具

顾名思义,就是腿和板可以折叠的灵活家具,不用时折叠起来,用时打开,其最大特点是节省室内空间,解决了住房空间紧张的难题。

(2)组合式家具

就是把几种标准部件组成的单件家具,根据使用的不同需要,进行不同的排列,叠合,形成一个整体。其优点是能适用多种房间的尺寸,并可随意组合,灵活合理,经济,美观。

(3)多功能家具

就是把两种功能以上的家具组合在一件家具上,使之一物多用。常见的多功能家具有带柜床、柜桌兼并的两用柜,沙发与床相结合的两用沙发(沙发床)等,很适合小面积居室使用,灵活、方便、美观。

※应选择好家具的色彩

家具的色彩在整个房间色调中所占的地位很重要,对室内的装饰效果起着决定性作用,因此不能忽视此项选择。一般既要符合个人爱好、更要注意与房间的大小、室内光线的明暗相结合,通盘考虑,要墙、地面的色彩相协调,但又不能太相近,不然没有了反差相互衬托,也不是好的效果。对于较小的、光线差的房间,不宜选择太冷的色调;大房间、朝阳的,可以有比较多的选择。另外,应考虑到不同面积不同功能的房间(如住房比较多的)色彩可有不同,因为所产生的效果不同。如:浅色家具(包括浅灰、浅米黄、浅褐色等)可使房间产生宁静、典雅、清幽的气氛,且能扩大空间感,使房间明亮爽洁,适用于小型居室(如是卧室,则适宜暖一些的色调);中等深色家具(包括中黄色、橙色等)色彩较鲜艳,可使房间显得活泼明快,适用于客厅类的房间布置;深色家具(包括栗色、深褐色、铁红色等),端庄、凝重、质朴,适用于书房等。当然,这也不是绝对的,有时所有家具以一种颜色为主、大面积使用也会有意想不到的艺术效果,关键在搭配要协调。

※把好质量关

应掌握以下挑选要点:

(1)仔细验看厂名、厂址、合格证,无此三个基本条件的产品不盲目购买。

(2)漆水——离开 1 米,比较全套家具颜色、花纹是否相近;稍近看漆面是否有雾样感觉,如有,则是气候不好时漆成的,效果不理想;凑近看是否有针孔样的白色麻点,那是油漆过程中气泡所致,也属质量疵点。

(3)鉴定含水率,可以用手摸没有油漆处,一般可以感觉干燥程度,而在使用过程中,如出现内衬档相应部位的漆面变色,榫接松动,门扇弯曲变形开关不便等,说明原材料含水率过高。

(4)检查抽屉。要求:手感光滑,抽拉顺畅,榫接牢固。屉板上如有节子,本色的无妨,如是黑色节子则为死节,会脱落造成漏洞。抽屉外拉 2/3 时,下垂度不应超过 20 毫米。其他如挂衣档子、各层阁板,以及锁链、螺丝等,都要用手轻摸,检查是否有毛刺、快口等。

婚床的选购有讲究

人的一生三分之一时间是在床上度过的。床,是人类睡眠休息的场所,自然要好好选择。

选择床,除了美观的考虑,更重要的当属舒适,只有睡在上面能感到舒适,才能称其为好床。

床的种类很多,有沙发床、弹簧床、绷子床、竹床、木板床,近年来还出现了水床、消声床、气垫床、音乐床、按摩保健床、情调环境床等。传统的单一型休息工具——床,已向着集休息、享受与理疗保健于一体的多功能卧具方向发展。

不管是什么床,您在购买前必须先躺下试试,并注意下列几点:

※床的长度、宽度是否足够

最好比就寝者长20～30厘米,尽量宽阔(当然要依据卧室面积大小定),才有利于睡眠时充分放松身心。

※床的支撑性是否适当

可坐在床角,然后站起,观看是否很快恢复原状,若弹性不佳或反弹不快,均非上乘物。

※舒适性是否足够

要判断这点,必须亲自躺下,左右翻滚。好的床内衬材料不会有移动或高低不平现象。

※床是否平整

可翻滚到床沿处,床沿应不会下坠,否则睡觉时很容易翻落到地上。

至于床的高低,一般以略高于就寝者膝盖为益。太高,上下吃力;太低,通风不良,易于受潮,总是弯腰也不方便。

 新婚床上用品说道多

有了一张好床,不能不配好的床上用品。即便是在经济情况不好的年代,我国民间尚且那么重视新娘出嫁床上用品的准备,在人民生活水平日益提高,物质愈加丰富的今天,就更不能忽视了,不只我国,国外也一样。否则,市场上的床上用品也不会如此丰富多彩,琳琅满目。

这里所说的床上用品,主要指床单、床罩、被子、枕头,以及床上饰物。

※床单床罩

选购时应结合床的款式,席梦思床可选大尺寸的西式床单;如果两边有床头的,还是应选中式床单。床单的质地以纯棉为最好,维棉布也可,柔软舒适,吸湿性好。不宜用太粗厚的,睡着既有粗糙感,洗涤也比较困难。太疏松的布料也不宜选用,尘土会通过织眼沉积在褥垫上。

床罩的款式和品种现在相当多,花色也越来越美丽,同样是罩在床面上的,选购时主要应考虑它的装饰效果,应和居室的整体布置和色调统一考虑,尽可能与家具、帐幔、窗帘、桌布等的色彩和风格相协调,在和谐中体现美。目前市场上流行的新颖精致的豪华型衔缝床罩颇受人们喜爱,它能使卧室充满富丽堂皇的情调,给你的新婚生活增添温馨和美之感受。重要的是选择适合于你的。

※被子

民间称"喜被",一般都是购买好被面、被套和被里自行缝制,但现在的青年人也有喜欢购买现成的羽绒被和踏花被的。既是新婚用的,被面自然以绸缎的为好,显得富贵华丽,也更喜庆。绸缎被面品种很多,主要有提花、印花、绣花三大类,花色图案也很丰富,像"二龙戏珠""喜鹊登梅""龙凤朝阳"以及一些大花和带有"喜"字的,喜庆气氛都浓郁。被里应以吸湿性好的棉织品为首选。现在市场上还销售被罩,不妨也买两套婚后使用,套在被子上既可免去拆洗被褥的麻烦,节省时间,也卫生方便,有利于健康。

※枕头

枕头一般由枕芯和枕套组成。过去用的枕芯多是谷壳、荞麦皮、芦花芯,现在多为泡沫塑料、木棉、羽绒等。后者虽用起来柔软、现代,但保健功能不如前者,而前者填充成的枕头比较硬,舒适感差。

枕套的种类很多,质料上可分为的确良枕套、尼龙纱枕套、绸缎枕套、棉布枕套等。式样和花色也很多,可根据自己的喜好结合其他物品选择。不过枕套以及枕巾均以棉制品为好,这样使用起来枕巾不至于老是滑落。

枕头有一对的,也有"连枕",新婚者选购一套"连枕"也是别有一番意义的。枕头高度以人侧躺时,头枕在上面与肩平行为准,一般软料芯的(如羽绒等)一人要两个才能达此标准。

※床上饰物

现代人生活比较讲究系列配套,在你们新婚的床上如能适当增置点小饰物,既可增加舒适感也多了一些情趣。比如可在床上放置两个温馨典雅的靠垫或放上一只玩具毛绒狗,或一个小丑娃,都会使你的房间生动活泼起来,产生浓郁的生活气氛,也可找些精美的小东西或挂于床头,或吊在床顶。当然,务必注意宁精勿多,否则弄巧成拙,造成杂乱感。

怎样选购美观耐用的厨房用品

厨房用品大致包括:炉灶(煤炉、煤气管道或煤气罐)、炒锅、蒸锅、案板、菜刀、铲子、勺子、漏勺、擀面棍、洗菜盆、水壶等。

一日三餐,如果厨房用品选择得当,使用起来会既省时又省力。

锅的品种很多,铁锅主要用来炒菜,能补充人体内需要的铁,且炒菜好吃,但较沉;铝锅有轻便导热快的优点,但现在用的人少了,据说对人体健康不很好;平锅可烙饼用;高压锅省时间、省燃料,很适合新婚家庭,不过选购时一定要注意质量,使用时也要多加小心;砂锅通常用来炖煮,味道好,且保温效果好。

炊具的制作材料一般可分为铝制、铁制搪瓷、不锈钢等,各有特点。目前更受欢迎的还是不锈钢制品,因为它既美观又轻便耐用且没什么害处,此外还有加上不粘涂料制成的锅,别有特色。

除了传统的一些炊具外,现代家庭炊具又有新开拓,日益趋向电气化,电饭锅、电炒勺、电水壶、电烤箱、电磁灶、微波炉等已纷纷投入了市场,并开始深入家庭。它们的好处是:方便、迅速、干净,对于新婚家庭也很适用。最简单的,选用一个电饭锅、一把电炒勺也就解决吃上热饭菜问题了。

在选购炊具时,应注意检查炊具表面是否平整光滑,盖子是否严实。特别是选购电气炊具时,一定要注意检查炊具的电源线及其效果,看接触是否良好,以防漏电。

餐具也当属厨房用具中的一支。餐具一般包括中餐具、西餐具、酒具等。中餐具使用最广泛,也比较简单,包括盘子、碗、筷、勺子、汤盆、小布碟等。材料以陶瓷为主,也有搪瓷、铝合金、不锈钢的。除筷子外的陶瓷中餐具,通常是成套的,也有零的,新家庭还是买成套的好,既简便又美观。选购时要看看陶瓷有无裂纹、破损、碗口等是否圆滑。

西餐具是讲究成套的,主要以盘子为主,有大大小小多种,风格一般,另有不锈钢的餐刀、叉子、勺子、白色餐巾、咖啡具等。购买时咖啡具可单独买,盘子等应成套购买。

酒具,中式传统的一般比较单一,形状也较小,现代人一般更喜欢高脚杯,典雅美观,质地多为玻璃刻花的。酒具可成套购买,包括一个放酒瓶,6个以上酒杯和一个托盘,颜色以白色为主;也可分别购买,如喝白酒,选用陶瓷小酒盅或小高脚杯;如喝果子酒,可用大高脚杯;喝啤酒则用大玻璃杯或带把的专用啤酒杯。讲究点,不妨各种酒具都预备点,这样使用起来也方便。由于酒具不但有实用价值,还可起到很强的装饰作用,因此在选购时要尽量挑选精美的,以突出酒具兼有审美的功效。

 金银首饰的选购窍门

金银首饰是人们日常生活喜爱的饰物,更是新婚佳侣不可缺少的信物。择好婚期,那么就该订好象征婚约和幸福的戒指了,男方或许还要为心上人选购几样精美的项链、手链。如何选购呢?

首先应懂得辨别黄金制品的含金量和成色。黄金首饰上通常都应标有"K"字,若是1K,说明含金量是4.15%;18K的含金量是74.7%;24K为99.6%,亦即所谓的足金。实际上,若从美观角度讲,还是18K金闪闪发亮,耀人眼目,也要结实耐用,且价格便宜些,故越来越受人们喜爱。

鉴别黄金首饰的成色,可使用一看二掂三摸四听的办法。一看就是看颜色、颜色深些的含金量高;二掂就是将黄金首饰置于掌心,上下掂动,有沉的感觉者说明含金量较高;三摸是凭指端的感觉判别,棱角坚硬尖利不如手感软的成色高;四听就是让黄金首饰从6～10厘米的高度自然落在玻璃柜台上,声音沉闷者成色好,声音清脆者成色较差。

至于黄金首饰的款式,随着制造工艺的不断发展,现在花色品种日益繁多,且不同时期有不同的流行趋势,这可根据个人爱好和时尚加以选择。

有的人对银首饰情有独钟,鉴别的方法是:成色高的银首饰掂起来有沉重感,抛在台板上有"噗嗒"声,而且跳不高;从颜色及外观看,它洁白、细腻,有光泽。而伪劣银饰品则相反,它轻飘,落在台板上声音尖亮,而且不光洁,色泽不美,做工粗。银首饰若呈微黄色,那就是绝对的假货了。

选购珠宝饰品时的鉴别诀窍

珠宝饰品,象征着高贵、富有、华丽。人们的生活水平提高了,喜爱用珠宝饰品美化生活的人也多起来了。新婚夫妇更是如此。但是,很多人面对琳琅满目的宝石,却很难准确地识别和挑选。

宝石是一种天然的矿石。自然界的矿物有3000多种,而其中宝石仅有百余种,经过人们精心加工打磨镶嵌的仅20种左右。也正因为如此,宝石以它的美观瑰丽,坚韧耐用和罕见稀少珍贵于世。

宝石通常分为两大类:一类是有机宝石,如珍珠、琥珀、珊瑚、象牙等;另一类是无机宝石,如红宝石、绿宝石、蓝宝石、钻石、翡翠、紫晶、黄玉等。这当中,有一些宝石又被人们做了特殊的归类,如钻石、祖母绿、红宝石、蓝宝石被称为四大高档宝石。而另一种特殊归类是把钻石、祖母绿、红宝石、蓝宝石、翡翠、珍珠称为"五皇一后"。

作为"宝石之皇"的钻石,是世界上硬度最强的物质,它的硬度定为10,其他无机宝石的硬度则在 6.5～10 之间,而普通的玻璃硬度在 5.5 以下,所以宝石均可轻易地划断玻璃。

最好的钻石应是无色透明的,如有杂质则呈现不同的颜色。酒黄色、豆青色、湖水色、紫色稍次,黯黑不透明的是最下品。钻石的颗粒越大,越五色透明、越珍贵。钻石的重量单位(也包括其他一些宝石)通常用克拉表示(1 克拉重 0.1 克)。市场上出售的钻石饰品,大多在一克拉以内,10 克拉的钻石就属稀有珍品了。西方习俗认为用钻石作订婚戒指既能显示富有,更象征婚姻美满幸福。

在珠宝行业日益发达的今天,因钻石昂贵稀少,珍珠的耐用性稍差,色彩不够瑰丽,翡翠因而成了首饰、玉器、古玩中的上品。它以其柔润的质地,艳丽迷人的色彩,端庄典雅的风姿,备受人们喜爱。

翡翠的主要产地为缅甸。它是纤维状或细粒状硬玉矿物的集合体,因含有少量杂质三价铬,故呈绿色,硬度为 6.5～7,比重为 3.3～3.4,抛光后有玻璃光泽或油脂光泽,折射率为 1.66～1.68。因需求大、货源紧缺、价格高,"冒牌货"现也不少,不识货者常常挨"宰"。这些冒牌货多是一些与翡翠相似的天然代用品,常见有澳洲玉、加州玉、软玉、钙铝榴石、独山玉、东陵石等。

简单地说,用肉眼观察区分真假翡翠应注意 5 点:

※颜色要正,鲜艳明亮光泽强,分布均匀,像翠绿的西瓜皮。

※透明,即水色足,呈透明、半透明为上品。

※结构,翡翠结晶颗粒越细越好,以 10 倍放大镜分不清结晶颗粒为佳。

※疵瑕,即色裹体,如黑点、黑钉、白钉、沙包、黑丝等,以 10 倍放大镜见不到为好。

※绺裂,即裂纹,要仔细观察其所在部位,长短、粗细及隐蔽程度。

值得指出的是,挑选宝石一般要讲究纯度,纯度越高越好。但有些宝石则不然,如名贵的猫眼石以含有杂质为真品。常见的猫眼石是灰绿色或褐色,真品的标准是"上一线,下一片"。猫眼石中含有石绒等杂质,肉眼可见到它中间蕴含着一缕匿光,跟猫的眼睛似的,所以叫"上一线"。"下一片"是指底色好像铺上了一片纯银。如果猫眼石不含杂质,或者杂质反射不出活光来,那只不过是一块毫无价值的石英。

珍珠饰品近两年颇为畅销。挑选珍珠也应注意鉴别。天然珍珠有白色、黄白色、浅粉、浅蓝,以及很少见到的黑色珍珠,其形很难见到很圆的,其色彩自然美丽,有光泽但很柔和。好的珍珠串应颗粒匀称,形状优美,表面平滑,从不同角度对其观察,它都会放出各种奇异的光彩。

婚礼中曲

怎样进行婚宴的筹划

办完了结婚登记置办嫁妆,接下来就是要筹划结婚典礼仪式了。即便是最简单的婚礼,也会牵扯到许多细节。城市现在有婚礼庆典公司提供全套结婚礼仪服务,有的人为免除筹办婚礼而带来的麻烦,便将婚典委托他们去办理。但多数人还是自己亲自操办。自己操办婚典,精心的筹划就必不可少。当代的婚典筹划应尽力遵循以下原则进行:

※确立婚典的目的与意义

一是围绕婚典而举行的一系列仪式有助于进一步加深新人双方感情和角色感;二是有助于夫妻双方增强家庭和社会责任感,在庄重的婚典仪式中,夫妻双方都会考虑如何尽到自己角色的责任,如何生育培养好后代,如何将这个新组建起来的家庭在生活、事业各方面都建设得幸福康乐等等问题,也会考虑自己如何承担起过去所没有的,诸如女婿、媳妇、姐夫、嫂子、连襟、妯娌等等这类角色的责任。还有诸如如何正确处理家庭与社会的关系中的许多问题,如何将对家庭负责与对社会负责相统一的问题都会进入新婚夫妇的思考范围;三是借婚典礼俗而建立起来的小家庭能扩大社会交往,获得更广泛的人际关系。

❀婚典形式着意个性化

当代新婚青年安排婚典应以两个人的共同情绪意愿为出发点,力争在符合社会礼俗的前提下办得有个性。很多新人的家长也支持子女选择新的婚典方式,以他们感到幸福为标准。

❀量力而行,力求节俭

这其中包括财力、物力和时间等各方面。很多人力求在婚礼上少花钱,不在物质和规模上搞攀比,将钱花在未来需要花钱的刀刃上,如发展事业,培养子女,求医治病,扶危救困,社会公益事业以及人际关系上等等方面。

❀切记沟通协商

青年男女在筹划婚典时,只要可能,所有的事情都通知对方,并征求双方家长的意见。我国的婚礼主要由男方操办,男方一家主要承担婚礼花费,因此,最后决定的优先权便交给了男方。

❀提升文化档次

新兴婚典形式就是当代新人追求文化档次的体现。此外,从婚事中各种礼仪的安排,新居的布置和各种用品的购置与安排中,也可看出当代新人对高层次文化品位及高雅气质的追求。

❀增加婚典和谐欢乐的气氛

一对新人的结婚礼仪牵涉到方方面面的关系和多方面的不同意见,为了求得和谐与统一。

有的家庭请德高望重又有能力的亲朋做婚典的主体筹划人,以保证婚典在和谐欢乐的气氛中进行。

婚典筹划在确定结婚日期、地点、规模后,便是进行很多细节准备了。现在有的青年在婚典前有一个详细的时间安排表。按时间表准备,以免漏掉某项应做的事而影响婚典的质量。

婚典里的主事人员都有哪些

婚典上的主事人员一般是从关系非常密切的亲朋中选出的,新郎、新娘一宣布订婚,就得开始与他们联系,这样一来一旦有人拒绝,就能有足够的时间找人替代。服务人员的邀请通常是直接或是打电话告知。

城市婚礼的主事人员,最重要的是要事先确定以下人员:

※主婚人

一般是由德高望重的长辈、单位领导或家长担任。

※证婚人

一般是由两位新人的介绍人或亲朋好友担任,也有的只设主婚人或只设证婚人。

※婚礼的司仪

这是整个婚礼中最重要的人员,有的找头脑灵活、文化高、口才好、高水平应变能力强的亲友或有经验的同事担任。也有的请专业人士担任司仪,认为专业人士可以将仪式主持得艺术、活泼、得体和大方。

※伴郎与伴娘

一般是选择与新娘年龄最接近的姐妹或好友作伴娘。新郎通常选择兄弟或最好的朋友作伴郎。比较正式的做法要求他们是未婚的身份。但当代礼仪中也可以请已婚好友承担这一职责。伴郎伴娘的主要任务是陪伴、辅助新郎新娘。

※傧相

请8~14岁的年轻亲属担任小引导或傧相,照应、引领参加婚礼的宾客。男傧相就是从当初抢婚帮手演变而来的。而女傧相在古代是女方的女亲属,原来是来帮助女方抵抗抢亲的,后来演变成了伴娘。

※接待

除了引导和傧相还请年纪较长的亲属和朋友担任接待工作或承担其他责任。

※花童

为了更有气氛,完美的婚礼上还会安排一两个女花童,在婚典上交换戒指的还有一两位托戒指的男孩以及听差。

※其他人员

此外,还应有礼物登记与纪念品发放的负责人;摄影或摄像师;乐队或音响设备的负责人;茶水与酒宴的负责人;汽车司机,等等。

农村以传统为主导的婚礼的主事人员没有城市多样,女家主要是确定伴娘和送新娘的人员,男家主要是确定接新娘的人员。农村的婚典很重视婚宴,是将婚仪和喜宴合一,"拜堂"仪式的主持人一般请族中或村中威望高、办事好的人主持,此外,不论是男家还是女家都请专在宴席上代主家张罗的人。

寄发婚柬应注意的问题

参加婚典的请柬,也有人叫做婚帖、喜帖。请柬是正式邀请亲朋好友前来参加婚典或婚宴的帖子。人们从商店买回请柬后,自己只需填上必需的文字就可以送发了。随着当代时间的宝贵及时间观念的增强,有的请柬细致到写上婚典仪式开始的时和分,以免来宾浪费时间。如果举行婚礼和婚宴的地点不是在自己家里,而是在某个酒店、某个宾馆,而这个地点又不是人们所熟悉的,则在婚帖上附一个位置示意图,标明所在位置,让客人能顺利到达。有的婚帖上还附上联系电话或手机号码,这是便于收到请柬的人及时回复。接到请柬的亲友,应该及时回复,表示自己的意见,以便主家对参加者情况做出明确的统计。

我国当代有新郎新娘两家合办婚礼的情形,但更多的是双方各办各的,或在同一天;或女方在前,男方在翌日;或男方在前,女方在翌日。由双方各办的婚礼,邀请名单一般是由单方面决定的。由两家合办的婚礼,其名单是由新郎新娘以及双方父母确定的。应该提请注意的是,对于那些应该邀请的,即使明知他们不能来(比如居丧、外出不能赶回),也应该发出请柬,因为你邀请他,是对他的尊重,是礼数周到的表示。出于同样的原因,他会在不同的时间以不同的方式向你表示祝贺。

一般地,请柬至迟也要提前一星期发出。外埠的更应该提前。如果给客人留出的准备时间太紧,不仅礼仪有失,也可能确给客人造成实际的困难。如果受邀请的人是在同一座城市或相距不远,一些讲礼的新郎或新娘会亲自登门送去请柬,以示自己的诚意及对被邀请者的尊重。

怎样装饰新房

当代,城市大多数青年的新房布置都不是以豪华为目的,而是以美观和实用为目的。很多人喜欢遵循少而精、色彩调和、雅而不俗、独具特色的原则。新房装修除了具有一般房屋装修的特点,当代好的新房布置还呈现如下特点:

※增加文化氛围

很多新人在新房中都安排好继续学习提高的空间,如放上书桌,摆上书柜,安上电脑。这些并不是为了装饰,而是很多青年已经认识到,时代在飞速地向前,知识在高速地升级换代,结婚后更要抓紧学习,努力拼搏,才能跟上时代的步伐。

※注重花卉点缀

新房中悬挂大型的红双喜字。不少年轻人还十分重视花卉对新房的装饰作用,文竹、茉莉花、吊兰、仙人掌、君子兰等适宜盆栽的花草都是新房的宠儿,有条件的还要添一些小型盆景或插花点缀新房。

❀陈设婚照

在新房中陈设结婚照。现在的青年人已经不满足过去的那种在影楼中由摄影师摆布的、穿着婚纱的千篇一律的结婚照,而愿意根据自己的爱好穿着自己喜爱的礼服,在自己最喜欢的纪念地或大自然中去拍结婚照,这样的结婚照当然更有意义。

❀卧具人性化

在床具的选择上,为了睡眠的卫生和适应新婚夫妇比较频繁的性生活,一般不用太软的床和床垫,选择的是在硬板床上垫上两三层褥垫。在准备床上用品时,凡是枕头、被子之类,都是双数。这是按我国传统习俗,为了表示成双成对的喜庆吉祥。

❀吉祥物

有的在新人的婚床上放置有寓意的吉祥物,如夫妻两个枕头外再加放一个枕头,表示婚后即生一个孩子。放一对男女布娃,放小孩玩具,或放上其他象征生子吉祥的东西。这种布置来自传统的"撒帐"礼俗。旧时当新人入新房时,将各种表示喜庆的食品撒向新娘的怀中,撒向新郎、新娘并坐的花床,用以表示喜庆和吉利。到了今天,城市已改为事先放在新房之中,放在新人的婚床上,只是所放东西仍是以谐音或象征方式来表示吉利。

在农村,新房的布置与城市的差别正在缩小。农村新房布置的祝吉方式仍较古老,如大多在床上放枣子表示早生贵子,放花生表示既生男孩又生女孩,花着生;放栗子表示立子,也就是早生孩子;放桂圆表示圆圆满满等等。

怎样布置新房的特殊装饰

所谓婚期新房,自然不是一般意义上的新居式的新房。结婚,是人一生中的一件大事,是喜庆之事,新房自然要能够充分体现这种喜庆。中国民间传统是很讲究结婚新房的布置的。现代人的生活与以往比虽然有了很大的进步发展,但在新婚志喜上,依然不离传统。

为了在新房的布置中很好地突出新婚的氛围,大致可采取以下一些方法突出新婚的喜庆热闹：

首先在选购家具时，以选择中性色或浅色为宜，避免深色调家具进入新房，这样可增加室内亮度，给人以明快、欢乐、温暖感。

剪一个大红"囍"字贴在窗户或墙上，表示喜庆，象征幸福美满。这种美好而纯朴的古老形式并无损于新居淡雅高洁的格调，反而在反差中取得突出的效果，给人造成强烈印象。

在新房拉起五颜六色的纸制花环，有条件的还可充分利用现代灯具的装饰效果，挂上五彩缤纷、时隐时现的彩灯，烘托室内热烈的气氛和喜庆之情。

床上用品及其他室内装饰物特别选用暖色调的、艳丽的，也能衬托出新婚美景。

还可以选购两座烛台和大红蜡烛，以备于夜深人散时点燃于卧室中，体味一下"洞房花烛夜"的美妙感受，特别能渲染新婚之气氛。

拍好结婚照妙法点析

拍结婚照应该注意以下方面：

❈捕捉情趣

拍摄结婚纪念照是意义重大的作品，应情趣横生，才能有生命力而经久不衰。应该善于观察和捕捉这样的画面。

❈气氛融洽

一定要充分表现新婚环境气氛和新郎、新娘的喜悦心情，使照片有感染力，能做到这一点，就能产生意味深长的回味无穷的艺术效果。

❈眉目传神

在婚礼中，新郎、新娘表情不断变化，这些发自内心而溢于形色的情感，不但生动、传神，而且有强烈的感染力，若能迅速而敏捷地拍下来，就显得非常自然逼真有表现力。

❀手法多样

在结婚照中应该考虑运用以下手法：一是构图，结婚画面要有一个统一的整体。应该选择好拍摄位置、拍摄角度、拍摄距离；二是光线结构，要根据人物形象特点来运用光线；三是影调结构，确定好光亮部、阴暗部和交接部的层次，构成黑白灰影调结构，以塑造好新郎、新娘的形象特征。

拍摄婚纱照的步骤及注意事项

新郎新娘从选择拍摄婚纱照开始，应知道哪些细节需要注意，哪些问题要先问清楚，自己所付出的费用是否得到了应有的艺术效果。

若有意拍摄婚纱照，应在 3 ~ 6 个月前，与爱侣看看各家婚纱的造型，那些是适合自己的。走进婚纱店前，必须睁大眼睛，掌握自己的预算原则、风格，才不会眼花缭乱。与爱侣应从造型、款式、预算等方面达成共识。

❀看样品

走进婚纱店，服务人员必定会拿出许多作品供参考。若能看到顾客的婚纱照，可进一步了解造型师和摄影师的功力。对于婚纱样本不要只被美丽的样品迷惑了，必须从礼服、造型、摄影甚至肢体语言仔细了解。对于婚纱店所提供的服务内容，价位细节也要多加询问。

挑选与试穿婚纱礼服。掌握自己身材的优缺点，别被浪漫华丽的礼服迷惑住了，所以必须试穿，不要嫌麻烦。试穿时，除了注意三围、领型、线条都会影响造型整体感。试穿前先搞清楚礼服的价格定位，避免纷争，且易判断是否合于自己的预算。

❀量身

要知道时尚穿着与婚纱礼服是有些差距的，未穿过礼服的新娘，应先让服务小姐量身，将自己的身材缺陷直接明确的说出，让她知道如何补救及掩饰。量身后的尺寸应该存底，以便知道婚期琐事使自己变胖或变瘦了。

饰物配件是否应在造型内,请服务人员细心搭配,从而了解整体造型美。

在挑选如意的婚纱后,要做到确定性的保留,好日子结婚的新娘多,自己满意的款式不要被别人挑走了。

※订合同

一切都满意就可以订合同了。合同的内容、价格、日期、时间、件数及所提供的赠品都要写清楚。从拍婚纱照到租用婚纱礼服的有关细节,都需要确认一次,包括租用几套婚纱礼服,拍照做几个造型,是否包括结婚妆,多挑选的组数是否要加钱,放大的照片是几寸等,合同写得愈详细愈不容易发生纠纷。

※与造型师沟通

在拍照前一个星期,新娘可将自己喜爱的造型等资料或杂志带去与造型师沟通,对于自己的脸型、肤质的缺点要与造型师研究如何掩饰,只有这样,才能做一个美丽的新娘。

※与摄影师沟通

摄影师一般会询问个人喜欢的风格,是否常拍照?哪个角度比较美?对黑白照片有忌讳吗?外拍喜欢绿野、海边还是都市?新郎新娘要尽量与摄影师沟通,寻求自己所需的风格。可带些资料图片让摄影师参考,可以在拍照前一个星期,安排时间与摄影师沟通。

一位好的摄影师就像一位好导演,能掌握新郎新娘的气质,并激起好的情绪。

结婚是造型艺术的最佳舞台,或许一生就一次,新郎新娘应勇敢地打破传统,大胆地显示自己,挑选亮丽合适的造型。

新婚化妆的基本技巧和步骤

美容化妆是生活中的审美艺术,无论何种肤色,何种脸型的人,只要化妆得当,都会产生理想的效果。因此,作为女性,特别是新婚女性,更应该掌握基本化妆技巧。美容化妆要研究自己的五官,寻找最突出、有特色、迷人的部分;要考虑自己的肤色,选用化妆品的颜色要适合自己的肤色。对脸面、五官及其他部位进行预想的渲染、描画、整理和掩盖，这样突出特点，掩饰缺陷，从而达到理想的化妆效果，既和谐统一，又富有新意，给人一种神采奕奕，全新的感觉。

化妆的项目主要包括基面化妆和点化妆。基面化妆是指整个脸面和基础敷色。点化妆是指眼、眉、颊、唇、指、颈等器官和部位的化妆。一般说，可分三大类：全面性化妆、局部性化妆、单点化妆。全面性化妆包括基面化妆和全部点化妆；局部化妆是在基面化妆上作几项点化妆，或不施基面化妆，只作眼、唇、眉几项点化妆；单点化妆则只选择某一部位作适当化妆。

美容化妆的具体步骤如下：

用清水和香皂洗脸，洗净后涂抹润肤膏。

用少量化妆水涂在脸上，轻轻拍打，使皮肤绷紧，这样容易上妆。

用粉底霜打底，注意选用接近本人肤色的粉底霜作为基面化妆底色。先涂前额、两颊等宽广部位及鼻梁中心，后涂眼周、鼻翼等细小部位。手法要轻。

上腮红，要选用与粉底颜色相协调的胭脂色。白天腮红要浅些，晚上可略重于白天。要注意均匀，有层次，有过渡，掌握渐渐消失的要领。

修眉及画眉，修整好理想的眉形，拔去多余的眉毛，然后用眉笔勾画出眉形。

画眼睛，根据眉形与眼睛的距离，确定画眼睛的范围和采用不同的眼化妆方法。一般使用眼影膏、眼线液、睫毛膏等化妆品就能达到美化眼睛的效果。

定妆,用粉刷或粉扑蘸少量香粉轻轻地扑到脸上,主要起到保护面妆的作用。

涂唇膏,选择与脸颊腮红色调协调的唇膏涂嘴唇,唇红齿白,线条分明,以协调和衬托整个面部的美容。

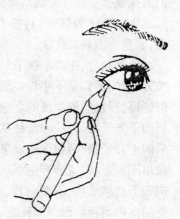

将发型和脸庞整体地调整一下,突出化妆的效果。

❈基面化妆

基面化妆是将脸面整体的底色晕染,为了遮盖原来的皮肤面,调整皮肤色泽及立体色调,使面部自然明朗、富有生机。

人的皮肤大体分油性、中性和干性三种。确定自己皮肤类型后,就要选择粉底。其原则是粉底类型与皮肤类型相反。皮肤黄的可以棕色为主,皮肤白的可选用粉红色,皮肤黑的可选用玉色。

基面化妆步骤如下:

(1)先用清洁霜把脸部涂匀,轻轻揉捏,使污垢和它混在一起浮离皮肤,用香皂把脸洗净。

(2)用棉球蘸化妆水向全脸轻轻拍打,干后再涂粉底霜。

(3)上粉底,用海绵或手指尖蘸粉底,涂匀全脸。涂抹时应用手指或手掌轻印轻抹,从脸内侧慢慢向外搽,这是涂好粉底的要领。

(4)扑化妆粉,是为了吸收水分和油分,防止脱妆。如使用粉型粉底,可不必再用化妆粉,如用乳液型或脂型粉底,则需要扑打化妆粉。

❈颊的化妆

面颊是整个脸部受妆面最大的部位,它的化妆直接影响人们的视觉感受。在完成基面化妆后,用红色系列的胭脂染两颊,形成轻柔朦胧的红晕,衬托女性特有的健康、娇美的气质。因此,要重视面颊的化妆。

涂胭脂时,先用小刷子蘸胭脂沿颧骨轻涂,然后用手掌自然晕开、晕匀。如果不小心多涂了胭脂,可再刷上白色粉底,再随即刷掉,很自然的淡淡的。涂胭脂时,一是沿颧骨向发边涂去,再向下方晕染;另一方法是从发边沿颧骨下方,向口角斜涂,然后向上方晕染,两种涂法效果稍有不同。胭脂涂在不同位置上,涂出不同形状,就会产生不同效果。颊红的位置,一般是从鬓边向眼下自然晕染,不要贴耳。但有的女性有创新的涂法。比如有的用稍暗色沿颧骨纵长涂法,这是苗条涂法;有的用浅色以颧骨中央的圆心,淡淡地涂了个圆形,叫丰腴涂法;有的颊红位置选得偏高,用朱红或桃红胭脂,涂成包眼形状,同时颚尖、耳垂也稍涂一点,这是娇艳涂法;有的以鬓边为中心点,纵长地涂鲜明的胭脂,如玫瑰红、洋红、红色等,额上发边、下颚尖也稍作涂染,这称为华丽涂法。胭脂分为粉型、乳液型和脂型,选用时要与自己皮肤的类型相适应。干性皮肤应选用脂型胭脂;油型皮肤应选用粉型胭脂;中性皮肤可选用乳液型胭脂。不论选用哪一种,都不要一下子涂满脸颊,应少量多次反复涂抹才行。

❋唇的点缀

经过化妆的嘴唇,鲜艳、柔软、湿润、呈红色,充满青春的魅力,是女性风韵的显著特征。唇化妆一般分两步。首先用唇膏尖部或唇线笔描画出嘴唇的理想轮廓。方法是将口微微张开,在嘴唇上用圆点决定唇山、唇谷的位置,然后用线从左到右、从上到下把这些点连接起来,形成柔美、丰盈的嘴唇外轮廓线。接着,在轮廓线内涂抹唇膏。最后,用纸巾轻轻按压嘴唇,除去过量的唇膏。

选用不同颜色的唇膏,化妆效果也不同。但应注意要与面颊、眼影的色调协调。如蓝眼影可配粉红唇膏;棕眼影要配橙红唇膏;紫眼影要配玫瑰红唇膏,另外,深红、深棕红、浅橘红色的唇膏,一般适用于大龄女性;新娘一般多采用鲜艳、明亮的颜色,如大红色,玫瑰红色,新娘涂后,能突出青春活力,更加光艳照人。

此外,修饰嘴唇也要看脸型,方形脸需要弯度多些的唇型;圆形脸最好选择薄而直的唇型。

最后提醒一点,即如何保持唇不褪色。可以在涂过唇膏后再涂一层保护液。保护液的制法是在10毫升水中加少许砂糖。糖化后即可涂在唇上,效果很好。

❈鼻的化妆

对鼻子进行化妆,主要是强调人脸部的立体感。一般情况,鼻子没有太大缺点的人,在化妆涂抹粉底的时候,选用稍浅于脸颊的粉底敷施鼻梁部位,用稍暗的粉底涂于鼻子两侧,或在涂抹眼影色时稍带向鼻影部分过渡就可以了。

如果自己的鼻形不理想,可以通过鼻部化妆,来调整鼻形。

(1)鼻子过短

着重改变鼻根位置较低的印象。用明亮的淡色,从额头开始从鼻梁最上端至鼻尖尽量涂长些,在眉头与眼角之间抹入鼻影,适当晕染,在视觉上减弱短鼻的印象。

(2)鼻子过低

可从眉头向鼻尖方向涂鼻影,方法是用少许褐色或暗灰色,从眉头下凹处起,用中指压着鼻侧沾着鼻肌淡淡地抹开,阴面靠近鼻梁,阳面向颧骨处消失,与鼻梁梢粉底的亮色相配合,可弥补塌鼻的缺陷。

(3)鼻子过大

不宜采用过于鲜艳的眼妆和口红,否则更会加深鼻大的印象。化妆调整时应注意色调要柔和,鼻两侧抹稍暗的鼻影,色调从鼻根开始逐渐深浓,匀抹至鼻翼。

(4)鼻头过圆

调整要点是将鼻形变得舒展。在眉头到鼻侧中部位置和两侧鼻翼涂阴影,鼻翼用色宜浅,再从鼻梁中部向鼻尖涂明亮色粉底。

（5）鼻子过长

鼻梁应取与脸部一致的粉底色，鼻侧不施阴影，只在鼻尖部分涂抹少许阴影色，以减弱鼻子过长的感觉。

（6）鼻子过高

显得与整个面部不协调，也就失去了美感。修正的办法：鼻梁上涂些比肤色略暗的颜色，鼻侧尽量少涂阴影或不涂阴影。

（7）鼻子过窄

可用淡粉色、黄色涂在鼻翼靠鼻窝部分，再用红棕色在鼻窝外一点的部位，画一个假鼻窝，这样显得鼻子略宽些。

❋下颌的化妆

下颌化妆的好坏，直接影响整个面部的美容效果。化妆下颌时，用化妆刷将下颌部分匀染上桃红色，在嘴部与颌部交界的凹陷处用肉色向下勾画一个小小的弧形，并进行晕染。涂好下唇沟，不但能使整个颌部明显突出，而且还能对于调整下颌的长短、宽窄起到一定的作用。化妆下颌时要注意自己的脸型。有的女性下颌过长，弥补的方法是可在下颌底部用胭脂晕染，以增加圆形轮廓的感觉；而对于短小下颌的女性，则用比肌肤亮的颜色，在下颌底端进行匀明，使其明亮，以抵消短小的缺陷。修饰时要注意明暗的界线应融合无痕，还应根据颌形进行化妆，否则会不自然。

❋额部的化妆

对于额部的化妆，通常采用以下几种方法：

（1）渲影法

也称晕染法，对于额部突出的人较适用。在额部凸突部分使用紫红、褐、蓝紫等色晕染额头，使之产生平凹感。

（2）遮盖法

利用头部的发型，对额头的宽窄、长短、凸凹进行适度调整，使整个头面协调、美观。如果额部较长，头前顶部的发则不易梳得过高，最好能遮盖些前额，发式可采用刘海式，以增加美感。

(3)匀明法

在额部凹陷部位使用亮色,如浅粉红色、粉红色或浅蓝色,使前额产生隆突感。适用于前额凹陷的女性。

(4)衬托法

适于额头狭窄的女性。在梳理发型时,尽可能让额角显露出来,设法使头发向左右方展开,并且向外蓬出。

❋手和手指的美化

手和手指是人体美容和健肤的重要组成部分。一双纤巧的手,能给人留下美的感受。除加强锻炼外,可擦些硅霜及含维生素的化妆品,保护手的美好造型。

指甲坚硬光洁,是手指的重要组成部分。在涂抹指甲油前,首先要修剪指甲。修剪指甲要勤快,要选择好造型。一般有方形、圆角方形、圆形、尖形等几种,根据自己的爱好,选择适合自己的造型;蓄留长度,一般以接近甲身长度的一半为宜。修剪后再细锉,直到光滑成型为止。清洗指甲后,在指甲上涂抹颜色适宜的指甲油,如果自己觉得色彩淡薄,可等它干了以后,再迅速地涂一遍。涂完指甲油后,用棉签揩尽指甲周围皮肤上所沾的油迹。再涂上一层护甲油,这样可使指甲色泽鲜艳而明亮。染完指甲后,要在手上涂层润肤霜,使双手柔滑滋润,以便与光泽艳丽的指甲互相辉映。

❋颈与胸部的化妆

颈、胸的化妆方法,基本上同基面化妆,但要简单些。先用香皂清洗脖和胸部,再均匀地涂抹上冷霜或润肤霜;接着上粉底,选用粉底的颜色,同基面妆所用粉底,最好在化妆基面的同时,进行颈、胸部的化妆;接下来是稍扑上点化妆粉,扑完后,稍等一会儿,再用小刷子轻轻地把多余的粉末扫掉。

颈、胸部化妆虽简略,但为了使其与基面化妆协调一致,浑然一体,还是不可忽略的。否则,会给人戴假面具之感。

新娘的标准婚礼妆

做新娘是人生中最刻骨铭心的时刻,而成功的彩妆不仅能增添新娘的美丽,而且还能调动起新娘的灵性与信心,使心灵美充分外现。倘若是给自己化妆,应按下列步骤:

❀粉底与腮红

新娘首先在整个脸部打上粉底,从眉毛到鼻梁的隆起部位用亮色,拇指托住下巴,在这个范围的部位加深色粉底,利用光的错觉,这会使脸部看起来清瘦。为达到这种效果,选择粉底的颜色是关键。新娘应该准备好深浅两种颜色的粉底,然后按部位分别上妆,平板的脸立刻会产生轮廓分明的立体感。

如果想使自己的妆容丰盈又充满光滑感,还要用腮红来加以润色。腮红的种类有胶状、霜状、粉妆及液体的,使用最多的还是干刷式腮红。通常是由下脸颊均匀向上刷至太阳穴下发际处为宜。

腮红的颜色要与眼影、口红和服饰相协调。

❀睫毛膏

睫毛膏能使睫毛颜色加深,变得浓密并富有光泽和弹性。在用睫毛滚前,先蘸一些蜜粉轻柔于睫毛上,可强化睫毛的美目效果,让新娘看起来显得聪明、机灵。强调眼色睫毛,则可营造出深邃有质感的眼神。如今许多睫毛膏,含有睫毛生长需要的维生素和营养素,在赋予美丽的同时又顺便保养了睫毛。

❀唇彩

嘴唇和眼睛都是脸部的焦点,新娘通过化妆可以恰到好处地表达个性和渲染风情。唇彩可单独使用,也可以先用柔和色调的唇线勾画出唇部轮廓,然后将其填入。还可以再往上面涂抹几分闪亮的荧彩。唇彩颜色很多。新娘选择娇艳的粉红色最为适宜。

❋指甲油

只有经过后天的保养才能得到一双纤纤玉手。最基本的是每次干完活儿都要细心地在手上抹润肤油,这样手就会很柔润,到关键的场合除了给手打上粉底之外,还要涂上指甲油。目前特别流行闪亮的指甲油,令新娘看起来焕然一新。不过,涂指甲油前要先用指甲锉修剪甲形,再仔细涂上两遍甲油,新娘用粉红色更相配。最后涂上一层透明色的甲油以固定甲形。

❋表情

新娘只有可爱的表情与相貌结合,才是一个人姿容的真正体现,也是个人魅力的一部分。为了拥有生动、丰富迷人的表情,新娘平时可以在镜子前训练自己的面部肌肉,让脸部呈现出"王"字形,就会是一种含着笑意的表情,但更主要的是要有乐观的人生态度、愉快的心境。

新郎的发型与化妆要点

为新郎设计理想的发型,更能显示出男子汉的风度与魅力,为新婚这一喜庆之日增添风采。一般最好去名家美发廊请理发师设计,可以理出适合自己脸型,美观大方、帅气的发型,显得自然大方、洒脱明快。只要发式协调,与全身装扮相一致,就会显出特有的男子气概。

在新婚的喜庆之日,新郎最好上点淡妆,涂些健康色粉底、抹点浅色唇膏,再配上精心设计的发型,会增加婚礼的喜庆气氛。除此以外,新郎还要进行必要的美容和修饰。

❋修眉

新郎可根据自己的眉毛条件,进行适当的修剪。先剪掉过长的眉毛,根据自己选好的眉型,画好外部轮廓,将多余的拔掉,然后在不足的地方用眉笔描匀。新郎显得更加英俊、挺拔。

※理须

新郎最好将胡须剃干净,这样显得年轻,精力旺盛,容光焕发。

 新郎婚礼服选购原则

※精致的面料

选用精致面料制作的新婚礼服显示出新郎高雅的品味和高贵的气质。如全毛或上乘纺织的面料,质感丰厚、挺括、细腻,色泽相当和谐,这样的婚礼服是有魅力的。在西装与领带的搭配上,如注意了统一协调,也会给人以舒服的感觉。

※适宜的款式

表现新郎的内在气质,既潇洒,又显示出一种特有的拘谨感。在款式上可表现为提高颈部视点,领座偏低;领型变化灵活,驳头领口且多呈尖形上翘;袖部合体贴身,腰身内收,下摆适中;肩线造型平直、坚实,极富有塑造感。

※映衬的色彩

因婚礼上服饰的主角是新娘,新郎的婚礼服的色彩或多或少地起着协调、烘托和映衬的作用。多是白色、灰色、黑色、锈红、洋蓝等深色基调,不但能显示男子的深沉、庄重、幽雅,而且还能衬托出新娘的柔美和飘逸。

※整体的协调

新郎婚礼服应保证整体风格上的统一协调。衬衣、领带、胸饰、手套、鞋子等在风格的一致上起着不小的作用。尤其是 V 字型驳领区内的白色衬衫装饰,加领带的色彩、质地,领结的点缀,处理得当,搭配适宜,则可使新郎婚礼服增添辉色。

 新郎婚礼服饰着装及搭配要点

新郎选用服饰应该从气质、体形,以及个人爱好与新娘搭配等几个方面考虑。

男性以英武、洒脱的阳刚之气为主,因此宜选用大方、庄重的饰物,例如戒指、领带夹、袖口装饰钮等,这些饰物能显示须眉豪情。但装饰不能千篇一律,有属于勃勃的豪爽性质,也有以儒雅、秀姿为装饰的风格,像领结插针,西装袋口饰,可展现佩戴者的学士风度。新郎选择哪种装饰风格,则应从外表到内在气质统一考虑。

体型与装饰效果的关系是很密切的。新郎选用饰物应尽量同体型相协调。对于体魄魁伟的新郎,应考虑选用钻戒、领带夹、胸饰一类的饰物。对身材俊秀的新郎,应选用戒指,袖口装饰。身材小的新郎,应选用领带插针,西装领带夹,小型戒指一类的饰物。

现在的婚礼服饰已基本形成规范,新郎多着西式礼服,这类礼服的款式不一,佩戴的饰物也有所不同。燕尾礼服宜佩领结插针、戒指、胸饰。传统西装可佩西装领带夹、西装袋口饰。还可用袖口装饰钮、领带夹、戒指等物作婚礼服饰物,与服装组成婚礼服饰。

新郎应注意饰物的实用性和装饰性:

❋衬衫

在男性服装中,衬衫可以体现一个人的风度,选择衬衫,要注意以下方面。

(1)衬衫的领型

领子靠近人的脸部,给人留下深刻印象。领型的选择根据脸型而定。方型脸可选长型领或扣型领;圆型脸应选长型领和扣型领等较成熟的领型;椭圆形脸的人脖子大都较长,适宜选用敞型领。

（2）衬衫的色彩

应避免过于鲜艳耀眼的颜色。如果选择条纹衬衫时,以细条纹宽度不超过 2 毫米为宜;若选择小方格图案衬衫时,颜色宜浅淡。整体装束应注意搭配:如带红色或浅蓝色条纹衬衫应配笔挺西裤;着横阔条纹衬衫,应使西裤与衬衫的条纹同色;着灰、蓝、褐色西装,可选白色、蓝色、褐色、浅黄色、白底色细条纹的衬衫与之搭配。

（3）衬衫的质地

选择纯棉衬衫,柔软光滑,穿着舒适,透气性好而受到普遍欢迎。混纺衬衫因兼有透气和挺括的优点也极为走俏。丝绸衬衫华贵,多在较高层次社交场合用。

❋ 领带或领结

新郎领带的颜色与图案要与上衣相配,还应多备几条各种花色的领带在不同场合用。一套西装常配置一条素雅的领带和一条华丽的领带,就可满足婚礼各种场合的需要,领带的花型以小花为宜,如小圆点、窄长条、几何图形、小方格。宽度与上装翻领宽度相适应,以 7～9 厘米为宜。颜色没有硬性规定,通常比上装或衬衣深一些。领带要结紧,并使领带自然微微翘起。长度以刚刚及腰部为宜,

且前片比后片长 3～4.5 厘米。

一般领结分小领结和蝴蝶结两种,小领结有黑白两种,主要是穿礼服的配饰;蝴蝶结是从小领花发展变化而来,结成后像一只展翅欲飞的蝴蝶。

❋ 手帕

一方小手帕对于新郎来说有助于表现衣冠楚楚的风度。在胸前小口袋插入一方手帕,增色不少。手帕插入胸袋的方式一般分为简便式、花瓣式和皱褶式。简便式是将手帕叠成三角形插入胸袋;花瓣式是将手帕边沿做规则的折叠,尖角参差不齐,半露于胸袋之处,给人以很强的美感,适宜于婚礼仪式上;皱褶式是将手帕中央部分插至袋底,棱角外露,从而显得自然大方。

※手套

新郎应准备几副手套，用以搭配不同的服装。在婚礼上，男女双方均戴上白色手套，则会显得彬彬有礼。时兴的装饰手套是一种专用出席婚礼、宴会或舞会戴用的手套。如网眼合成革手套、尼龙手套、锦缎手套。男式手套多为白色、米色、灰色和黑色，手套外观以细长精巧为宜。

※袜子

在正规场合，男子袜筒应该达到小腿上部。穿矮筒袜子时，有时稍不留意，便会露出皮肤，有失体统。

袜子的质地应该是光滑坚韧的棉纺以及混纺品，忌太高或太厚。颜色以素雅为宜。平针细线的黑色织袜或花式平针织袜显得秀气。

新郎的化妆要点

男士日常不化妆，但婚礼上的新郎应该略上妆容，涂些适量粉底及唇膏，发型也要加以精心修饰，不然新郎与着意打扮的新娘就会显得不协调。新郎要使自己的仪表英俊、气宇轩昂、风度翩翩，适当的美容和修饰是十分必要的。

※美发

新郎设计发式时，要求波浪的上下互相衔接，发梢流向呈斜线，使整个发型轮廓协调衔接。

头发的设计必须要注意与本人的脸型相结合，前额头发可长些，弧度适中，弧度过大显得太胖，过小易显瘦。只要发式协调，清爽整洁，服装得体合身，那么，本身原有的特色——男子气概、青春气息将会自然地流露出来，而给人以潇洒得体、优雅大方之感。

※修眉

若新郎天生的眉毛是散乱不成形的，可根据自己的气质、特征进行适当地修理。修眉时，先剪掉过长的眉毛，再根据自己的眉形，画好外部轮廓，将多余的拔掉。新郎在拔时应该用手按住眉骨上方,顺势一挥而就,拔后涂些乳液,不要用剃刀,之后在不足的地方用眉笔描匀。

※剃须

新郎若是圆形脸或较胖者,留些胡子可显得老成;方脸型或较瘦的人刮净胡子可显得年轻。络腮胡子可保留,但要注意修理,它可体现出旺盛的精力,若想蓄须应考虑与发型相配。

婚礼宴席招待原则及标准

选择婚宴,首先必须确定到哪家饭店举行,选择中要注意如下方面。

※食物要精美

婚宴当中吃很重要,要弄清楚饭店、酒家的菜色风味,不要到大摆宴席的时候,才发现口味不对。

※服务要周到

摆婚宴都想顺畅、吉利,要是遇上不周的服务,菜再好吃也不痛快,必须提前观察清楚。

※价格要合理

有的地方菜好,服务好,可是价钱很贵,这也是使人忍受不了的。不要听朋友介绍,地方还是要自己选。

※不要贪小利

许多地方提供优惠服务,只不过是促销手段,不要贪小便宜而上大当,到时候饭菜大打折扣,则一辈子想起来都后悔。

※场地要合适

婚宴不必贪大,办多少桌,就选多大地方。场地小了拥挤,造成混乱;场地大了照顾不过来,又会让主宾尴尬。

❋地点要方便

办婚宴的地方交通要方便,便于查找,不然婚宴都该开始了,来宾却因找不到地方而乱转。地点应选择在有公共交通设施的地方,或有较大停车位的地方。

 ## 婚礼宴席的安排步骤

选择好了酒家,就要与婚宴承办店家的负责人商定安排许多具体问题。

❋定下日期

定下日期,预先定位,以防选择结婚吉日,饭店客满而无法安排。

❋订金的预付与索取

做好因天气或其他原因取消婚宴,订金如何处理,是否要赔偿等方面的事情。

❋问清价位

必须清楚每一项服务是否收费,如开瓶费、茶水、纸巾、饮料、啤酒等的收费标准,白纸黑字定准。切忌口头声明,以免事后闹出不痛快。

❋菜单应明白

避免不明真相的菜名,问明或写明是什么东西。如"龙凤展翅"其实是鸡头和鱼尾。

❋预定地方

必须写明具体厅房名称,以免到时因位置不对或地方不够而发生争执。

❋预算来宾

考虑出席率,问清楚酒家,如果来宾超出和不足是否可以撤席或加位。

❋查看是否有较好的卫生间或换衣间

婚宴时新娘可能需多次换衣,以免到时找不到合适的地方而忙乱。

※安排座次

婚宴的主要事项是先安排好亲友和来宾座次,防止到时候因不知坐哪儿而产生混乱。

※一切安排应详细列出,以免遗忘

与饭店的协商应形成文字,避免口头答应,出现问题后投诉无证。

按以上条款去准备婚宴,那一切会基本顺利,剩下的就是要做好思想准备,所有的婚宴都是很累人的。

 ## 张贴婚联的原则

按我国传统的礼俗,办婚事时要张贴大红的婚联。目前我国城市中仍有不少新婚家庭用这种方式来增添大喜日子的气氛。至于在农村,则基本上是布置新房必不可少的组成部分。

婚联的撰写与张贴是根据房子的具体情况来安排的。房屋较多,则是按传统的做法,在大门、中门、客厅、洞房、厨房张贴不同的婚联;房屋不多,就只在大门、客厅和新房张贴,甚至就只在大门和新房张贴。现在商店多有印制好的婚联出售,可供需要者选购;也可去书店买一本对联书本,从中选择自己满意的联对,自己或请人书写。有的则请撰写对联的高手,根据新人的姓名、年龄、职业、爱好的具体特点,根据结婚的季节与地点等具体情况,撰写最贴切的婚联;张贴婚联分上联和下联,上联是贴在门的进门方向的右边,上联的最重要区别是最末一个字是仄声,也就是普通话的第三声和第四声;下联是贴在门的进门方向的左边,下联的最末一字是平声,也就是普通话的第一声和第二声。横批是贴在门的上方。如:

夫妻恩爱行文明礼

喜气盈门结自由婚

鱼水千年合江山盛世满庭喜

芝兰百世荣金玉良缘一对欢

蝶趁春光欣结伴一对佳人兴大业
人逢盛世喜成亲万千志士振中华

　　我国北方爱好在新房的门窗上张贴大红的双喜字或吉祥图案。有的还在实物上贴一些小的双喜字，以增强大喜日子的欢庆气氛。纸剪的双喜字和吉祥图案商店里也有出售。

怎样布置婚典仪场

　　婚典仪场，即举行结婚典礼的场地，俗称婚堂、喜堂。婚堂布置有繁有简，但都力求有热烈的喜庆气氛。城市举行婚礼如果是在酒店、饭店、俱乐部的话，婚堂一般是在酒宴的厅堂；如果是在家中的话，一般都选家中最宽敞的房间。当代婚堂布置虽是根据具体条件不同，新婚夫妇的爱好不同而灵活多样，但有几点是基本相同的：面对大门的墙壁前是新人的位置，所以墙壁上张贴大红的双喜字，两旁张贴红色的婚联，其下最好放一张条桌，上面放上大花瓶或大花篮，点上一对龙凤蜡烛，有的从天花板到四周的墙壁上还用彩带彩花进行装饰。

　　在农村，婚堂的装饰同样有繁有简。较繁的装饰则多姿多彩。俗规婚堂正中高悬一个大红双"喜"字。南方地区喜欢在喜堂正中挂大红喜帏，喜帏上贴着金色的大红双喜字，两旁挂上婚联，堂前的大红八仙桌上摆大红喜烛。江南一带有些地方用大红绸子扎成大红双喜字高挂堂中，再配上红绸裹柱子，红绸围桌子，椅上系红椅披，茶几上系红花绣围，红绸彩灯高挂厅间，烛光闪闪，映得满堂红光、满堂喜气。民间俗规，婚堂中除喜字高悬、彩灯高挂、红烛高照外，堂间墙壁上一般还要挂上"福禄寿喜"、"三星图"之类的画轴，寓意对吉祥以及福、禄、寿的祈求，俗称"人间福禄寿，天上三吉星"。另外，婚堂正中必设一张天地桌，在桌上立祖宗牌位，还敬上两杯清茶，上端挂一幅和合二仙图，轴下放一对纸以代表"天地"，桌前放着红绸布裹着的拜垫。此处陈设意为天时地利人和、夫妻和合，是为新人"拜堂"处。

婚礼插曲

 ## 新婚夜处男新郎的注意事项

❀沐浴更衣刷刷牙

沐浴时,别忘了刷牙;在婚礼上残留的污秽不要带上床。也可喷些口腔芳香剂,避免口臭,令人厌恶。

❀别忘了内衣裤

不要认为马上要结合,所以只披着浴巾或浴袍,这种做法太过急躁,应避免。仍应穿上内衣裤,如此也可在过程中享受宽衣解带的乐趣。

❀沐浴时间不要太短

不要因为急于结合,想要及早出浴。因为在男性沐浴时,女性有许多准备工作,如卸装、准备寝具或药物等。

体贴的男士可在沐浴后,为新婚妻子做好沐浴的准备,如注满浴缸的水,将毛巾、浴巾、牙刷放好等。当女性沐浴时,也请多留时间给她在浴室中准备、梳理、保养。

❀夜宵准备

可准备一点宵夜缓和气氛,松弛婚礼时的紧张心情,让脑子稍稍清醒一下。

❀不宜过久闹洞房

最重要的是在整个过程中,最好避免亲朋好友闹洞房,因为这是属于你们最美好、最期待的时刻,应珍惜把握。

❀新娘先上床

最好让爱侣先上床。男性可借一些理由避开,如上洗手间等,礼貌上应先让女性上床,避免其感到羞怯,而后男性再静静躺在其右侧。

应避免男性先上床,再催促女性上床,这种半命令口吻,将

让女方留下不好印象。

 ## 新娘怎样预防精液过敏

有些新娘在初次性交后，突然出现咳嗽、气喘、眼、唇、脸部浮肿、咽喉肿胀感、荨麻疹、足部和手掌发痒、外阴和阴道奇痒、肿胀，分泌物增多，严重者可出现虚脱和意识丧失。这是由于新娘对新郎的精液过敏引起的，医学上称为"精液过敏症"。

男子的精液中至少含有 11 种以上不同的抗原物质，它们之中的每一种都可成为过敏原。当新郎精液的抗原性较强，而新娘恰好是过敏体质时，性交之后新娘便会发生过敏反应。这种过敏反应有的是在精液射入阴道后 5 分钟内发生，有的则要过去时 0.5~1 小时，或在几小时乃至几天以后才出现症状，但多半是在射精后 15~30 分钟时症状表现达到顶峰。

预防精液过敏可采用下述方法。

※可在性生活前，在阴唇、阴道中周围涂少许肤轻松软膏或氢化可的松软膏，以预防或减轻生殖器官局部的过敏反应。也可使用避孕套，避免精液与女方阴道壁直接接触。或在性生活时使用避孕膏，它具有阻隔精液与女方生殖道组织细胞接触的作用，也能降低精液的致敏性。

※在性生活后，女方最好立即排尿，应稍蹲一会儿，使阴道内的精液尽量流出体外。可用温热的清水冲洗阴道及外阴部，以便将精液冲洗掉。

※性生活前半小时左右口服苯海拉明 25mg，或非那根 25mg，或息斯敏 1 片，均可防止或减轻精液过敏反应。

 ## 新郎应正确看待"处女膜"

自古以来"新婚之夜"新娘是否"落红"是判断女性贞洁与否的惟一标志，还有什么"饿死事小，失节事大"等，这些都是没有科学道理的。那么从女性生理角度而言，"贞操"究竟是怎么回事呢？有些女性婚后始终没有"落红"现象出现，是否就能证明她已"失贞"呢？我们的回答是否定的。要解释清楚这一问题首先得从女性的处女膜入手，处女膜是分隔女性阴道前庭和阴道的环形薄膜状组织，厚度约2毫米。完整的处女膜中间总有一个或数个不规则的处女膜孔与阴道相通，作用是可以用来通过经血。处女膜的薄厚、松紧、软硬也是因人而异。处女膜孔也有大有小，形态各异。因此，在性生活时就会出现不同的情况。一般在初次性交活动中，处女膜会发生擦伤和出血，但如果处女膜较松软或特别富有弹性的话，则在初次性交中，特别是性交动作并不那么剧烈的情况下，不至于擦伤和出血。还有这样的情况，婚前强力劳动或剧烈的体育运动如

跳高、跳远、跨栏等都有可能导致处女膜婚前就已经破裂。所以简单地在新婚之夜仅凭新娘是否"落红"而影响新婚期间的和谐生活是非常不明智的，也是毫无科学根据的。

怎样过好让夫妇铭记一生的初夜

怎样过好初夜，是每对新婚夫妇所关心的问题。有人说新婚之夜第一次和初期几次性交生活十分重要，如果过不好，就会影响日后夫妻之间的性生活，影响夫妻感情。新婚第一次和初期几次的性生活，过得满意当然很好。但也有过得不十分满意的，因为新婚夫妇往往缺乏性知识，双方刚刚接触，容易紧张、害羞和恐惧，性生活过得不好也是正常的。这与日后性生活的和谐没有什么关系。以后随着时间的推移、性知识的丰富、性体验的积累，一定会达到性和谐。但是，还要力求过好新婚之夜。具体要注意以下几点：

※要注意外生殖器卫生

男女双方在新婚之夜，都要用温开水和中性肥皂清洗外阴

部。由于结婚购置物品以及招待亲朋好友,使新婚夫妇繁忙劳累,男子的包皮垢和女子的阴道分泌物增多,如果不清洗,十分不卫生,会影响男女双方的性欲和健康。

❋做好避孕措施

如果男女双方不想马上要孩子,又不吃避孕药,夫妇双方都有顾虑,女方更怕怀孕,因此思想不能高度集中,性生活会受到影响。如果女方及时服用避孕药,或男方戴上避孕套,双方便毫无顾虑,精力集中,性生活会取得满意的效果。

❋密切配合,互相体贴

在性生活之前,男方应该有步骤地激发女方的性欲,然后才能进行性生活。在开始性生活时,双方都会有害羞感,尤其是女方更为明显,心理状态比较复杂,精神有些紧张。男方对女方要多加爱护,动作要轻柔,一次不成可以多试几次。如果是男方只顾自己而不顾女方,粗鲁行事,不仅会给女方肉体上带来痛苦,还会给精神上带来不快,影响夫妻双方感情。女方也要主动配合,克服紧张和恐惧心理,精神主动放松,性兴奋唤起就快,阴道分泌液多,润滑作用好,可以减少性交时的疼痛,也可以减轻处女膜被擦伤所造成的痛苦。

❋防止破损的处女膜发炎

处女膜破裂后,有些轻微疼痛和少量出血,应该用消毒的纱布或药棉擦拭,最好隔2~3天再性交,以防伤口发炎。如果处女膜破裂出血很多,疼痛难忍,应该就医。

❀**正确对待过早射精**

初次性交,男方可能由于缺乏性知识或过分激动,出现过早射精造成性交失败。对于这种情况不必多虑,这不是早泄,随着婚后性知识增长和性经验的积累,双方默契配合,会很快恢复正常。

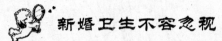

新婚卫生不容忽视

怎样注意新婚卫生,这个问题对于婚后生活的幸福美满、保证身体健康,以充沛的精力投入学习和工作,很重要。注意新婚卫生要从注意性生活的环境、讲究个人卫生、保持外生殖器清洁、月经期禁止性生活、性交次数要适度、夫妻互相体贴几个方面做起。

❀**注意性生活的环境**

对夫妻的性生活来说,环境是成功与否的重要条件。性生活的环境要注意下面几点:

(1)卧室的环境应该尽量安静,避免噪声和外界的干扰。睡床要舒适,被、褥、床单、枕巾要整洁。

(2)室内空气流通,因为性生活后疲乏入睡,新鲜空气有助于良好的睡眠,使人的身体和大脑得以充分的休息,以利于恢复体力。

(3)光线要适宜。有人喜欢在较暗的光线下过性生活,认为较暗的光线可以使人的性感集中,但也不要完全黑暗,在伸手不见五指的环境里并不好。由于性的刺激部分也来自视觉,因此光线最好不明不暗。

❀讲究个人卫生

讲究个人卫生,是过好夫妻性生活的条件之一。如果一方身上很脏,满身汗臭味,会使对方心情不愉快,甚至产生厌恶感,这样是过不好性生活的。因此,每次性生活前,都应该洗漱清洁,如刷牙漱口、洗脸、洗脚等。有条件时,最好洗个温水澡。洗了温水澡,双方会感到清爽愉快,增加爱抚之情。洗温水澡,还能加速血液循环,对生殖器官产生良性刺激,这对过好性生活有好处。

洗澡以后,女方可在前额、前胸、腋下少喷一点香水,可以给丈夫以愉快的感觉。

❀保持外生殖器清洁

不论男女,都要保持生殖器官的清洁。女子的外生殖器多皱褶,分泌腺也多,如汗腺、前庭大腺的分泌物,还有子宫颈的分泌物,会积存在阴蒂、大阴唇和小阴唇之间。另外,阴道、尿道、肛门的距离很近,更容易污染。再加上这里的温度、湿度适宜,有利于细菌的生长繁殖。因此,女子必须每天清洗一次外生殖器,性交前还要临时清洗一次,性交后最好再清洗一次,以防止泌尿系统和外生殖器发生污染。

男子的阴茎包皮内常常存有包皮垢。包皮垢是一种脂性分泌物,带有臭味,长期积存会感染细菌,容易引起阴茎头和包皮炎症。包皮垢还是一种致癌物质,长期积存会导致阴茎癌。阴囊皮肤多皱褶,是藏污纳垢的地方,容易引起外生殖器官的感染。男子外生殖器的污垢和细菌,除了对自身的危害以外,还可以通过性交带入女子的生殖器官,容易引起外阴部、阴道和子宫的炎症,甚至发生子宫癌。因此,男子也要每天清洗阴茎、阴囊和会阴部,尤其要把包皮垢洗干净,性交前后还要再次清洗。

清洗外阴部,要用温开水和中性肥皂,因为烈性肥皂能刺激外生殖器黏膜。女子不要用水冲洗阴道,因为阴道内部有自洁作用,那里的乳酸液体能保护阴道黏膜,杀死各种病菌。

※月经期禁止性生活

女子的月经期一般 3～5 天,这期间子宫内膜脱落,子宫腔内有新鲜创面,如果经期性交,有可能带入细菌,会发生生殖器官炎症,如子宫内膜炎、附件炎、盆腔炎等,还会引起输卵管堵塞而发生不孕症。另外,还能使盆腔充血,月经量增多,经期延长,发生月经紊乱。

在选择结婚日期时,最好避开月经期。这要参考以往的月经史,算出月经来潮的日子,有意避开。但是,月经容易受外界因素的影响,如精神紧张、身体劳累、生活规律改变等,都有可能提前来潮,这时要和对方讲清楚,取得谅解,暂不同房。也可采取措施,推迟月经期,比如结婚前一两天吃口服避孕药,每天坚持服用,新婚时就不会来月经了,过半月再停药,两三天就可以来月经。

※性交次数要适度

新婚夫妇,性欲比较强烈,应该注意节制,防止过频。身体健康的新婚夫妇,每周可性交 3～4 次,身体较差者,间隔时间可长些。性交次数怎样才合适,要由身体素质、健康状况、精神状态、疲劳程度等因素而定。总之,以性交第二天精力充沛、心情愉快、不感疲劳为宜,如果精神萎靡、腰酸背痛、食欲不振、睡眠不好、精疲力竭,说明性交次数过频,应该节欲,否则影响身体健康。

患过慢性病的人,如肺结核、肝炎等,更要节制性生活,否则使旧病复发或病情恶化,严重影响身体健康。

※夫妻互相体贴

新婚夫妇过性生活,应该互相体贴。不应该粗鲁行事,更不能强迫对方,一方身体不适,不要勉强。即使一对十分和谐的夫妇,也有可能偶然出现性生活不满意的情况,这是很自然的事情,因为性生活受多方面因素的影响,只要坦诚相待,积极寻找原因,是可以纠正的,千万不要抱怨或怄气,以免伤害感情。

如果一方出现了性功能障碍,不要争吵或蔑视对方,这样只能加重对方的心理负担，促进性关系和婚姻关系的破裂。而应该更多地关怀和体贴，积极治疗，暂不同房。伴侣用实际行动关心、体贴，对于性功能障碍，尤其是心理因素造成的性功能障碍来说，是最好的灵丹妙药。

新婚之夜发生阳痿的原因

所谓阳痿，是指男子虽然有性欲要求，但阴茎不能勃起或勃起不坚，妨碍甚至不能进行正常性生活。

性生理知识告诉我们，阴茎的勃起是由大脑皮质性中枢和腰骶脊髓内的勃起中枢支配的。在性生活之前，必然先有性欲要求，这种由大脑皮质性中枢发生的兴奋冲动，通过神经传到勃起中枢，就使阴茎海绵体内的血管充血，阴茎变硬勃起。不论什么原因，只要影响了勃起功能的任何一个环节，就会发生阳痿。

阳痿的症状表现有多种差别，不尽一致。从阴茎的勃起程度上说，一种情况是平时根本不能勃起，或者在睡眠实醒或膀胱高度充盈时，阴茎能够勃起，但一到性交时却无法勃起，有的性专家称之为"完全性阳痿"，一种情况是，有时候性交能勃起，有时候却不能，或者虽然勃起，但勃起无力，称之为"部分阳痿"。此外，还有几种阴茎勃起异常：

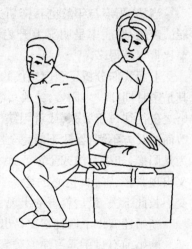

阴茎能勃起，但不持久，不能坚持到射精；阴茎勃起进入阴道后，逐渐疲软，中断性交或勉强完成性交过程。

根据上述情况，临床上将阳痿分为原发性阳痿和继发性阳痿两大类型。前者是指从未能将阴茎插入阴道，进行性生活；后者是指原来阴茎勃起正常，性生活顺利，只是后来出现了阳痿。

发生阳痿的原因很多,但归纳起来有功能性和器质性两大类。临床统计,功能性阳痿约占85%～90%,器质性阳痿仅占10%～15%。

所谓功能性阳痿,其原因是健康男子在性交时由于各种不良精神心理因素,如夫妇感情不和,学习、工作过于紧张劳累,多种原因引起的紧张恐惧心理,久病之后身体虚弱,长期过度嗜烟酗酒,长期服用安眠药、麻醉止痛药或其他影响性功能的药物等等,而使神经系统的性中枢失调,性功能减退,以致发生阳痿。

所谓器质性阳痿,是因为泌尿生殖器官或身体其他部分的疾病引起的。比如阴茎畸形、阴茎损伤、包茎、阴茎海绵体硬结症,先天性两侧睾缺损、前列腺炎、精囊炎、脑和脊髓损伤或肿瘤或畸形,脑垂体病变、肾上腺功能不全、严重神经衰弱、糖尿病以及全身的慢性消耗性疾病(如严重贫血)等,都可引起阳痿。

当然,阳痿与年龄也有密切关系。随着年龄的增长和性机能的衰退,发病率呈明显上升趋势。50岁以上的人,阳痿患者要比青年高得多。

上面我们分析了引起阳痿的两大原因,就不难看出,新婚尤其是蜜月期间发生阳痿,绝大多数人是由精神因素造成的,如新婚之夜往往过于紧张,或者因缺乏性知识,心中恐惧,怕性交失败而使女方不满,以致不能完全性交或得不到满足,于是就误认为是阳痿,如果疑虑或恐惧心理不能消除,每当性交时,思想上又出现紧张、害怕、担心的念头,会使勃起的阴茎软缩,不能性交。长此下去,最后就真的出现了阳痿。

新婚还有以下四种情况易出现阳痿:

※婚前有过手淫习惯或频繁遗精,而过于担心引起性功能失常;

※新婚房事过于频繁,引起性中枢疲劳而呈抑制状况;

※为操办婚事过于身心劳累,体力不支,暂时引起性功能减弱,出现阳痿;

※性交环境差,担心他人看见或听见或者新婚之夜有闹洞

房的旧习俗以至恶作剧,使新婚夫妇担惊受怕,以致暂时发生阳痿。

俗话说:"心病还须心药医"。既然新婚阳痿主要是由精神心理因素造成的,只要针对每个人的具体情况,找到阳痿的真正原因,采取相应措施,消除致病心理因素,性功能大都可以逐渐恢复正常。

新婚阳痿患者的理疗要点

※要学习一些性知识,正确对待性生活,解除顾虑,打消同房时无端出现的紧张、害怕、担心等情绪,相信自己是个健康的男子汉,这样阳痿往往会不治自愈,自然勃起。

※妻子要给予理解、关怀与和谐配合,在一定时间内夫妻可柔性做爱,获得性满足,但要暂时停止性生活,使失调的性中枢得到调整,以便收到满意的治疗效果。千万不能因为丈夫发生阳痿而出现埋怨情绪,这样不但会影响夫妇间的感情和家庭的和睦,而且更不利丈夫性功能的恢复。

※注意饮食起居,加强体育锻炼,生活有规律,使虚弱的身体得到恢复,阳痿也就消失了。

※在医生的指导下,采用中西药治疗。如注射丙酸睾丸激素或绒膜激素,或服用强阳壮精丹、龟龄集、龟鹿二侧胶、斑龙丸等中成药。也可采用针灸治疗。

如经医院检查属于器质性原因,只要对症治疗,治好原有疾病,阳痿即可治愈。

最后须指出,有了阳痿一定要做到早期治疗,不要延误,也不要灰心而中断治疗。因为病程越长,症状越重,再对症治疗就会积重难返,治愈就变得较为困难。

新婚期新婚房事中的常见病症

新娘在新婚之夜以至在蜜月期间,进行房事时常出现一些病症,影响性生活的和谐与美满,但多数人又羞与人言,把难言的苦恼深埋心底，更加重内心的痛苦。下面谈谈新婚房事中的四种常见病症和防治对策。

※房事疼痛症

房事疼痛症是新婚房事最为常见的病症。它通常是指性交时引起女方外阴部、阴道或下腹、腰部疼痛。其疼痛也可在性交后或持续到性交后数小时以至数天发生。女方性交痛大多是由于缺乏性知识。性交时精神过分紧张、恐惧，特别是男方忽略两性心理上的差距，过早达到性高潮，在女方性欲尚未充分唤起、前庭大腺分泌物不足、阴道滑润度不够时，就急于性交，再加上男方动作激烈、粗暴，以致使女方产生程度不同的疼痛。如果经常如此，必然会使女方产生和加重对性交的厌烦、恐惧，在这种精神心理作用下，又会进一步加重性交疼痛，而不愿再过性生活。对于精神因索引起的性交疼痛，只要学习有关性知识，性交时双方密切配合，尤其是男女应通过接吻、拥抱、抚摸和亲昵话语，唤起女方的性欲，进入兴奋期，阴道出现湿润之后再进行性交，在性交过程中男方还应注意关怀和体贴，防止动作急躁、粗暴，这样就能解除女方心理障碍，避免性交疼痛。

另外，泌尿生殖器官局部病变，如外阴炎、阴蒂炎、阴道炎、盆腔炎、尿道炎、尿道口息肉等，也可以造成房事疼痛，经确诊后，只要对因治疗，器质性疾病治好了，性交疼痛就会消失。

"新婚初夜"所引起的处女膜损伤和阴道口疼痛属于正常现象，同房时只要加以注意，几天后即可恢复，一般不会再发生疼痛。

※阴道痉挛

阴道痉挛，是指阴茎将进入阴道时，阴道周围肌肉甚至包括股内收缩肌群,立即发生不自主反射性痉挛,使房事无法进行。

阴道痉挛也属于女性功能性疾患,无论是新婚初次房事或婚后曾经有过满意的性生活,都可发生。其原因:一是不良精神因素,如同房时精神过度紧张,害怕疼痛和怀孕,或者过去有过性心理创伤,或在初次性交时男方动作过于粗暴,因疼痛和创伤引起痉挛;二是外阴部炎症或阴道先天性狭窄。

一般来说,阴道痉挛不需要专门治疗,只要解除同房时的紧张、恐惧心理,或者治好生殖器官疾患,症状就会消失。

这里顺便指出,如果性器官发育异常,如处女膜闭锁、阴道横隔,也可以造成性交困难。这种情况可以通过手术治疗。

※房事出血症

房事出血症是指性交时外阴及阴道出血。除新婚之夜因处女膜破裂引起出血外,出血症主要由于生殖器官发生阴道炎、尿道炎、尿道息肉及子宫颈糜烂、子宫颈癌等病变所引起。阴道先天发育异常或阴道狭小,以及房事动作粗暴,也可造成阴道及阴道穹隆部破裂而出血,这在新婚之夜的初次房事中,也较为常见。只要及时对症医治,出血症即可痊愈。

※房事晕厥症

房事晕厥症是指在房事过程中,女方突然面色苍白,意识丧失,但经过短暂休息后可很快恢复正常,这类现象称为房事晕厥症。此症新婚之夜可能发生,夫妇久别相逢也可能出现,但总的来说比较少见。

引起此症的主要原因是,女方性交时过于激动、兴奋,或者过于紧张、恐惧,使周围血管骤然扩张,而形成脑缺氧所引起。这类房事晕厥称为血管抑制性晕厥。少数女性因疾病引起。如患有颈动脉窦综合征、急性心源性缺血综合征、严重心律紊乱,以及无先兆的癫痫小发作、轻型脑震荡、癔症等。

发生房事晕厥时,应立即停止房事,将女方头部放低,静卧片刻,一般可很快恢复。如不能恢复,应马上送医院急诊处理。

新婚期如何节制过度的性欲

性欲是人的生理需要与心理要求,它和性兴奋、性生活构成性的主旋律。可以说,没有性欲,就没有爱情,就没有恋爱时的激情,也就没有过夫妻性生活时的性兴奋,人类也就不可能繁衍生息。鲁迅先生曾经精辟地指出:"性欲是保存后裔,保存永久生命的事……"。因此青年人一进入青春期,只要发育正常、都会产生性欲、性冲动,并常通过手淫或其他自慰方式来缓解性冲动,满足性要求。

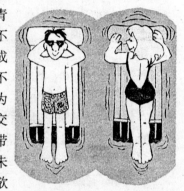

但是,在现实生活中,有的青年人在婚前和婚后,如果性欲不节制,任其泛滥,而很可能手淫成癖,损害身心健康,还有的人因不能约束性冲动而发生婚前性行为甚至性犯罪;婚后放纵性欲,性交过频,甚至发生婚外恋,给婚姻带来不快和悲剧。因此,无论是未婚者还是已婚者,如何把住性欲的闸门,使性欲心理有所控制,防止一发而不可收拾,就显得至关重要了。

性心理学告诉我们,性欲虽是一种生理本能,但人的性欲和动物有本质不同,它是受性意识支配的,是富有理智的行为。每个人只要注意以下几点,就能保持性欲正常而不放纵。

※重视教育

就是每个青年人自觉地接受性教育,学习有关性生理、性心理、性道德、性犯罪的预防等性知识,正确对待性、性欲、性冲动和性生活,既要反对性禁锢,防止性愚昧、性无知,又要抵制形形色色腐蚀思想的侵袭。尤其是"性解放"、"性自由"思潮对当代青年的危害尤深,在其袭击下,使一些男女青年失去了性欲的闸门,而做出危害自己、别人、家庭和社会的蠢事。

❋正常与异性交往

在学习、工作中,每个人都要与周围的异性交往,甚至建立友谊,成为朋友。但要严格把握住朋友与婚恋的界限,要做到自然、坦诚和光明,莫把友谊当爱情,也不可想入非非,胡思乱想,以免做出越轨的事情。

❋不要与庸俗的异性接触

在现实生活中,有少数人思想庸俗下流,生活不检点,作风不正派,常以色迷迷的眼光盯着周围的异性,获取性欲的猎物。这些人中有的道貌岸然、风度翩翩,谈吐不俗,出手宽绰,极富"魅力"和吸引力,而使一些女性上钩、失足。对这些人的态度应该是不接触、不来往,避免受其影响,以保持性欲的纯洁性。

❋不看黄色淫秽书刊

近年来一些低级庸俗,甚至黄色书刊、录像带较为泛滥。不少未婚或已婚青年男女看过之后,往往经受不住露骨的刺激和挑逗,引起难以抑制的性骚动,而做出违背理性和道德的性行为。有的通过手淫、梦遗去发泄,而不可自拔,还有的人为此失去了少女的贞操,甚至走上了犯罪道路。据调查,在性犯罪的青少年中,至少有一半以上的人与黄色书刊、录像或其他淫秽物品的腐蚀有关。这一点应当引起青年人的高度警惕,切莫出于好奇、追求刺激而成为黄色淫秽书刊和录像带的受害者。

❋要用道德控制性欲

人是感情的主人,不是感情的奴隶,每个人只要树立正确的人生观,有强烈的事业心和高尚的道德情趣,摆脱低级趣味,就可以驾驭、约束性欲,用理智控制性冲动,而不致放纵泛滥。同时,通过丰富多彩的文化娱乐活动,也可以使性欲得到积极转移。事实证明只有胸无大志,百般无聊,安于享乐的人,才容易追求淫欲和性刺激。

 ## 新婚之夜性交疼痛怎么办

第一次性交,男女双方都可能发生,但大多数发生于女方。

男方性交疼痛有两种情况，一种是阴茎包皮过紧或包皮系带过短，在插入阴道后，由于女方也是初次性交，出现紧张和收缩，使阴茎发生疼痛；另一种是射精疼痛，多产生于一夜重复性交。这是前列腺和精囊腺来不及分泌而产生的。

属于包皮引起的，如果不是患了包茎，几次性交后即可消除的，如果是包茎则需手术治疗，属于射精痛的，只要节制或中断几日即可。

女方性交疼痛，多是因为处女膜破裂和阴道扩张引起的。处女膜因阴茎的插入而破裂，会产生轻微的疼痛，阴道口和阴道黏膜突然间遭受从未有的阴茎摩擦，会充血肿胀。一般来说，由于双方处在兴奋之中，女方不会感到明显疼痛。如果男方情绪激动，操之过急，动作粗暴，或频率过于激烈，或是姿势与角度不对，均可使女性感到疼痛，就像怕打针一样，越是怕疼，肌肉越是收缩得紧，因而会增加疼感。因此，男方应体贴妻子，不可鲁莽，动作要轻柔、缓慢，要怜香惜玉。这样效果就会好。

新婚之夜宜洗澡

新婚之夜，男女双方第一次过性生活，为了双方的身体健康和保证性生活的和谐，性交前和性交后，都要注意个人清洁卫生。

性交前，新婚夫妇有条件的应洗澡，清洗身上的汗腻，消除汗臭，以免同床时汗臭味使对方反感和厌恶。洗热水澡时，要特别注意清洗外生殖器官，除去阴茎上的污垢，尤其是龟头冠状沟上的垢泥、包皮过长的包皮垢，清除大小阴唇皱褶中的污垢等，以免性交时，将这些脏物带进阴道内。用温热水洗澡还能加速血液循环，对生殖器官产生良性刺激，这对过性生活有好处。没有条件洗温水澡的,也应用一盆温热水清洗外生殖器官。在可能情况下,男女双方都可以往身上如前胸、前额、腋下等部位喷一点香水,香水味给人以愉快的感觉,还可以刺激性欲。但喷洒香水时,千万不要喷到生殖器,以免引起生殖器官炎症。

你了解性爱中的礼仪吗

在亲密关系中,尊重对方的意愿、体贴对方的感觉是最重要的一课,当你们开始分享彼此的身体、共享性爱欢愉时,更必须顾及对方的感受,不只是为了满足个人的欲望,才能有优质的性爱生活。以下是享受性生活你必知的性爱礼仪:

※双方都有意愿

做爱最重要的是双方都有意愿,如果不能尊重伴侣的基本权利,那么,其他的性爱礼仪都是空谈。况且,用强迫或半推半就的方式,不但降低整个性爱过程的品质,被强迫者更会对此感到厌恶,甚至可能让你吃上官司。

※重视对方的感觉

做爱的过程要互相替对方着想,从开始到最终都是如此。很多女性有过多次性经验,但却从未有过性高潮。其实男女都该有性高潮,而不是一方在取悦对方,因此在过程中,不妨藉由沟通、觉察对方反应来得知伴侣的感觉。

※负责任的态度

上天赋予动物性交的能力,是为了完成繁衍后代的神圣使命。因此,在发生性关系前,如果还不想为人父为人母,就要做好事前的防范措施,而且应该对可能发生的事情,如怀孕,有心理准备,并采取负责任的态度。

※清洁卫生很重要

性爱的发生常是受当时环境影响,无法事先做准备。此时,男女双方要特别注意卫生。如果可以的话,不妨先洗个澡,因为臭味会影响性欲。

❋守密

与亲密伴侣间的性爱关系,是非常私人、隐秘的,绝不可在朋友面前宣扬或批评你的性伴侣。

❋尊敬伴侣的身体

做爱时,身心都非常脆弱和敏感,因此我们有义务对此保持高度的敏锐性。不要因为寻求刺激而虐待伴侣,甚至作出会影响健康的行为,否则对方就变成你的泄欲工具了。

❋不要比较

无论做爱的过程好或坏,千万不要拿来跟前女(男)友或前妻(夫)比较,即使是性伴侣提出比较的要求,也要技巧性地婉拒,毕竟做爱是两个人之间的隐私,假如你告知现在的性伴侣,他的技巧比前伴侣好,反而会让他产生一种压力,怕下次表现不佳,又或者分手后,他也变成你拿来比较的人。

❋事后的亲密接触

很多人都忽略了后戏的重要性。如果做爱时女性没有高潮,可以在此时利用辅助的方式让她达到高潮,例如以手刺激阴蒂等。此外,女性退潮比较慢,结束后不妨给对方一个拥抱或是说声"我爱你",即使女性在过程中并没有高潮,也会觉得很甜蜜,让她感觉被爱、被尊重。

过好初夜的十二个愉悦点

我们的身上有不少的愉悦点是还未开发或视而不见的,这里强调的愉悦点可能因甚少曝露或被爱抚,所以对爱抚相当敏感哦!

❋轻柔按摩乳房会有强烈愉悦和性欲。

❋乳头对温柔爱抚有反应,增加性兴奋。

❋唇和口对触摸很敏感,可增加性感。

❋按摩下腹会有放松效果,升高性反应及期待。

❋按摩大腿内侧除可减缓性紧张外,还能帮助性感流畅。

❋触摸耳垂能很快传达性感刺激及愉悦。

❋爱抚颈背能够激起十分强烈的性兴奋。

❋轻抚腋下及柔软的上臂内侧,会觉得很愉快。

❋臀部很性感,对强而有力的按摩有反应。

❋靠近性器官的鼠蹊部是相当性感的地方。

❋膝(膝盖后方)对轻柔的按摩和碰触灵敏度也很高。

❋按摩刺激拇趾腹,会触发全身的性反应。

 ## 新婚丈夫怎样面对新娘不适感

新婚之夜,夫妻开始过性生活。大多数新娘在初夜处女膜破裂时,会有少量出血和疼痛的感觉,这使人更增加性的神秘感。

有的新娘处女膜强韧,或处女膜孔太小,或是新郎操之过急动作粗暴,会发生较为严重的处女膜破裂出血。此时也不必紧张。即使缺乏性经验的男女,初度春风都会准备些布或纸作"善后"之用的,可立即在阴道口堵塞一些柔软干净的卫生纸或小手帕,戴上月经带以压迫止血,或用清洁纱布衬垫后用手指按在出血处,稍用力压迫几分钟,出血也会停止。除非处女膜裂口较大或较深,伤及阴道,出血不止,一般不必去医院手术止血。

有的新娘处女膜破裂后数月内仍感觉疼痛,那就要等到疼痛消除,伤口愈合之后再第二度性交。新郎为了妻子的健康应该抑制一下。

女子应在结婚前10天左右向妇科医生求教,检查一下是否应该用手术把处女膜破掉,采用这样的手术后,洞房花烛夜初度交合时,便可以免除因处女膜的破裂而引起的疼痛感了。

有对新婚夫妻,婚后新郎沉浸在无限甜蜜之中,新娘却愁锁眉黛。终于,还不及一个月,新娘便借口回娘家去不再回夫家了。应该说她对丈夫是一往情深,温柔体贴,丝毫也没有移情别恋之意。这是怎么回事?

事情是这样的:洞房花烛夜新娘尽管感受到初夜的疼痛,但也因新婚的兴奋而感到幸福。但自从"蓬门今始为君开"之后,每次性生活不久,她的会阴部就觉得奇痒难忍。半月后,痒感遍及口唇及四肢躯干,皮肤时有红斑疹块出现,阴唇也肿胀,常常弄到她彻夜难眠,直到翌日白天,这些症状才逐渐缓解消失。但是一经同丈夫过性生活,这些奇痒和疹块又卷土重来。她不明所以,觉得性生活是受罪,为避免性交只好离开丈夫。

原来这位新娘患了"精液过敏反应",医学上又称为"变态反应"。女性对男性的精液过敏,与本人的体质或遗传有关。

男子射出的精液中合有一种名为"精子抗原"的致敏物质。性交中当男的精液射进女的阴道和溢在外阴部后,女的阴道分泌物就起了反应,产生一种相应的"抗精液抗体",如果抗原与抗体发生特异性结合,就会诱发过敏反应,出现性交后阴道和阴户、甚至全身瘙痒,起红斑疹块。

精液过敏反应常发生在新娘身上。大多数女子不存在过敏体质,有的过敏反应轻,夫妻共同生活几天也就适应无事了。

至于少数女子对精液过敏反应很重的,可用水清洗外阴部和阴道口,下蹲一会,让阴道内的精液尽量流出后再清洗一次。再过性生活时男方可用安全套,半年左右待女方体内抗精子抗原消除,就可以不用安全套。女子性交前可服去敏灵一片,事后喝杯水,效果很好。

初夜最适宜的性交姿势

根据初次过性生活男女的心理和生理特点,初夜最适宜的姿势就是一般体位。一般体位指女性仰卧,男性居上的姿态。这个姿态,女性双腿弓起的程度愈高,阴茎插入愈深。性交时,女性可将双手置放于男性的腿部或臀部,以便利于运动。但要注意,这个体位男性易将全身重量附加于女方胸部,使女性不堪负荷,男性应用手肘支撑身体重量,这个体位很容易结合,所以初次性交者,最好采取这个姿势。

初次性生活应注意什么

※相互配合

新婚之夜的性生活,男女双方都会感到腼腆和羞涩,男方对女方要多加关怀,男方的动作要轻柔一些,不要只顾自己不顾对方,给女方造成精神上的不悦和身体上的痛苦,甚至会加重女方的恐惧心理。

初次性交,男方要有步骤地激发女方的性欲,女方不要完全处于被动地位,而要主动配合,逐步地和谐地完成性交。这样既可以减轻处女膜破裂所带来的疼痛,又可以避免意外的损伤。男女初次性交后,应该中断数日再进行第二次,使女方生殖器受到的损伤得到恢复。倘若新婚之夜正碰上女方来了月经,新婚夫妇必须控制自己,互相体谅,互相爱护,等月经干净以后再性交。

※消除紧张

第一次性交,男女双方心情都比较紧张,神经也处于高度兴奋状态,并因缺乏性知识,多会出现男方刚刚接触到女方的性器官或阴茎刚刚进入阴道,就开始射精。这种现象是正常的,并非人们所常说的早泄。

随着性生活的延伸,性生活经验的积累,这种现象会自然消失。

※处女膜破裂不要紧

初次性交首先碰到的是处女膜的破裂。处女的阴道是一个前后壁都紧贴在一起的潜在的腔,阴道口有一道天然的屏障——处女膜,保护着阴道不受侵犯。处女膜约2毫米厚,有一定的弹性。初次性交,处女膜破裂,同时伴有轻微疼痛和少量出血,这是正常的生理现象,不必紧张,一般只要休息两天就会恢复。

※要注意性生活卫生

男女双方必须要注意性生活卫生,即使在条件较差的农村,新婚当天,男女双方都必须洗澡,尤其要把生殖器洗擦干净。不然在性交时,容易把细菌带入阴道和尿道口。女性的尿道很短,细菌会从尿道口侵入膀胱,导致急性膀胱炎。倘若细菌沿输尿管上行至肾,就会患肾盂肾炎。

还应防止性交过多。新婚夫妻的性欲都很强,性的要求比较迫切,性交往往过频,这不仅有损身体健康,还会影响日常工作和生活。婚后性生活间隔多长时间要依人而异。一般一个星期3～4次为宜;体质不好的人,性生活的间隔时间要长一些,应以性交后不感到疲劳乏力,精力充沛为好。

 ## 你了解有质量的性生活步骤吗

性交包括性兴奋、性交、性欲高潮和性的满足等环节。这一系列的生理活动是一个十分复杂的生理过程,男女双方必须协作方能完成。

性行为是一种连续精神活动及机能运动的过程,可人为地分为以下三个阶段:

※准备阶段

性生活对男女双方都是一种美妙的享受,但感情的发展需要一个过程,性欲的激发也是渐进的。和谐的性生活应该在性交之前先经历一个准备过程。夫妻间的前戏是提高性生活质量的重要一环。许多女性受传统思想的影响,把性生活看作生儿育女的义务来完成,而把性交之外的性行为视为下流、不正派的放荡行为。人类在进化中不同于一般动物,其中一方面就表现在生殖与性生活的分离。人们越来越认识到应把性生活作为一种独立的人生享受,而在性生活中,性交也仅仅是其中的一部分,男女双方的调情、拥抱、爱抚等前戏过程也非常重要,内容也不断丰富,且明显延长。调查表明,性交前的爱抚时间应是性交时间的四倍,这样才能得到充分的性欢悦。

许多男士认为,性交前的爱抚只对妻子有用,对自己没多大意思,因此,只是随意应付几下便迫不及待地进入性交阶段,这是因为这些男性没有认识和体验到前戏的乐趣。如果没有充分的前戏阶段,就难于获得和谐的性生活,势必降低性生活的质量,这对男女双方都是不利的。

(1)男女双方在性生活中的调情能激发和维持性欲。富有挑逗性的情话既能融洽感情,又能催化情欲的发展。从某种意义上讲,情话甚至比性交本身还重要,能够更有助于得到性的满足。

(2)接吻是表达性爱最直接的方式之一,情侣间、夫妻间一旦产生性爱的欲望,常常从口唇开始。接吻是感情升华的一种表现,也是享受性体验的一种极方便的形式。口唇周围具有丰富的神经分布,深吻可引起双方的快感。接吻的形式也非单一的口唇接吻,其可以是两口相对,还可以两口深深相接,两舌互舔。

(3)拥抱因有广泛的肌肤接触,对提高兴奋有非常重要意义。拥抱在方法、时间、力度上有不同的方式,可以是全身性的,也可以是身体的某个部位,如胳膊、大腿、脖子等。从拥抱的状态,也可以体现性兴奋的程度。开始阶段常常力度轻,接触少,随着情欲的高涨,往往越抱越紧,接触面由局部到全身,男女双方似乎融合在一起。由于紧张、兴奋,呼吸也变得急促,身体也会颤抖起来。

(4)为了激发男女双方的情欲,对配偶进行全身地触摸爱抚是必不可少的。人体,特别是女性身体上有许多被称为性敏感区部位,这些部位具有丰富的神经末梢,对触觉非常敏感,当被异性的身体碰触爱抚时,会产生高度的快感。前戏过程中,巧妙地刺激对方的性敏感区,很容易使对方兴奋起来,从而获得极大的性满足并向性高潮过度。

(5)女性身体的性敏感区,有主次之分,主要性敏感区包括乳房(特别是乳头)、性器官(阴蒂、阴道);次要性敏感区包括耳朵、后颈部、腰背部、腹部、臀部和大腿内侧、肛门、脐周围、嘴唇(尤其是内侧黏膜)、眼睑及腋窝等。

　　女性的阴蒂是性冲动的主要发源地。所有女性都有自己的动情的"秘密据点",即自己独特的敏感区。对此,女性本人最清楚。不少女性最强的性冲动来自脚掌的刺激,而有些性敏感区小至一点。男方要善于发现女方的性敏感区,特别是女方身上的独特之点;女方也应该把自己身上的性敏感区告诉男方,如果不便直说,可引导男方去刺激这些部位。男方应留神并记住女方的性敏感区,不时地给予刺激,以帮助女方获得性满足。

　　(6)男性的性敏感区分布比较集中,主要是阴茎头部、阴茎体、大腿内侧、臀部及口唇、腋下等处。

　　(7)乳房是特别的敏感区,有人通过爱抚乳房就能感受到高度的快感。用手爱抚可轻轻按压或捏挤乳头,用指头摩擦乳头前端,从而使乳头竖起。乳头勃起是因乳头海绵体充血的缘故。在爱抚乳头时应注意不要刺激过强。爱抚乳头时也可以用口,当口一接触到乳房时,不但会引起女性的本能反应,同时也会激发男性的快感。

　　(8)爱抚女性生殖器应以阴蒂为中心,阴蒂本身十分敏感,应避免一开始就集中刺激阴蒂。最初应在大腿内侧,然后是大阴唇、小阴唇,即由外侧逐渐进入内侧,动作应该缓慢柔和,一旦接触阴蒂就会引起强烈的兴奋,如果兴奋达到一定程度时,前庭大腺就会释放分泌物,因而阴部也变得润滑。

　　在整个准备阶段,时间长短可根据具体情况,大约需 10～30 分钟。待女方十分兴奋,前庭大腺分泌出大量黏液,湿润阴道口时,可进入下一阶段。

　　※性交阶段

　　性交时勃起的阴茎放入女方阴道应该由浅而深,并宜稍加变化。性器官接触以后,应该稍休息一下,因在性交活动过程中,女方阴蒂受到刺激,可增加女方的激动和舒适。如果刺激与兴奋积累到一定程度后,性的兴奋就急剧增高,男性阴茎增大,输精管精囊、前列腺和尿道肌肉都会出现节律的收缩,随着这种收缩,精液喷射而出,伴随出现一种快感,从而进入性欲高潮。

在性欲高潮时,女方阴道分泌物增多,有的阴道会出现节律性收缩,更增加了协调性的快感。

男性和女性的性反应过程有较大的时间差。男性的性高潮出现快,消退得也快,而女性的反应则缓慢得多,激发较慢,消退也慢,因而性反应过程必然不同步。但性生活中最快乐的莫过于双方共享性高潮。若男方很快达到性高潮,而没能激发女方的性高潮,这样的性生活就谈不上美满了。如果想夫妻双方反应能基本同步,共享性高潮,则应注意以下方面。

(1)男女双方都有性欲是同时达到性高潮的前提。若女方暂时没有性欲,不要勉强,男方在性交前要耐心与女方交流,进行诱导,待其性欲高潮时才正式性交。

(2)男方如果患早泄应进行治疗。倘若没等阴茎插入阴道或刚插入就射精,就不可能使女方达到性高潮。这种情况应求医治疗,或经必要的训练进行纠正。

(3)若男方高潮来得太快,阴茎插入后应避免猛烈的抽动,也不要连续前后抽动,可中途休息,同时应多爱抚女方,加快女性达到性高潮。

(4)夫妻双方应多交流以掌握性反应程度,并及时调整。

❋**结束阶段**

射精以后,此时男方的性欲已经满足,高潮急剧下降,但女方依然留恋曾经体验到的快感,性欲高潮时间较长,不要立即结束性器官的接触;男方暂时不要将阴茎抽出,略停片刻,以满足女方的性要求。

许多男性并不理解这一点,性高潮过后即翻过身去,或立即起身去浴室,或者干别的事,而根本不管尚在留恋中的女方,使女方顿时觉得孤独,产生被抛弃的感觉,使曾体验到的兴奋和快感烟消云散,只剩下懊恼和遗憾。要继续给予温柔爱抚,以弥补女方所需要的性满足,陪着女方从神奇的仙境缓慢降入人间。

性交后的温存是和谐美满性生活中不可缺少的一环,对融洽夫妻关系具有重要作用。男性射精后获得满足的同时也会产生一丝困倦,但为了给女方更多的性满足,就不应该急于起身离开。只要女方能获得快感,克服一点困倦也是一种乐趣。在性高潮期过后,男女双方还应该继续拥抱一段时间并相互爱抚,或者轻声交谈,表示温存和爱意。令女方在温馨中得到性满足,双方相依而睡,缓解肉体和精神上的紧张和兴奋。

新婚之夜最适宜的避孕法

毋庸置疑,初夜的同床共枕对新婚夫妇来说是有非常重要的意义。虽然并不是所有的人在这一夜都很顺利地进行性交,但首次云雨过后就怀孕者也不在少数。如果婚后并不想立即生育,可供选择的避孕方法很多,但具体很难说哪一种避孕法最好,或一定要使用哪一种避孕法。因此,初夜如何选用避孕法确实还有点伤脑筋。

如果使用避孕套的话,似乎会破坏新婚初夜浪漫的气氛,而且到底是新郎,还是新娘准备呢?我相信即使新郎兴致再好,看到新娘取出保险套时,也会觉得索然无味。避孕药同样会破坏双方的心情。

初夜避孕最理想的方法就是避开排卵日。所以,订过婚的女性,最好能测量自己的基础体温,此时就可以利用基础体温,预先确定结婚的日子,以避开排卵日。但是,有很多人是在半年甚至一年前,就决定结婚日子的,而想要在一年前就预知排卵日可不是一件容易的事儿。

不过,如果月经一直很规则的话,倒是可以预知月经来潮的日子是在月初、月中或月末。排卵日在下次月经来潮前的 14 天左右,因此,只需要反过来推算,就可以在月初、月中或月末选择一个好日子了。但是,即使月经周期很规则的女性,想要以基础体温来决定一个在半年甚至一年之后的初夜,仍然是无法达到100% 正确。更何况现在许多地方(尤其农村)还是沿袭旧习惯,以农历来决定结婚日子,如此一来想自然避孕就更难了。

如果是属于上述情形的话,你应该在择定结婚日期之后。

即在这一天的前一个月或前一个半月，就开始记录基础体温，如此可以粗略地预知结婚当天是在排卵期的什么时候。如果婚礼的当天或蜜月期刚好在月经预定来潮的1个星期之前，也就是基础体温已进入高温期4～5天之后，你就无须担心会怀孕，尽可安心地欢度蜜月。

万一新婚初夜是在排卵期（以基础体温位低的那一天为中心的前后5天）或在基础体温已进入低温期时，就会有怀孕的可能。所以，在蜜月期间，如果你不想太早有孩子的话，还是应该想办法采避孕。使用避孕套、子宫环的避孕方法，这里不太赞成。因为如果你不熟悉其使用法的话，很可能会失败。再说，新婚期间就拿出这些玩意儿，只要想想就会觉得倒胃口。

最适合新婚时期使用的口服避孕药或避孕针。在婚前1个月就可开始服用，蜜月旅行期间也要继续服用。通常都是在月经来潮时的第5天开始服用，每天服1粒，持续20天，如此就可以达到完全避孕的目的。此法的避孕效果可达99%，而且对某些妇女月经不调、过多、过频、痛经或经前紧张症等妇科疾病还有治疗作用，真是一举两得。

当然，有些妇女服用避孕药或使用避孕针时，会有恶心、呕吐、头痛等不适症状，建议你睡前服或加服维生素 B_6 以减轻你的不适症状。当然停药后这些症状都会消失。如按上述所说去做，在欢度蜜月期间你一定会很开心的。

 正确的避孕套使用方法你了解吗

新婚夫妇除了服用避孕药以外，新郎使用避孕套，也是简便易行的避孕方法。

避孕套是一种既薄又软的优质乳胶制成的圆筒状套子。圆筒的口上有一个橡皮圈，使用时能使避孕套紧紧地套在阴茎上，从而不至于滑脱。避孕套顶端有个小囊，射精后精液就留在这个小囊里，使精液不能进入女方阴道，精卵不能相遇，以此达到避孕的目的。

目前,新型的避孕套有颗粒状、螺纹状的,还有带香味、带色彩的。避孕套分大、中、小三号,根据自己的情况选用。通常选用中号,感觉太松时换用小号,过紧时换用大号。过小,性交时容易破裂,且有不适之感;过大,容易滑脱入阴道内,造成避孕失败。

在使用避孕套前,应先向套内吹气,使套膨大,然后束紧套口,轻轻挤压,倘若漏气则不能使用。在房事前,当阴茎勃起后,先捏瘪避孕套顶端的小囊,排出囊内气体,再将卷好的避孕套套在阴茎上,慢慢向上展开,一直到阴茎根部。射完精,在阴茎尚未完全软缩前,用手捏住套口与阴茎同时拔出,以防精液外溢,而导致避孕失败。

使用避孕套时,还应在套子的顶端涂点避孕药膏,不但可以润滑阴道,减少异物感,防止避孕套破裂,还可提高避孕效果。

避孕套必须在每次房事前戴好,不要在房事中途再戴,以避免使避孕失败,因男性在射精之前,就可能已有少量精液流出。

避孕套如坚持按规定方法使用,避孕效果是可靠的,最重要的是对身体健康没有什么影响。

初夜避孕套破裂的原因

避孕套具有避孕和预防性传播疾病(包括艾滋病)的双重功能,因而备受世人钟爱。尤其是新型的乳胶避孕套很薄,有些带有螺纹,有些还散发着丝丝香味或外涂可以促进性兴奋的药物,既避免了同房时男子使用避孕套"隔一层"的感觉,又能激发性欲、延长性交时间、增强性快感等避孕套是一种使用方便、值得推广的男用避孕工具。

如果能正确使用避孕套,失败率仅为 1.5% ~ 4.2%。然而,避孕套在实际使用中,失败率高达 10% ~ 15%。

原因主要是人们在使用避孕套的过程中未能注意到一些细微之处,造成避孕套破裂,从而导致避孕失败,通常有以下 6 种情况:

※戴套不小心

佩戴避孕套多在调情和激发性欲的前戏阶段。戴套时,指甲或戒指无意中刮到或划着避孕套,导致超薄型避孕套破裂。

※性器官润滑度不够

如果女性阴道润滑度差也容易造成避孕套破裂,特别是新婚女性,性交前未充分调情,也会出现类似情况。

※性交幅度过大

新婚做爱时,避孕套破裂较常见。大概与性交幅度过大有关。婚后一年夫妻同房时,则很少发生避孕套破裂。

※使用不适当的润滑剂

如果在避孕套表面涂上矿物油或植物油如凡士林、普通润肤液等,可以在 5 分钟内减弱乳胶避孕套的强度。一般而言,避孕套上已带有润滑剂。

※缺乏经验

实践表明,已习惯使用避孕套的男子比刚开始使用时,避孕套的破裂情况明显减少。

※贮藏不当

避孕套暴露于强光、高热、潮湿和臭氧环境中会丧失其强度。倘若开封,即要使用。试验显示:暴露于强光下 10 小时,避孕套的破裂率可达 20%;贮藏于热带气候 42 个月,避孕套的破裂率为 49%。

避孕套滑落了的补救办法

避孕套作为避孕工具,它的避孕效果是十分可靠的。但有些新婚夫妇,在使用避孕套时没有严格遵守规则,致使射精后避孕套滑落在阴道内,精液溢出后就有可能造成受孕。

造成避孕套滑落在阴道内的原因主要有以下几种:

※男性在射精后没有及时将阴茎连同避孕套一起抽出,待阴茎全部软缩了以后才拔出。如此避孕套就很容易滑入阴道内。

※男性射精后抽出阴茎时，没有用手指按住避孕套口与阴茎一起抽出，从而致使避孕套遗留在阴道内。

※如果选用的避孕套尺寸过大，容易使其滑脱在阴道内。

使用避孕套避孕必须按规定正确使用，不能有丝毫放松。使用避孕套在精液射出后的正确操作方法是：在阴茎软缩前，用手指按住避孕套口与阴茎一起抽出，才能避免因套子滑脱而致部分精液溢入阴道内。

倘若发现避孕套已滑落在阴道，首先应将手指伸入阴道内，捏住避孕套口将套子轻轻拉出。若有备用避孕栓或避孕药膜等杀精剂，应立即放入阴道内作为补救措施。倘若没有外用药物，女方可作下蹲动作，促使阴道内的精液排出，同时，可用加水的食用醋或肥皂水注入阴道冲洗，从而减少怀孕的机会。

然而这些做法并不完全可靠。较为有效的补救措施是口服53号避孕药。正确使用方法是每日1片，连服4天。以后根据月经周期隔日服用1次，连服4～6次。停药后即会月经来潮。最可靠而有效的补救方法是，在此次房事后的5天内放置宫内节育器，不但可防止这次因避孕套滑在阴道内而致避孕失败，而且还可达到一次放环，多年避孕的目的。

婚礼进行曲

送嫁迎亲的礼俗

迎亲就是将新娘（或新郎）从原来的家迎来新家或婚典仪场举行婚典仪式。在迎亲之前，新郎新娘得沐浴梳妆，化妆打扮，穿上婚纱、礼服，摄影师拍照。

当代城镇的婚娶大都流行汽车迎亲。第一辆迎亲车要在花店包装成花车，车头贴上大红喜字，车身由彩色绸带交织网罩。花车之后的车队，也都要贴上红喜字，以作为迎亲车的标志，车内主要坐新郎新娘的亲属。有些地方选择迎亲车很讲究，白色的不要，出于将白色与不吉相连；车牌号有"4"的不要，出于4与死谐音。这些俗信都是不科学的，应予摒弃。

迎亲以女到男家为例，新郎在伴郎等的陪同之下，乘车到新娘家中去迎接新娘。到达之后，新郎将捧着的一大束鲜花敬献给新娘的父母，并向他们鞠躬行礼。这样做，一来是为了表示自己对岳父岳母多年来养育自己的妻子的真挚的感谢，二来是为了稍许抚平一下岳父岳母在女儿离家时刻的惜别心情。然后，新郎新娘给对方相互戴上婚礼鲜花，盛装的新娘在伴娘的陪同之下告别父母，由新郎背着，登上前来迎娶的第一辆花车，新郎也坐此车。新娘家中送亲的亲友坐上后面的花车，前往新郎家。如果新郎和新娘两家原来就住在一条街巷、一栋宿舍的话，一般也要在迎上车之后开着车在外面走一圈，以便造成喜庆的气氛。

当新娘乘坐的花车来到婚典仪场。城市是请管弦乐队现场演奏，有的放唱片、音乐。请小乐队，也可放婚礼进行曲、舞曲的磁带或 CD，一般用《婚礼进行曲》，有的用喜庆的民乐，并撒彩花彩带。农村一般是传统的民间吹打乐队，并放鞭炮。不论城市还是农村，这时都把气氛弄得很浓，因为这时是婚典的第一个高潮。有的新郎新娘走下花车后,则手持鲜花立于仪堂门口迎接来宾。

　　农村迎亲,一般是根据路程远近和交通条件不同而定,新娘除了乘坐加有装饰品的汽车外,还有的坐船或骑着牲口去男家。这是因为,按民间的传统,新娘的脚不能在路上行走,不能沾着娘家的泥土到婆家去。在迎亲时,新郎得有陪郎相随,新娘由伴娘和亲人几人陪同。一般来说,男方的迎亲队伍出发时,就要奏乐放鞭炮。男方迎亲队伍到达女家时,女家要奏乐放鞭炮。女方的送亲队伍也用乐队一直演奏着行进。新娘离家上车时,男方要给女方的送亲队伍发放红包。迎亲队伍在行进时,乐队要不停地演奏。我国农村至今流传有较高雅的迎亲礼俗。如素有花乡美誉的福建漳州,当地姑娘出嫁流行"鲜花迎面"的风俗,即新娘准备上轿了,姐妹们送来由 12 种鲜花扎成的大花束。新娘手持花束,使人有"人面桃花"之感。这 12 种鲜花示意 12 个月,祝愿新人家庭一年到头月月和睦美满。

各种婚典程序及范例

　　结婚仪式应是健康、高雅的,烘托出婚礼快乐、热闹的气氛,给人增添无限喜悦之情。实质是在一种庄严、神圣、幸福、愉快的气氛中,向亲朋好友宣布婚姻关系的确立。

　　典礼程序,是指结婚典礼的仪式过程。当代婚典有多种形式,形式不同的婚典会有些不同程序。另外城市与乡村的婚典程序也稍有差别,城市里的婚典程序既有中国传统的内容,也有西方的东西,是中西合璧式的。而乡村则基本上是中国传统的形式和内容。这里我们介绍几种主要的婚典程序。

※传统式婚典程序

　　婚典开始,奏乐;新郎新娘、主事人和来宾入席就位;向新郎新娘献花;证婚人宣读结婚证书;主婚人致词;介绍人致词;来宾代表致词;新郎新娘向主婚人、证婚人、介绍人及来宾三鞠躬;新郎新娘互行鞠躬礼;新郎新娘交换礼物;奏乐、礼成开宴。有的酒宴上菜与仪式同时进行。也有的不讲究严格的婚典仪式，仅由尊者或长者（相当于主婚人的身份）在宴席开始之时宣布×××与×××正式结婚，并致一简短的祝词。酒宴典礼结束后，用鞭炮喜车将新婚夫妇送回家中洞房。如在家中举行酒宴，则将新娘直接送入洞房。

※**大众婚典仪式程序**

现在大众的婚典仪式主要以司仪的台词为婚典的进行程式，现举例列示如下：

（1）开场白

婚礼司仪的开场白，往往是向人们说清自己在婚礼中充当的角色、自己的工作单位和姓名即可，时间为半分钟，不宜过长。

［例］ 女士们，先生们，各位来宾，各位亲朋，我受×××先生，×××小姐的委托，担任他们今天结婚典礼的婚礼司仪。在此，我衷心地希望能够得到诸位的支持与合作，我来自于××××单位，我的名字叫×××，希望大家能够记住我，谢谢！

（2）介绍来宾与亲朋

在婚礼中，不宜向人们介绍来宾的职务（集体婚礼除外）和亲朋间的关系，一是避免人们的等级观念；二是婚礼仪式避免拖长；三是避免录像杂乱无章。最好的方式可采取整体的介绍，请看下面一段：

［例］ 今天参加婚礼的，有各级领导，有新郎、新娘的挚友

同窗,有友爱的亲朋,也有邻里老乡,有娘家人的代表,也有各行各业的朋友。在此,我代表双方东道主,向各界朋友们的大驾光临,表示热烈的欢迎和衷心的感谢。

(3)"天使"献花

当新郎新娘亲吻献花的"天使"后,司仪可为他们祝贺。

[例] 一束鲜花分外香,诗情化意里面装,愿你们今后的生活,就像这鲜花一样,永远鲜艳奔放。让我们给予掌声,为新人表示祝福。

(4)三拜

三拜可以说是我们中华民族在婚礼仪式中多少年来延续下来的,为使新人不忘父母的养育之恩。下面这段台词很好,可供大家借鉴。

[例] 新郎和新娘,新婚莫忘爹和娘,爹娘把你们从小拉扯大,辛苦不寻常。小时候怀中抱哇,夜晚搂身旁,如今,你们俩长成了才,可是父母的两鬓已熬成了霜。我希望你们俩有好房要先请爹娘住,有好饭菜要先请爹娘尝,父母晚年得安乐,儿女脸上也有光,这养育之恩不能忘,为了感谢父母的养育之恩一鞠躬。

(5)交杯酒

交杯酒,也是中国传统婚礼中延续下来的习俗,由于喝交杯酒时双方含情脉脉,很能表现相互依恋的情感。因此得以流传。在新人喜喝交杯酒时,请借鉴下面的台词:

[例] 美丽的彩蝶恋牡丹,天上的星星把月亮陪伴,你们俩为什么情投意合,只因那爱情的情丝紧密相连。恩爱的夫妻,甜蜜的伴侣,今后你们俩将要学习生活在一起,妻敬夫来,夫敬妻,请喝上一杯交杯酒表表心意。请新人喜喝交杯酒。

(6)结束语

结束语,是整个婚礼仪式中的尾声,也是会场最高潮的时候。司仪在这段台词中,既有总结性,又有祝福与赞美,请看下面二段台词:

〔例1〕　我觉得，不！我们所有的人都觉得，×××先生能得到×××小姐这样的妻子，可以说是×（男姓）家的骄傲。×××小姐能够找到×××先生这样的丈夫，可以说是×（女姓）家慧眼识英才。他们俩真可谓是郎才女貌，不！应该说是才貌双全。我不是诗人，无法用世上最美好的语言来赞美他们。但是我要说，他们的结合是天赐良缘，珠联璧合。我不是牧师，无法向上帝去祈祷，但我要祝福他们琴瑟永调，白头偕老。在此，我提议，大家全体起立，为了新郎新娘的幸福，干杯！

〔例2〕　人生的旅途，并非都是鲜花与美酒，有多少坎坷与磨难。作为伴侣，就要携手并肩，一同去搏击那风雨春秋。君不见长江水秀且长流，只要人长久，千载情悠悠。朋友们，让我们共同举杯，为新郎新娘新婚幸福，干杯！

各位嘉宾，各位朋友：

今天是×月×日，是×××先生和×××小姐喜结良缘的大喜日子，室外阳光明媚，大自然在向这对新人倾泻温馨和光明，亲朋好友共同祝愿新人一生平和、幸福美满。火红的年代，热闹的婚礼，它预示着这对新人今后的生活红红火火，×××先生、×××小姐，请你们永远记住这难忘的时刻，希望你们心心相印到永远。

新婚，是人生重要的一个阶段，是人生中一个新的里程碑，它将给人生永远留下一个美好的记忆。新婚，标志着新生活的开始，也意味着一对新人从此将肩负起社会和家庭新的责任。为此，我作为主婚人在这里希望新人在今后的共同生活中，要互敬互爱，相敬如宾，夫妻永远恩恩爱爱，让爱情之树永远常青。夫妻并肩携手，共创美好的未来。希望×××先生、×××小姐，在今后的共同学习和工作中，互相帮助，互相支持，共创事业的辉煌。也希望这对新人，继承和发扬中华民族的优良美德，肩负起为人母、为人父的家庭责任，孝敬双方父母，尊老爱幼，合家欢聚，共享天伦之乐。最后，再一次的祝福这对新人，生活美满幸福，祝愿在座的各位嘉宾，各位朋友，事业有成，前程辉煌。

谢谢!

※集体婚礼仪式程序

集体式婚礼一般由主持人司仪,程序一般为:来宾就绪后,鸣炮奏乐;宣布婚礼开始;一对对新郎新娘在欢快的乐曲和热烈的掌声中并肩入场,登上婚礼台;介绍新婚夫妇、证婚人和来宾姓名;主婚人、证婚人分别致祝词;新婚夫妇向父母鞠躬;新婚夫妇向来宾鞠躬;来宾向新婚夫妇献花、赠送纪念品;新婚夫妇互赠纪念品;亲属、领导与来宾代表致贺词;新郎新娘代表致答词;新郎新娘向来宾敬送喜糖;新郎新娘表演文艺节目;礼毕,鸣炮。为了把集体婚礼举办得浪漫,让新人永生难忘,有的婚礼主办者很注意选好司仪,准备好节目,突出联欢的特色。有时还穿插一些有意义的活动,如栽种新婚纪念树,烈士墓前表衷肠等。有的主办者还组织旅游。

※茶话座谈式婚典仪程

主婚人宣布×××与×××结婚、结婚典礼开始,鸣放鞭炮(或放喜庆音乐);单位领导讲话;来宾致贺词;新郎新娘致答词;茶点招待,座谈庆贺;婚礼结束,鸣放鞭炮(或放喜庆音乐)。

※教堂婚礼仪式程

参加婚典的来宾先于花车到达教堂或庆典中心签到;花车到达教堂后,由伴娘引路,新娘新郎携手步入爱的圣殿(奏婚礼进行曲);新娘的父亲将女儿交给新郎;庄严的结婚仪式开始:

(1)许下爱的诺言。主婚人问新郎:你愿不愿意娶××小姐做你的妻子? 新郎答:愿意。再问新娘:你愿不愿意××先生做你的丈夫? 新娘答:愿意。主婚人又分别问新郎新娘:今后无论发生什么变故,能不能做到永不变心? 新郎新娘分别回答:能做到。

(2)交换信物(一般为金戒指);

(3)甜蜜的吻(一对新人接吻拥抱);

(4)新娘新郎在新婚履历表上签名留念;

(5)欢乐时光(向新人撒彩纸、喷彩带);

（6）摄影拍照；

（7）婚宴（一对新人合饮交杯酒，同切新婚蛋糕）。

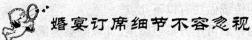 **婚宴订席细节不容忽视**

大排宴席宴请宾客时涉及的金额往往数万以上，所以订酒席时不要掉以轻心，尤其是各项收费及服务范围更应白纸黑字详细列明，切勿口头承诺。

以下是预订酒席及写菜单时要注意的地方：

※菜单上的菜式，应详细列明，不要接受一些模棱两可的字眼，如"清蒸海上鲜"或"龙凤展翅"，等等，要订明内容。海参或鱼翅、乳猪是全身还是部分，均要一一列明。

※预订地方时，必须在订单上列明摆酒的厅房名称，以免日后位置太挤或席位分散也无法投诉。在订席前，应订一间新人休息房，并保证新娘房不会太远、太窄，且不易被人偷窥。因为新人需更衣补妆，春光乍泄便不妙了。清楚列明每一项收费价目，如茶水、开瓶费、啤酒、汽水、席前点心及服务费等。

※交订金前应问明如因遇天气不佳或意外事情取消婚宴时，订金将如何处理，还有是否要赔偿损失，当然不能忘了索取订金收据。要清楚席数可增减的数额和余下酒席的处理方法。预算桌数应考虑客人的出席率，以免到时由于宾客不足或超出，出现一些尴尬的情况。

※设宴订位时，对主人的坐席要有一定的安排，其他客人通常没有特别限制，多数以先到先得。如选择结婚旺期来结婚，则要预先订位，尤其是一些热门地点更应提早预订。

现在很多婚宴主人都会预先为宾客安排位置，避免到时由于忙乱得罪亲友。所以系统一点的做法是预先编排座位，分配台号，使宾客各入其位，皆大欢喜。

 婚礼宴席座位排次礼仪

婚宴也称"吃喜酒"，是婚礼期间为答谢宾客举办的隆重筵席。在整个婚嫁活动中，婚礼是高潮，而婚宴则是高潮的顶峰。

宴席座位和桌位的排法，也是交际礼仪中的一项重要内容，我国民间宴请的传统做法有以下几点。

❈民间宴请一般可用方桌或圆桌（此以圆桌为例）。

❈两桌以上的宴会，桌子间的距离要适当，各个座位之间的距离相等。

❈宴席有"上座"、"下座"之分。"上座"即首座，一般靠近正对大门的室壁，通常由尊长、长者或主宾就座，但有主人入首席的（此种情况多为所请者皆平辈，以便把盏）；"下座"即末座，通常由第二主人或主人的亲属晚辈就座，在宴席上负责接菜递盘把盏敬酒，习惯上以首座对面的座位为末座。

❈桌面座次的排列，一般以首座为中心，依次分坐两边，常见的圆桌座次排列，又有主宾双方夫妇同时出席的和主宾双方的夫人或丈夫未出席（或不出席）的两种形式。

❈多桌位宴席的桌次排法，应视客厅具体形状而定，一般有横排与直排两种（此两种排法尤以长方形客厅为利用率高），若客厅呈正方形，则以花排更为美观。

❈多桌位的座次排列，一般应以首席为中心，依次交错，分坐桌席。

❈多桌位的席位次序，一般以左桌（东桌）为上（主席），右桌（西）为下；或以中桌为上（主席），余依次从左至右为序。也有相反的排列次序。

民间婚宴礼仪繁琐而讲究，从入席安座到上菜，从菜品组成到进餐礼节，乃至席桌的布置，菜品的摆放等等，各地都有一整套规矩。

 ## 新郎新娘的婚宴礼仪

新郎新娘为了使婚宴能顺利圆满地完成，获得客人的好印象，在婚宴上一定要有周全适当的礼节。

无论是在家里还是在饭店举行婚宴，当客人开始入席时，新郎新娘要双双立于门外,对客人的到来表示感谢(对路程较远、工作繁忙或身体不适仍前来者以及长辈客人,不妨多说几句),一直到最后一位客人入席。

新郎新娘不要大吃大喝。新郎新娘在婚礼宴席上应多照应客人,让亲朋好友吃好喝好,高兴醉倒,那就过于失礼了。但是,要是一点酒都不喝,一点菜都不吃,显得过于拘束、紧张,这种做法也不礼貌。对于客人的敬酒,即使酒量再有限,也要略加表示,至少要举起酒杯向客人致以谢意,并说明不能多喝的理由。

婚宴进行到一定程序(一般多在要结束时),新郎新娘要按主次,依次到各席向每位客人敬酒。敬酒时要亲手为客人将酒杯倒满并双手为客人端起,但不要一律强求客人一饮而尽。等客人放下酒杯后,新郎新娘要说声"谢谢",并再为客人将酒杯添满,方可再向下一位客人敬酒。

婚宴结束,客人离去时,新郎新娘要双双立于门口,一一同客人握手再见,并说些"谢谢光临"、"请慢走"之类的话。

 ## 婚宴新人答谢词

❈新郎答词

[例] 我由×××与×××两位先生的介绍,和×××由认识、了解而行婚礼,又蒙×××先生证婚,亲友光临,谨此表示衷心的感谢。今后,我们一定遵照证婚人的鼓励,努力报国爱家,相互尊重,只是酒菜菲薄,招待不周,希望多多原谅,并祝大家身体健康。

※女宾代新娘答词

[例]　今天承×××先生亲临证婚，两位介绍人盛意致词，各位亲友光临参加，新娘要我代致答词，并深表感谢。今后新娘夫妇一定不辜负大家的期望，各自努力尽责。再一次谢谢男女贵宾们。

婚礼上的伉俪礼仪

新郎新娘是婚礼的主人，是婚期的重要对象。因此必须具备得当的礼仪，一般说来，主要应注意以下几点：

※仪表着装

新婚喜庆，新郎新娘要格外注意仪表，可适当化妆，做好发型，保持容光焕发。新郎一般穿西装系领带，新娘一般穿婚纱，并适当佩戴项链、耳环等金银饰物，但不可过多，以免俗气。

※迎宾待客

新郎新娘应手持鲜花双双立于大门口迎接客人，不可来回走动。客人到来时应热情地表示欢迎和感谢，适时地介绍给家中的长辈或其他客人，然后依辈分按次序让座。敬烟敬茶时要用双手送上，并为吸烟的长辈或平辈客人敬双数烟并点火。

※谈话说笑

与长辈交谈要诚恳谦恭，不可高谈阔论，信口开河；与平辈讲话要热情礼貌，注意谦逊；对晚辈要热情友好。不可无休止地纵声大笑，或沉默寡言，不苟言笑。

※坐立行走

不可歪歪斜斜地坐在沙发上，更不可高跷二郎腿，站立讲话时，要腰板挺直，不要全身抖动或前后左右经常挪动；行走时不要慢慢吞吞，状似散步，但也不要跑来跑去，或快步疾走，要注意走姿和节奏。

※相互配合

新郎新娘在婚礼上要双出双入，最好不要分开单独行动，并且在相互配合方面，应注意礼节，例如：应相互向对方介绍各自的长辈或平辈亲戚、朋友;相伴而行时,双方不要离得太远,但也不要过于亲昵;如有宾客取闹,应相互为对方解围;入坐时,应让新娘先坐;送客时,应一起同客人告别等等。

传统婚礼祝酒顺序是怎样的

以下是传统的祝酒致辞方法和顺序:

❋向新郎祝酒

由伴郎或亲戚朋友提出。

❋向新郎、新娘祝酒

最近这已演变成向新娘
祝酒。

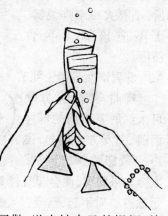

❋新郎的回敬

这包括对新娘的祝福,对首
先敬酒人的感谢,对双方父母的
感激,以及向伴娘们祝酒。

❋伴郎的回敬

伴郎代表伴娘们向新郎表示
感谢。(通常新娘会紧接着新郎的回敬,送出她自己的祝福,然后才是伴郎感谢伴娘们。)

❋其他

主婚人或密友送祝福。

❋新娘父亲敬酒

代表新娘父母,感谢全体嘉宾光临,宣布喜宴开始。

舞会上的伉俪礼仪

舞会是一种增进交往和友谊的社交活动和娱乐形式,也有的新婚夫妇在婚礼后准备了小型舞会。为了使舞会开得健康、热烈,参加舞会的每个人都应该懂得舞会的礼仪。

❋新郎新娘出席舞会必须注意仪容整洁

衣着颜色要协调,服饰要美观大方,表现出青年人的朝气和青春的美丽。参加舞会时,不要穿带钉子的鞋,以免损伤地板,踩伤别人。

❀当进舞会会场,要彬彬有礼

见到熟人要握手问候,或招手致意,对不相识的人也要点头致意。舞会是文明交往的场所,不要大声喧哗说笑,更不应该口出污言秽语。

❀男请女是绅士礼节

舞曲奏起,男方便可来到所要邀请的舞伴面前,向女方半鞠躬,说声:"请您跳舞,好吗?"女方如果同意,便会起身伴舞;若已经有了舞伴,则要向男方表示歉意:"对不起,已经有人邀我了。"女方应尽可能不要谢绝人家的邀请,倘若遭到拒绝,男方也不应勉强,不要指责女方,更不应与别人争夺舞伴。

❀跳舞时应该注意礼节

男方不要戴帽子,叼香烟,也不要总盯着女方的脸。不要把女方的手握得太紧,更不要把女方身体搂得太近,以免引起女方的反感,产生不愉快的后果。

当每场音乐结束时,男方应该主动把女方送到她原来的座位处,点头致意后方可离开。

喜宴上新人应怎样得体应酬

喜宴通常在婚礼后举行,现代的宴客则渐渐改在饭店。喜宴多半没有一定的程序,除敬酒、谢客、送客外,新人多半不离开座位;但是,一方面要注意礼服,一方面要注意来来往往的人。

因此多半都吃不到什么东西。所以,在婚宴前多吃一点是很重要的。

※了解来宾背景

在喜宴前对来宾有个大概的了解是非常重要的,因为来的既有男方的朋友,也有女方的朋友,可能有一些是他们对方此前没有接触过的,所以事先对着请柬名册和相薄互相了解一番可大大避免在婚宴中产生尴尬的场面。

※分析来宾的性格

宾客中有的性格外向,有的性格内向,不尽而一,对于他们应分别对待:外向的朋友尽可能与内向朋友相配而坐,最好是相识过的坐在同一桌,在婚宴中不要忘记内向的朋友,适时地与他们打个招呼,但不要过于着意于他们,例如强行敬酒等。

※巧妙应付酒水仗

在婚宴中新郎、新娘免不了要受到亲朋好友的敬酒,但一定要半推半就,开始的时候一定不能表现出杯杯都干的豪爽,否则无论是旧友还是新交都会与你来个"见底儿",酩酊大醉不但会影响整个婚宴的进行,更坏了洞房的"好事"!所以在婚宴前就要做好准备,挑两个会喝且能说会道的伴郎伴娘作为挡箭牌,这可是条很好的妙招!

※携手应付娱乐节目

在婚宴的后段,一定少不了些小游戏作为插曲戏弄新人,这可是最难应付过去的一段时间。这时新人应该尽量表现出大方磊落的样子,尽力迎合,否则你更为扭捏,众人越会起哄,会完全陷入设好的陷阱里。这段时节就是一个节目一个节目快点完成,越快越好,只要新人齐心协力,共渡人生第一个"患难",便完成婚宴的历史使命了。

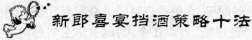
新郎喜宴挡酒策略十法

喜宴挡酒,解酒妙招是每个新郎必须要掌握的婚前课程之一,如果想拥有浓情旖旎的浪漫初夜,请准新郎熟读以下法则才能保持最佳状态：

※寻找一个善于周旋的挡酒师(伴郎)；

※安排正副"挡酒手"、挡酒群；

※绝对避免空腹饮酒；

※不要相信咖啡、茶能解酒,他们的功效最多只能醒酒；

※不要依赖解酒药物,最好运用自然食物解酒；

※不要将汽水或苏打水掺入酒中以冲淡酒精浓度,这样做反而会使问题适得其反；

※解酒一法：喝酒前多吃含油脂的食物,如肥肉、蹄膀、牛奶、风梨、番石榴等；解酒二法：饮用高汤,尤以萝卜丝烙鱼汤最能发挥解酒效应。两法齐施,效果更佳；

※喝酒时,多吃乳酪、蛋、肉类等蛋白质食物,有助酒精的挥发；

※已喝酒过量,不妨多运用热汤或大量饮用开水,以冲淡酒精的浓度之效,另外,多吃一些水果、喝蜂蜜也为解酒的好办法；

※总而言之,适量喝酒不过量是婚宴当天的精神法则,至于不可不喝之酒,则有赖于新郎、新娘用心打点才不影响新婚之夜的重大任务。

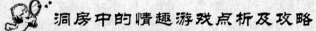

洞房中的情趣游戏点析及攻略

中国有闹洞房的风俗。在过去,由于很多新人们婚前都不太熟悉甚至不相识,新婚之夜要他们生活在同一空间,心理上可能会感不自在。闹洞房,无疑可以通过公众游戏让新人消除隔阂,捅破羞怯的"窗户纸"。而在今天,闹洞房主要是向新人们表示祝福之意。

取筷子、吃香蕉、点火柴、夹弹子、对诗比赛、夫妻识字、说昵称、亲亲甜心、接吻、撒喜床如此之多的游戏,也许会令新人们有无从应付之感。不要紧,兵来将挡,水来土掩。他们有新花招,我们自然也有好对策。

❋取筷子

将一双筷子置于酒瓶中,只露出很短一截,让新郎、新娘全力用嘴唇把筷子取出,实际就是请两人表演亲吻。

❋吃香蕉

用弹性绳捆住香蕉吊于新郎跃起能够到的高度,新郎用嘴拉下香蕉。新郎、新娘用嘴剥皮,然后共同把它吃完。为了不让绳子缩回,一个做动作,另一个必须咬住香蕉,这就要看两人的配合了。

❋点火柴

将火柴插于红枣上,在盛水的盆里漂浮。一根红线中间扎一支点燃的香烟,两头分别由新人咬住,两人你进我退,合力用烟点燃盆中的火柴。要屏住呼吸,用扎实的"牙功"与眼光才能获得成功。

❋夹弹子

准备一盘玻璃弹子,让新郎、新娘各执一支筷子,两人一齐将弹子夹出。不妨请在场的几对情侣和新人进行比赛,落后者表演节目。

❋对诗比赛

若新郎、新娘是喜爱文学的,那么请他们来一次对诗擂台赛。先由新郎吟诗一句,然后新娘接吟,要求接吟的句中至少有一个字与上一句相同,如此反复,接不下来者判负,负者表演节目。

❋夫妻识字

这个"识字"是让新郎看一个"字"(或一个短语),然后请新郎做各种动作(不准说话,不准用手描笔画)给新娘看,要使新娘能"识"这个字。选"字"的时候,挑那些与新婚气氛相吻合的内容,例如:"爱"、"恋"、"夫妻",等等。

※说昵称

新郎、新娘分别想十个昵称去称呼对方,什么心肝啊,宝贝啊,狗狗啊,肉肉啊,越肉麻越好。如果来宾不满意,则可要求再说。

※亲亲甜心

新郎仰面躺在床上,然后把切得薄薄的香蕉片贴在他的脸上和脖子上,让蒙着眼睛的新娘用嘴去找那些香蕉片。

※接吻

直接要求新郎、新娘接一个长吻,3 分钟或是 5 分钟都可以。

※撒喜床

撒喜床是在闹洞房时,由新郎的嫂嫂表演的一种边歌边舞的游戏,嫂嫂手托盘子,盘内铺红纸,红纸上放栗子、枣、花生、桂圆等物。新娘坐在床上,嫂嫂抓干果往床上撒,边撒边唱。闹洞房的众人听了嫂嫂的歌唱,也随声附和,洞房中欢声笑语彻夜不断,嬉笑打闹声一浪高过一浪。

撒喜床的游戏是一种群体民间游戏,所有闹房的人都是演员,而嫂嫂是主角,其他人都是配角。因为主角要担负起活跃洞房气氛的任务,责任重大。所以,这个主角是要经过娶亲人家精心挑选的。其重视程度,与选择婚礼司仪一样慎重。

在娶亲之前,新郎的全家人在同宗同族、街坊邻居的嫂嫂辈中逐个挑选。有些地方选一个,有些地方选两个。选出的这个撒喜床的主角,首先要儿女双全的"吉祥人";还要能唱曲,会编词;再者,要口齿伶俐,头脑灵活,善于察言观色,随机应变。另外,因为,撒床时间长,歌词篇幅也长,况且有时还要根据具体情况临场发挥,故而撒床人记忆力要强,能正确运用歌词把自己所看到的事物和场景描绘出来,受这些条件的约束,筛选出的嫂嫂自然是技高一筹了。作为嫂辈们,能受到娶亲人家的器重,也感到非常自豪。她们会尽自己的能力,帮助新郎家调节好洞房的气氛。

亲朋来访时应做怎样的准备

如果新婚小夫妇邀请朋友到自己家中做客,应该先做好准备。对客人和他的妻子的姓名和家庭情况,应有所了解并记清楚。或可记在本子上,以免忘记。因为见面时如忘记了或叫错了名字是很失礼的。倘若客人突然来访,要放下手边的事情去接待客人。

接待客人时,不要老是看手表,这会使客人认为你不耐烦。若确有急事,可直接告诉客人。如果客人来的时候自己正在看电视,可邀请客人和自己一起看,或者关掉电视机。不要边接待客人边看电视。倘若遇上不愉快的事,要善于克制,不要当着客人的面,流露出不愉快的神情,更不能迁怒于客人。

可以用糖果、茶、咖啡招待客人。煮咖啡和泡茶时,不必先询问客人喝不喝,这样客人就会谢绝,是不礼貌的。

如请客人吃饭,应事先做好准备。请朋友到自己家里来吃饭,倘若没有很特别的理由,不需要太过丰盛。不要为了爱面子准备很多。

新婚家庭应准备一套用来招待客人的餐具,以国产的较为精致的瓷质餐具为好。好的餐具常常能提升请客的档次,从而使人产生愉悦感。

走访亲友时的注意事项

男女双方结婚以后,社交圈子比原来扩大了。应该特别注意走亲访友时的礼仪。

❋拜访时间

走亲访友,互相拜访,以不妨碍对方为原则。要避免在吃饭的时间去,不然会让人讨厌。如果对方有午睡的习惯,也不要在午饭后去拜访;晚上太晚了,到别人家去也是不适宜的;如果晚上 10 点以后,可能会被认为神经不太正常。上午八九点、下午四五点钟或晚上七八点钟,是比较合适的时间。

※逗留时间

走亲访友之前,应该和朋友先约定一下时间。贸然到别人家去打扰,是不礼貌的。

倘若不是太熟悉的朋友,拜访的时间不要拖得太久,20 分钟到 1 个小时就足够了。但若对方的兴致很高,再多谈半个小时也无所谓。切勿拖得太久,宁愿在对方兴致最浓的时候分手,也不要拖到彼此都没有了兴致的时候不欢而散。在兴致甚浓的时候分别大家心里都留有愉快的印象,也就保持了下次约会的可能性。

※了解对方的情况

到对方的住处去拜访,对对方家庭的情况应有一定的了解。家里有没有老人? 老人和自己的父母以及自己的丈夫(妻子)家是一种什么样的血缘关系? 若是朋友,对对方兴趣、爱好、态度、生活习惯等,都要尊重,尽可能去适应对方,欣赏对方所喜爱的事物。若对方所处的环境使自己很不习惯,可以适当的早一些离开,但不应在拜访时流露出来。尤其是自己丈夫(妻子)的亲戚家,更不能流露不悦之色,而应该尽量地适应亲戚家的生活习惯,因为和他们打交道的机会以后会越来越多,不要因此影响自己和丈夫(妻子)家族的整体关系,避免因此而对夫妻关系产生不良影响。若处处表现得很尊重对方,对别人的兴趣、爱好、风格、生活习惯等都有欣赏的能力,也都有接受的雅量,那倒是一种容易和别人相处的条件,自己会获得很好的人缘,会受到整个家族的欢迎。

※馈赠礼物

到亲友家登门拜访要不要带些礼物? 若是去看望丈夫(妻子)家族中的长辈,而且是第一次登门,还是要带些东西为好。看老人带些糕点或营养品都可以;倘若亲戚家有小孩,可以给小孩带点糖果或玩具。如果是旅游结婚归来,带点旅游地的土特产,是很受欢迎的。亲戚朋友之间的友情并非只靠送礼就能维系的,但中国是个礼仪之邦,特别讲究礼尚往来,适当的馈赠,能沟通和增进相互的友情。

❈举止仪容

走亲访友,仪容举止应该讲究,不能太随意。即使是来往频繁,非常熟悉的亲戚或朋友家,也不能粗心大意。尤其是新郎、新娘,初次和对方家的亲朋好友打交道,更要注意自己的形象,一些坏习惯和不良习气,会使自己在亲友中留下不好形象,使自己以后很难和丈夫(妻子)家的亲朋好友相处。

周全的礼貌、整齐的仪表、文雅的举止、亲切的表情和谦虚诚恳的态度等都要注意。这些并非虚伪的做作,也不是做表面文章,而应该把它当作锻炼提高自己修养的好机会。应该注意,不仅在初次见面的时候,要给人一个良好的印象,即便在以后的交往中,也要对自己的言行举止加以注意,使别人对自己的印象更好,越来越好,而不是先好后差,更不能越来越差。

❈叩门礼仪

到别人家做客,应该事先约定时间,不然是很冒昧的。若不能去或可能迟到,必须设法提前通知主人。

到达主人家时,门关着或者虚掩着,要轻轻敲门;如没有关门,要允问一声:“可以进来吗?”待主人同意后,才可以进。进门后,应该将帽子、大衣或随身带来的雨具,放在一边或挂在衣架上。

❈等候礼仪

主人暂时不在,坐下等候时,应该注意姿势。坐在沙发上,不能东倒西歪,也不要把头枕在沙发背上。不能东张西望,更不能随便参观主人没有邀请去的房间。

普通的拜访,不要在主人家呆得太久。当主人稍露倦色或谈话高潮已过时,要主动告辞。到门口时,不要和送行的主人说太多的话,以免主人陪自己站得过久。

❈就餐礼仪

若是到朋友家吃饭,则不宜空手前往,但也不需带太贵重的礼物,带上一瓶酒或一束花都可以。吃饭时,要等女主人邀请方可入坐。坐的位置要听女主人的安排。对主人准备的饭菜,不要表示不爱吃,但对酒类可以谢绝。不要先于女主人坐下和动手吃东西。不要用嘴吹气来冷却食物。不要在吃第一道菜前把酒喝光,酒应小口品尝。不要翻找自己爱吃的菜,夹菜或取调料时,注意不要把手臂伸到旁人面前,可以请别人代劳。

无论菜是否可口,都应该吃干净,以表示对主人做的菜非常满意。喝汤时,要用汤匙一口口喝,不要发出声响。

吃饭时,不应吸烟。实在要吸烟,须征求女主人及同桌客人同意。向人敬烟时,要将整包烟拿出来依次敬给人家,不要只从口袋里掏出一支,挨次问人家抽不抽。不要在桌上弹烟灰,烟灰应弹在烟灰缸里。丢烟头时要掐灭,不要让烟头在烟缸中继续冒烟。

饭后,应称赞女主人的烹调手艺,并表示感谢。

吃水果时,先对半切开,再切成四块放在碟子中。若和别人合吃一个梨或苹果,应将它们切成两半,将带把或带核的一半给别人先吃;如果别人给自己送上切成两半的水果,应先拿无把或无核的一半。

附录　浪漫之旅

 ## 蜜月旅行应做好哪些准备

※切记带上结婚证书和本人的身份证,这样,路途住宿好安排房间。

※提前了解所去地方的气候情况,根据情况带上需要穿用的衣物,以防气候冷而生病;或气候过暖,行李过多,成了负担。

※提前了解所去地方的名胜古迹、地理状况,以便确定游览时间和旅行路线。

※根据情况需要,带足钱款,防备路遇意外,缺钱无奈。

※假如要到亲朋好友家食宿,最好提前打电话或写信,打个招呼,以妨家里无人或发生其他意想不到的事情。

※如你喜欢文学、写作、绘画、摄影、请你准备好笔、本子、相机、胶卷等物,以便积累素材,丰富知识,留下美好的记忆。

※如果愿意,你也不妨与旅游公司联系,请他们帮你安排旅程与食宿。

怎样选择蜜月旅游地

新婚夫妇在选择旅游地点时,应根据双方的兴趣爱好共同确定。选择旅游欢度蜜月,不但可以增长知识、扩大眼界,而且陶冶情操,增加对祖国热爱的感情。提供以下旅游景点以供参考:万里长城、桂林山水、杭州西湖、北京故宫、苏州园林、安徽黄山、长江三峡、台湾日月潭、承德避暑山庄、秦陵兵马俑。

但作为新婚旅游,地点不仅应适宜游览,还要考虑新婚夫妻的感情交流,这就要注意选择那些环境优雅、游人较少的幽静场所,供两人安静地独享蜜月的宝贵时光。蜜月旅游还要考虑经济实力,要量力而行,不可单凭兴趣,或盲目地和别人攀比,或借钱外出旅游,这样会影响婚后生活和夫妻感情。当然,其他因素诸如时间的长短,身体状况等都应在考虑之列。总之,适宜的旅游地,可以使新婚生活充满情趣。

确定旅游地点,应考虑以下几个问题:

❋共同爱好

有的人喜欢高山、有的人爱大海,有的人向往名都,有的人迷恋古迹。因此,选择旅游地点时,首先应考虑兴趣爱好所在。兴致在于观山,可游五岳,那里层峦叠嶂,苍松劲柏,流云飞瀑,气象万千,具有迷人的风姿;兴致在于观海,大连、青岛、北戴河、厦门将是理想的旅游地点,惊天的巨浪,秀丽的海滨,使人流连忘返;兴致在于古迹,六大古都则应成为选择的对象。夫妻蜜月旅行,应考虑双方的共同兴趣爱好,确定一个双方都喜欢的地点。

❋经济条件

这是选择旅游地点的重要条件。我国十大旅游胜地——万里长城、桂林山水、杭州西湖、北京故宫、苏州园林、安徽黄山、长江三峡、台湾日月潭、承德避暑山庄、秦陵兵马俑。谁不喜欢、谁不向往,可是,没有一定的经济条件是实现不了的。所以,选择旅游地点要量力而行,从自己的经济条件出发,选择一个即满足共同爱好,经济能力又能承担的地方。

❋休假时间

蜜月旅游,总是利用婚假时间进行。因此,旅游地点的选择应以自己在婚假时间内能往返为准。切不要因旅游超假,影响工作和学习及其他问题的处理。

确定旅游日程应遵循的原则

选择称心如意的旅游地点后，就要确定旅游日程。而要确定旅游日程，就要考虑旅游地点的季节性。一般说来，夏日旅游，河北的避暑山庄、山东的青岛、江西的庐山、浙江的莫干山等是比较理想的避暑胜地。冬季旅游自然以广州、昆明等地为佳。南京的栖霞山、苏州的天平山都有红叶供观赏，秋天便是理想季节。桂林山水、西湖风光、雁荡奇景，春日前往则令人心旷神怡。当然，新婚旅游，最好是选择不冷不热的春天或秋季。但这时是旅游高峰时期，食宿均困难，要提前做好联系车船、住宿等准备工作。

在安排自己旅游日程时，要根据假期的天数、安排出路程所用的时间，这里包括乘坐火车、轮船、飞机的时间、转车、候车、候船的时间。还要考虑到一时买不到票，走不了而耽搁的时间。再计算在旅游地点准备游玩的时间。包括拜访亲友的时间。返回来一般身体比较疲乏，不能马上就上班，还需要休息几天。总之，在安排旅游日程时，要留有余地，不能安排得太紧，使人过于疲劳。

蜜月旅行的物质准备

新婚旅游前做好充分的准备。首先需查阅资料，使新婚夫妇对旅游的各方面情况有所了解。可以查阅旅游点及沿途的风土人情、名胜古迹、传说掌故、历史变迁、自然环境以及交通、住宿、娱乐等条件，以便有目的、有选择地游览。可以去图书馆借阅资料，也可以适当地买一些，同时对了解情况的人进行口头咨询，掌握第一手资料，会使新婚旅游进行得更加顺利。如果对所去的旅游地的情况一无所知或知之甚少，匆匆上路，就达不到蜜月旅游的目的了。

❉合法证件

其次要准备好行装，最好轻装上阵，只带必备的即可。要带上二人的身份证、工作证或介绍信、结婚证书,以方便新婚夫妇住宿用。带好足够的钱款并收好,以备路途中和游览中的开销。带上够换洗的衣服,当然新婚夫妇需要带几身漂亮的衣服,女同志还要带上几样化妆品,漂亮的装扮能增添旅游中的愉快心情。另外要注意季节的特点和天气的变化。还可携带一条单子和枕巾,避免不洁,减少传染病的机会。出外旅游,鞋子很重要,最好选择旅游鞋或运动鞋。此外,洗漱用品、游泳衣裤、雨具、照相机等可以随身携带,也可以根据实际需要在旅途中适当购置。

行装准备好后,应分门别类集中,不要过于零碎和分散,否则大包小裹,上车下船都极为不便,影响旅游情绪。

❀必备药品

再有是带点必备药品,出发前要了解所到地区的气候条件和卫生情况;再根据新婚夫妇自身健康情况,平时用药习惯,携带一些必要的药品,这对保证旅途身体健康是很有用处的。因为出门旅游,由于生活习惯和环境气候的改变,再加上车船的颠簸,很容易发生晕车、感冒、腹泻等病症。假如登高爬山还有可能发生外伤。所带药品应方便有效。常见的旅游药品有:速效感冒胶囊可治感冒;黄连素用于腹泻;乘晕宁防止晕车、晕船;利眠片用于镇静失眠;扑尔敏抗过敏症;伤湿止痛膏、创可贴用于外伤;还可备些人丹、清凉油、风油精等。

❀衣物行装

出门旅游,总要事先准备好途中必需的衣物用品、旅游行装。要知道,旅游行装准备得是否恰当,直接关系着旅游能否顺利进行,行装安排得不当,不是带得过多,成了累赘,就是缺这少那,弄得很不方便,影响情绪,结果会是乘兴而来,扫兴而归。我国明代著名旅行家徐霞客与友人游雁荡山,为了探寻大龙湫和雁湖,误入险地,由于缺少准备,最后借助于裹脚布"竭力卷挽",才化险为夷,脱离险境。北宋王安石游华山石洞时,待进入奇境,火把烧完,不得不中途退出,以致成为憾事。可见,旅游的行装准备不可忽视。

安排旅游行装,应以轻便和够用为标准。短时间旅游,只需带洗漱用品,少量衣服、食品、身份证、结婚证必要的介绍信和钱款等。较长时间的旅游,就要根据个人的生活习惯,季节和旅游地的气候条件等因素来决定。比如,虽是夏天,黄山山顶的气温就比黄山低,要专游黄山,就要带绒线衫或棉被心之类衣服。一般说来,夏季出旅,只需带些换洗衣服就够了。为了应付旅店中有时被褥、枕头不干净的情况,最好再带一、两条被单和枕巾,避免和不清洁的被褥、枕头直接接触,减少疾病的传染。要野餐时,还可将被单铺在草地上借以防止虫蚁等小动物对食品的侵蚀玷污。喜欢游泳的,要把游泳衣带上,因为风景区往往有湖、河、潭、江、海,可在那里尽情的畅游。毛巾、牙刷、牙膏、肥皂、杯子、水壶、手电筒、爬山鞋、药品、剃须刀、卫生纸等等,都是不可少之物。

※食品粮食

游程不论长短,都要带些饼干、面包等干粮。因为不时在风景区多不方便,或车在途中耽搁,以免挨饿,影响身体健康和游览兴致,到多雨的地区旅游,要带上雨衣,即可遮雨,又可御寒。带上小刀、汤匙等物品,占不了多少地方,都会给您旅途中带来不少方便。

摄影爱好者,旅游正是摄影的大好时机,祖国美丽的山川将是你最理想的拍摄对象,因此不要忘记带上相机。此外带上书刊杂志,可以调剂途中生活。

 ## 蜜月旅行的必备实用物品

新婚旅行,已成为一种时尚。旅行时,最好能带上以下物品:

※手纸
用于房事后擦去手上或局部的分泌物。

※脱脂棉
备处女膜破裂出血时用。

※ **塑料布**

房事之前,将布铺在床上,以免血和分泌物污染床单。

※ **软膏类**

若房事受伤,可作局部消毒、杀菌。

※ **神经安定剂**

新婚夫妇可能因兴奋而久久不能入眠。服这类药,可使其尽快冷静,有利于次日旅游。

※ **避孕药物**

新婚旅行期间应坚持避孕。若此时怀孕,可能对胎儿身心健康不利。

 ## 蜜月旅游的最佳胜地

※ **六大古都**

北京、南京、西安、洛阳、开封、杭州。

※ **自然风景名城**

桂林、昆明、苏州、无锡、青岛、秦皇岛、哈尔滨、厦门、贵阳。

※ **历史文化名城**

上海、广州、长沙、武汉、济南、承德、曲阜、洛阳、长春、成都。

※ **壮美名山**

五岳:泰山、衡山、恒山、嵩山、华山。

佛山:五台山、峨眉山、九华山、普陀山。

名山:黄山、庐山。

※ **浩浩大川**

长江三峡:瞿塘峡、巫峡、西陵峡。

 ## 蜜月旅游的最佳路线

※ **北京——哈尔滨沿线**

沿线可游览天津、北戴河、山海关、沈阳、长春、哈尔滨。

❀**北京－－乌鲁木齐沿线**

沿线可游览恒山、五台山、兰州、敦煌、吐鲁番、乌鲁木齐。

❀**北京——广州沿线**

沿线可游览郑州、武汉、长沙、衡山、广州。

❀**北京——上海沿线**

沿线可游览济南、泰山、曲阜、南京、镇江、常州、无锡、苏州、上海。

❀**上海——成都沿线**

沿线可游览开封、洛阳、西安、成都、峨眉山、乐山。

❀**上海——昆明沿线**

沿线可游览杭州、绍兴、桂林、贵阳、昆明、大理、西双版纳。

❀**上海——重庆（长江航线）沿线**

沿线可游览采石矶、九华山、庐山、重庆。

❀**沿海旅游点**

大连、青岛、温州、雁荡山、普陀山、福州、厦门、海南岛、香港、台湾。

蜜月旅途中的注意事项

❀旅游出发前，先买好飞机票或车票、船票，买到票后，要确认票面的到站地名、路线、票价、日期和车次，如有差错，应及时到买票地点去更正。中途如丢失车票，应主动补票。旅途中，要充分利用车票的有效期，例如北京到上海，行车时间十几个小时，而车票有效期却有 5 天，沿途可到南京、无锡、苏州等地做短途旅游。下车后，车票只验不收，然后可凭原票继续乘其他列车到上海。这样凭一张车票，可游览几个城市，既省事又省钱。

❀旅游日期一旦确定，就要通知双方父母或亲友，并定下准确的返回时间。途中每到一地，都要通过书信、电话等向父母或亲友通报，以免家中惦念。

❀在新婚旅游中，可随时购买一些土特产或小纪念品，根据父母、兄妹的爱好和需要，选择些他们喜欢的礼物。有些十分要好的朋友或同事,最好也买点纪念品送给他们。这不仅是一种礼节,也是一种表达感情,加强人际关系的方式。

※新婚旅途中夫妻应互相照顾,互相关心。比如男同志身体比较强些,应主动多拿一些较重的行李,跑前跑后要主动照顾妻子,让妻子见识一下自己的办事能力。而女同志心比较细,途中应关照丈夫的饮食起居,如主动帮助丈夫洗好换下的衣服。总之,旅途中新婚夫妇是一个整体,要充分利用这次旅游的机会,促进感情的进一步发展。

※对意外事故的处置。新婚旅游,本是一件十分愉快的事情,但有时也会发生一些想不到的意外的事故。比如中暑、急性肠胃炎、食物中毒,甚至于一些外伤。处理这类事故,首先要冷静、沉着,不能手足无措。然后根据自己掌握的一点简单的处置常识,赶紧采取处置措施。如果情况较为严重,就要立即送往附近的医院,抓紧治疗。一旦情况好转,夫妻中的一方要耐心护理,促其早日病愈。

总之,新婚旅游要玩好、休息好,安安全全,高高兴兴返回家园。

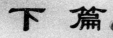

下　篇

婚　姻　馨　曲
婚　姻　妙　曲
婚　姻　佳　曲
婚　姻　瘩　曲
婚　姻　家　曲
新婚姻法点析

婚姻馨曲

和谐性生活的必备条件是什么

和谐的性生活是指男女双方在性生活过程中协调和谐,均能出现性高潮,共同获得性快感,得到性满足。和谐的建立,是由男女双方的感情状态、积累性经验、默契合作共同完成的。每对夫妻均有可能形成自己的和谐方式。只有和谐的性生活,夫妻才能感情融洽,家庭才能和睦。不和谐的性生活会引起夫妻双方性功能障碍,造成感情破裂,甚至导致离婚悲剧的发生。

※牢固的爱情和感情

爱情和感情是男女间吸引的动力,是性和谐的先决条件,缺乏爱情和感情的性生活不可能和谐。爱情和感情必须和道德结合,建立有道德原则的两性关系,才能对性生活和谐起促进作用。虽然夫妻双方的年龄、职业、体质、气质、文化水平、性格、思想意识和行为特点有所不同,且在性意识和性反应上有所差异,但能建立在真挚、忠诚、尊重、体谅和平等基础上的夫妻关系,就有可能弥补彼此间的差异和不足。

每一次的性生活,不论是由哪一方提出要求,均是完全正常的,但进行性生活是必须男女双方均是自愿的。过性生活,男女双方并无主从之分,不能认为"妻子必须满足丈夫",也不能认为"丈夫必须满足妻子",更不能抱"应付"态度。和谐的性生活来自于牢固的爱情和感情,这是十分重要的。

※健康的身体和良好的精神状态

人类的性生活是由神经、内分泌调控并通过男女生殖器官完成的复杂过程,同时还伴随心率增快、血压升高、呼吸急促、肌肉不时运动,大量消耗热能,必须需要健康的身体和良好的精神状态才能胜任。如果在身体健康状态欠佳或精神萎靡不振时进行性生活,性功能极易出现障碍,难以获得和谐的性生活和性满足。

❋掌握规律、体贴配合

男女的性功能有明显差异,若达到男女性和谐,必须解决"男强女弱,男快女慢"的不平衡。女性的性冲动处于潜伏状态,男性理应调动女性性欲,做好性交前的爱抚准备,男女双方要采用温柔的语言、甜蜜的亲吻,亲密的拥抱,轻柔抚摸女性阴蒂、乳房、乳头等性敏感区,充分利用视觉、听觉、触觉,激发女性性欲启动,使女性动情,待女性有性交要求后再进行,从而使男女同时或相继达到性高潮。男性射精后处于消退期应该继续拥抱女性一段时间,充分爱抚,相互交谈,使女性获得心理满足。

❋排除心理因素干扰

人类的性生活不同于动物,最重要的区别是受中枢神经系统调控,能够排除心理因素干扰,必须做到男女双方在心理上处于平等地位。心理平衡,互相信赖,真诚相爱,是性生活和谐的首要心理因素。

性生活应该在适宜的环境进行,如卧室安静,少有干扰,白天有窗帘使室内光线柔和,晚间应用度数小的灯光。床铺舒适,床上用品干净,尽量选用自己喜爱的款式和颜色,用适宜的环境为性交前的爱抚创造条件,是性生活和谐的重要条件之一。

❋适当的时间和适度的次数

何时进行性交最恰当,性交次数多少最有利于健康,目前没有统一说法。

通常认为性生活应该选择在晚间入睡之前进行,以便能有充分恢复体力的时间。但也有人认为,入睡前正是全日工作后身体最疲乏之时。若选择清晨起床前进行性生活,确实不适宜,因性生活之后必然感到疲劳,可能会影响白天的工作效率和学习效果。

性生活的次数应该适当掌握,应以性生活次日男女双方均不感到疲倦为原则。甚至觉得身心舒适、精神愉快,则表明性生活的次数是适度的。

性爱中视觉的美感要求

视觉是接受印象的通路。眼睛在性爱中占有非常重要的地位。眼睛可以传神,可以准确而且动人地表示出爱慕。美丽的外表、迷人的风度,都能形成对异性的吸引力。作为男人选择女子的条件、女人选择男子的条件的"美"是不尽相同的,通常最得女子喜欢的男子,并不是最漂亮的男子,有时可能正和漂亮相反,女子爱男子的体力和智慧,这就是他们的美。

如果爱侣相伴外出的时候,所看到的每一种东西,无论怎样无意义,例如一朵花,一个在月光中飞着的小虫,或是晚上天空中的一颗星,都会引起对另一方的种种思想,引起一些美好的回忆,增加了这一朵花、一只小虫、一颗星星和美学意义,同时这种增加又起到了促进双方互相热爱的作用。

作为与性爱有关的美,还有"性别美",就是人们常说的"男性美"和"女性美"。男女的性别差异,不只由生理的因素而形成。社会对于一个男人或女人提出一些带有普遍性的要求,这些要求并非要由法律所规定。"性别美"并不相等于视觉美,但"性别美"必定包含有视觉美。一个吸引女观众的男演员,大多是英俊、潇洒,或肩宽腰阔、肌肉发达、精力旺盛的。一个受欢迎的女演员,则是有特点的漂亮、优雅的风度,或独特的性格。

人们常把"性别美"与"性别差异"混淆起来,以为"理想的男人"或"理想的女人"就是"绝对的男人"和"绝对的女人"。男子的真正力量在于男子气概和有些许多女性的温柔;女子的真正美丽在于温顺、优雅之中富于韧性,且带着些坚强。若男性或女性的品质绝对地集中于一个人身上,这种极端使得男人好斗而且凶残,女性依赖而且装腔作势,就常常不是令人生畏就是令人厌恶。

性爱中听觉喜悦的重要性

热恋的男女喜欢欣赏音乐。音乐带来与修养水平相适应的审美满足。有些人在性欲生活旺盛时期,会对音乐特别感兴趣。音乐的神奇力量同爱情的感情境界有着内在的共鸣,音乐以音调、节奏和旋律的完美结合表现人的思想和感情。音乐赋予爱情和追求以巨大的美感,用音响、曲调的变幻陶冶意识。

爱情追求艺术。男女对艺术特别是音乐欣赏通常表现出兴趣而乐此不疲,他们在艺术中看到自己力求认识和理解的种种爱情感受的投影。艺术本身从古至今也一直反映、凝聚着爱情的生命力和美,男女接受艺术最直接、最频繁的便是音乐。

爱,需要时间;爱,也需要诚实;爱,还需要语言来表达。"情说"便是艺术化了的语言。恋人之间的相互赞美及爱慕的表达,都是选择优美动听的言词,运用带有旋律的声调。虽然"此处无声胜有声"的意境是迷人的,但男女间的性爱是不可缺少用语言来表达的。用语言来不断地表达自己对配偶的爱慕,不仅是维持婚后爱情的必要条件,而且对每一次的亲热,每一次的性生活都有影响。

女性更喜欢亲热的言行,在某种意义上讲,甚至比性生活本身更重要。

 乳房在女性整体美中的位置

女性乳房作为性征器官,很受人们注意,几乎成为女性美的象征。健美、丰满的乳房是人人称颂的,但是乳房不健美,不丰满的人却很多,许多人为此而烦恼,想方设法地求助于治疗。

乳房不丰满(小乳房),不健美(过大、松弛)有碍于女性的体形美,但美与漂亮并不等同,如衣服被不同的人穿起来,会出现不同的效果,有的美,有的不美。美是动态的,它是一种韵律,是一个人风度、言谈、举止和外形的结合体。一个人某一点不美是能通过其他方面弥补的。

乳房的美与不美,在很大程度上决定于先天遗传因素,后天的因素也很重要。在乳房发育过程中过分地束胸就会影响乳房的发育;没有在合适的时机、选择合适的尺寸的乳罩,也会造成乳房过早的松弛。许多乳房较小的女性,希望用服用雌激素的办法使乳房发育得大些。这是不会有什么效果的,且服用雌激素的过程中还会出现副作用,不应提倡。现今有些健美运动和健美器械,能使胸肌发达起来,使乳房相对显得丰满一些,值得采用,但要按照指导去做。

男女在性生活中四个阶段的表现

性反应在男女两性非常相似,从性欲开始被唤起到重新平复,一般需经过四个阶段:兴奋期、平台期、高潮期和消退期。在这每个阶段,身体都有固定的生理变化。因此,遵循性反应的规律,循序渐进,才能渐入佳境,获得性爱的最高享受。

※第一阶段——兴奋期

由肉体和精神的刺激唤起性兴奋,男女肌肉紧张,生殖器充血,心率及呼吸频率增加,血压升高,注意力越来越集中于与性生活有关的事。男性主要表现为盆腔充血、阴茎勃起,女性则是阴道渗出大量液体,阴道上部松弛,阴蒂也由于充血开始肿胀,使阴蒂头从包下突出,有的清晰可见,乳头也开始变硬而突起。子宫颈和子宫体向上提升,阴道内 2/3 部分发生扩张,使阴道腔伸长 1/4,以有足够的空间来容纳阴茎。

达到性兴奋的时间,男女差异较大,一般男子能较快地进入平台期,而女性则需要较长的性唤起时间,有时可能长达几小时。这便需要男方的耐心等待和温柔刺激,以帮助妻子较快地进入兴奋期。

❋第二阶段——平台期

兴奋期的生理反应持续和进一步加剧。呼吸加深、加快,生殖器充血更加显著,男性阴茎变得非常坚硬,女性阴道内 2/3 段随子宫提升进一步扩张,阴道外 1/3 段发生显著的充血而缩窄,以"紧握"阴茎,乳房也增大 1/4。

平台期可持续 30 秒到几分钟。男女双方在此期对生殖器区域的接触产生高度的敏感性。如不想很快达到性高潮。或希望双方同时进入高潮期,此时应控制运动的速度和强度,并用语言和动作做性感觉的交流和暗示。

❋第三阶段——高潮期

性高潮是性反应过程中最短暂的一个阶段,大约只持续几秒钟,女性可稍长些。性高潮的来临,在男性,以输尿管和尿道肌肉发生收缩而射精为标志;女性则是阴道和子宫的节律性收缩。性高潮的强度由肌肉的痉挛次数来决定,强烈的达 8 ~ 10 次,轻度的达 3 ~ 5 次:女性性高潮肌肉痉挛的次数较多,时间也较长。平台期的高度,肌肉紧张在性高潮的几秒钟内,会通过这种不随意的肌肉痉挛而得到释放,并感觉到波浪式的快感。

男性在高潮到来前的瞬间会有一种预感,高潮产生时,人会感到身体和精神的紧张突然出现了松弛,随之对周围环境有一时的意识模糊,但清楚地感觉到有大量液体在压力下由阴茎射出。女性性高潮的发生是以身体紧张的突然停止为标志的,接着便是高潮的快感,这种快感由阴蒂开始,向整个阴部放射,同时也有片刻的眩晕,一股温暖的浪潮从阴部流向全身,充满整个身体。性高潮的主观感觉在男女两性没有太大的差异。

如果在平台期后没有达到高潮期,那阴部的敏感性和身体紧张要过很久才能平复。这往往是一种令人不快的事,常会导致失眠或烦躁不安。绝大多数是女性遭遇这种情况。所以,如果夫妻不能同时达到性高潮,最好让妻子先达到,或许她还有能力在丈夫达到性高潮时再次体验性高潮。因为性高潮在男性基本是终止性高潮,而女性可以在一次高潮后很快获得第二次、第三次甚至更多次的高潮。

※第四阶段——消退期

性高潮过后,在平台期和兴奋期发生的一系列变化的身体,在此期恢复到性唤起以前的状态。男性的性兴奋消退一般快于女性,阴茎的勃起消失比阴蒂和阴道充血消失快得多。肌肉紧张两性均可在5分钟内消退。消退期内两性最大的生理反应差异是男子会在性高潮之后有一个"不应期",在"不应期"内阴茎难以再度勃起。"不应期"的时间短则几分钟,长则几天。

由于女性性兴奋的消退要慢于男性,如果她没有达到性高潮,消退的时间可能会更长,所以,丈夫在此时,最不应忽略表达温存和爱意,此时,夫妻继续拥抱一段时间,互相给予亲吻和爱抚,可以获得最大的心理满足。如果性交没有获得完全的成功,此时的情感交流能使双方恢复信心,并对部分失败有所补偿。

 ## 做爱姿势在性爱和谐中的作用

做爱姿势是性爱的一种自然要求与表达,古今中外皆不例外。了解和掌握做爱姿势,不仅仅是性快感的需要,更是情感交流、美感追求和防止某些损伤的需要,所以说它是性爱艺术的一个方面,并不过分。

※性交姿势的作用

(1)增加性刺激和性快感;

(2)由于配偶、时间、地点情况而变换与适宜;

(3)防止发生生理方面的危险和损伤;

(4)控制、促进或防止受孕。

通常人们采用的做爱姿势包括:男俯女仰式、对面全站式、屈腿搭肩式、男仰女骑式、对面坐抱式、对面侧卧式、背身后交式、背后侧卧式、曲身跪交式、背后坐交式等等。每种姿势一般都有其利弊和作用,选择何种姿势取决于男女双方的习惯、爱好和特殊目的。

最平常的男俯女仰的上下姿势是人们自然而习惯于采用

的,它有利于受孕,特别是女子臀部垫一枕头,可防止精液外流。而面对面女上男下的骑跨姿势,使女方能够采取主动,比较能满足女方的需要并容易获得心理满足感;但这种姿势精液易流出,会减少受孕机会。对于患有心脏病、高血压或体态肥胖的男士,"屈尊"于下,彼此都会感到轻松而感觉愉快。如果女方怀孕,应避免直接压迫腹部,可采取背后侧卧式,或跪式和坐式,以减少女方的运动,并切忌剧烈。对面侧卧和背后侧卧式是两种较为省力的姿势,比较适合双方较为疲劳或年纪较大的夫妇。对面坐抱的姿势对妻子体态娇小玲珑而丈夫高大强壮,无疑可以扬长避短。一般而言,新婚夫妇情绪激动,又缺乏经验和默契,最好暂勿别出心裁,还是以"循规蹈矩"为好。

从性生活的愉快或质量而言,做爱姿势占有一定地位,始终如一的姿势毕竟使性生活趋于平淡,而在姿势的选择和转换中,或许会发现新的潜力,获得更多幸福。在一次做爱中,变换几种姿势是可取的,可以在延长时间、变换方式中领略性爱的美妙;也可以在一次做爱中侧重一二种姿势,在下次再另换一种姿势;或者根据双方的优势与条件,通过尝试和体验找到了一种最适合双方的姿势,那就不妨以这种姿势为主,以其他姿势为辅。因为各种姿势对性爱当中的性快感和心理感受来说,都是各有利弊的,所以适当地变换姿势,可以享受各种姿势当中的优越性,增加性爱的满意度。如双方需要充分交流感情的时候,需要进一步增加爱抚的时候,或者需要推迟射精时间的时候,需要通过加强刺激而使性高潮到来的时候,等等,都可以通过双方的交流而转换适当的姿势。

※正确看待性交姿势的观念

(1)性爱是一门需要知识和努力的艺术,不是一个人本能地、偶然幸运地体验与陶醉的快感。因此,人要去学习,逐渐掌握这灵与肉相结合的艺术,不是敷衍,更不可玷辱。

(2)性爱是夫妇双方的相互作用,要会爱,会被人爱。俩人坦诚的、创造性的、富于想像的变换体位,能够克服单调,增加情趣。对于至亲至爱的配偶来说,寻找自己的满足,也寻找爱人的满足,为此而移动调控,都是各自的特权与义务,这不是爱的庸俗,而是对爱的尊重。

(3)不要迷信性技术,不要以为性生活的满足一定要有各种技术变化。如果双方同床异梦,或心存芥蒂,那么任何技术都是暗淡无光的;如果放荡纵欲,那所谓技术不过是玩弄的手段;如果勉强从就,那所谓技术则只是假作欢颜。一对夫妇如若把姿势之类看得很重,反而会引起心理负担和焦虑。

(4)感情仍然是第一位的,情深意切、如胶似漆;既追求,又奉献,才能发现和产生两个人最愉悦、最和谐的做爱姿势。

生活中怎样做到性与爱的和谐

所谓性生活和谐,是指夫妇双方都能得到满足的性活动过程,和谐的建立是由双方感情状态、积累经验、默契合作完成的。应该说,没有一个谁用都灵的"处方",每对夫妇都可能形成自己的和谐方式。性生活是个"双人驾驭车",只要"学习本领,遵守规则",便会获得成功。

※感情是性和谐的基础

夫妇之间的年龄、身体状况、气质、性格和行为特点不同,工作性质、时间安排不同,都使性意识和反应上有所差别。建立在真挚、忠诚、平等、尊重和体谅基础上的夫妇关系,则完全可以弥平彼此间的差别。比如,当妻子劳累或略感不适的时候,丈夫的要求会遭到冷遇,或者虽然勉强顺就,却很难谈得上和谐。此时,丈夫稍加克制,会使妻子在感情上得到慰藉。在性生活上,男女也同样没有主从之分,不能认为"妻子必须满足丈夫",也不能抱着应付的态度。对待性生活的态度有时也很能反映一个人的短长,一个见事不如意便发作的男子,对性的要求可能显得粗暴;一个任性不驯的女子,对丈夫也许不够体谅配合。因此,为了美满的婚后生活,双方都应该克服自己的不足。还应知道,在现代社会里,社会因素常影响和改变着人的性功能和性和谐。

※掌握规律、彼此体贴配合是性和谐的保证

从男女性功能的差异上可以看出,要想达到男女和谐,主要要解决"男快女慢、男强女弱"的不平衡。当然,这是一般规律,也有与此不同的。女子的性冲动常处一种蛰伏状态,调动其情欲是必要的准备,也是丈夫的义务。轻柔的抚摸(例如抚摸那些性敏感部位),爱的表情和暗示,会很快地引起全身的性反应,使彼此进入高潮。

当男子感觉性高潮即将到来时,并用其他方法刺激促进女方,使"步伐"一致。男女同时达到性欲高潮,固然是最为和谐者,而其中有一方先达到,另一方后达到,只要有高潮和满足,均可认为是和谐的。所谓不和谐通常是男子高潮渐退,女子的性欲尚未充分发展,性快感不明显或没有性快感。偶尔一二次不和谐并不意味着总不和谐,过去和现在不和谐也非永远不和谐。成见和灰心会加重不和谐。

人们常常忽略"解除期"的活动,此点尤其要向男方提醒。男子射精后,带着满足和疲惫竟独自酣然睡去,很少再去理会妻子了。而女子的兴奋解除却是缓慢下降,她还需要抚爱、温存以至情话。这对双方感情的亲昵和性的依恋颇为重要,否则,妻子对丈夫的自私不顾难免会有些怅惘之感。至于那些尚未达到性满足的女子的心境,就更不难理解了。时间久了,就可能引起女子对性的冷淡,这岂不是对自私者的"报复"?适当的射精后活动,会增加和谐,补救不和谐。

满意和谐的性生活,能使家庭生活融洽美好,夫妇情绪饱满地迎接第二天的学习和工作。所以,一方面要学习和创造这一特殊的夫妇间的"爱情艺术";一方面也要正确对待其中的不快和问题。人的爱情是多方面的,把性生活看得高于一切,也是不对的。

性爱的节奏与频率是怎样的

如果把性生活比做一首"二重奏"乐曲,那么,男女双方在旋律和音调上应基本一致,在节奏上也互相配合和协调,才能使乐曲和谐悦耳。

人的生理变化遵循一定的规律。由于女性有每月一次的月经来潮,在此循环周期中,其生理发生很多变化,情绪和心境也会随之而变。这些变化都会影响到性欲和性的活力。因此,女性的性欲也有明显的周期变化。有人研究后认为,女性的性欲活力常常在月经期的前两三天内达到最强,在经期内退到最低限度,在经期之后又逐渐回升。所以月经前后三五天内是女性性欲的最高潮期,中间那段时间为一般状态。这种变化在有的女性十分明显,有的则无明显波动。在女性的性渴望期中,如果丈夫忽视和不予理睬,那就会使妻子产生失望;而在妻子的性欲低潮期,丈夫强行要求,当然会导致妻子的不快。丈夫应当掌握妻子生理变化规律和节奏,应当在这种节奏中寻找自己的最佳时机,从而在和谐的节奏感当中奏出美妙的和谐曲。

和女性相比,男性的性欲节律是不明显的,但许多男性承认他们的性欲也是有周期循环的,只是这种循环的规律性不强。身体的原因、季节和气候的原因、人际交往中发生的种种情况,也会导致他们在性欲上的高低和强弱变化。细心的妻子应体察丈夫的这些变化,通过自己的配合和努力,使对方的节拍和自己的协调一致。

性爱的频率也是性生活乐曲中需协调的旋律。性交次数间隔多长为宜,以双方心理乐于接受和身体有能力接受,即第二天不感觉疲劳为标准。一般而言,性爱的次数随年龄增加而递减。调查表明:男性在 21～25 岁期间,每周性交 3 次;在 31～35 岁每周 2 次;在 41～45 岁,降到每周 1 次。女性略有不同,其性欲以 35～40 岁为最强,这是由于性生活经验的积累和性技术的提高,另外还有一些思想顾虑的解除,如避孕得法或已行绝育手术等。实际上,性爱频率的个体差异很大,双方的情感程度和身体健康是影响性交次数的主要因素。新婚期的性交次数一般都比较频繁,可能每天一次甚至一天数次,蜜月过后会渐渐趋于平稳,一般每周二三次,可以根据双方性欲的强弱、性的能力和身体状况等加以调整。在性爱的频率问题上,没有一定的模式,重要的是双方的交流和体谅,彼此应尊重对方的意愿,顾及对方的性欲高潮期和低潮期,考虑对方的身体状况,在此基础上,建立令双方愉快和满意的性爱频率,达到完全的同频共振。

男女性欲有多大差别

　　未婚男女对性生活感到非常神秘,提到性就害羞、胆怯,甚至恐惧。有的因不懂得性的科学知识而发生矛盾、误会或猜忌,造成性生活的不和谐,只有在结婚前了解了性的知识,才能在婚后的性生活中获得和谐满意。女性成熟后虽然有一些性的欲念,但大多比较淡薄,不像男子那样强烈。有的女性在结婚前甚至无性欲要求,只是婚后随着性生活时间的延长,性欲才逐渐发展和增强。

　　通常认为男女性欲有以下区别:

　　※男性性欲比较强烈、旺盛,女性性欲相对较弱。

　　※男性冲动出现较快,几分钟即可进入高潮,消退也迅速。而女性性冲动发生比较缓慢,多在10分钟以上,维持时间较长,消退也较慢。

　　※男性性欲易集中于性器官,性交欲望颇高。女性性欲表现复杂且广泛,包括谈笑、抚爱等多方面,只有达到一定性兴奋后,才有性交的要求。

　　男女性欲在强弱、快慢及感觉等方面均有差别,只有掌握好这些生理特点,才能营造和谐的性生活。

性生活的过程和步骤是怎样的

　　性交包括性兴奋、性交、性欲高潮和性的满足等环节,是一个复杂的生理过程,男女双方必须协作方能完成。

　　性行为是一种连续的精神活动及机能运动的过程,人们常将其分3个阶段:

❋**准备阶段**

如果想获得和谐的性生活,必须在性交前作些准备工作。在准备阶段中,可采取多种方式来激起对方的性欲,加速对方性冲动的过程。可以通过听觉、视觉、触觉等刺激以促进女方性的兴奋,尤其是触觉起主要动情作用,充分刺激女方"动情区"(如阴蒂、小阴唇、阴道口、阴道壁、乳房、口唇等,阴蒂最为敏感),使女方的性欲急剧亢进。准备工作时间的长短,一般地说大致10~30分钟,待女方引起性欲的兴奋时,前庭大腺分泌出大量黏液,湿润阴道口,即可开始正式的性交活动。

❋**性交阶段**

性交时勃起的阴茎插入阴道由浅而深,并宜稍加变化。性器官接触以后,应该稍休息一下,以免射精过早。然后使阴茎轻轻抽动,使阴茎阴道壁摩擦,男女双方会获得一定的快感。在性交活动过程中,女方阴蒂受到刺激,可增加女方的激动和舒适。性交的刺激与兴奋积累到某种程度后,性的兴奋就急剧增高,阴茎增大,于是输精管精囊、前列腺和尿道肌肉都会有节律的收缩,随着收缩精液喷射而出,伴随出现一种快感,此时进入性欲高潮。在性欲高潮时,女方阴道分泌物增多,有些妇女阴道会出现节律性收缩,更增加了协调性的快感。

❋**结束阶段**

男性射精以后,性欲已经满足,高潮急剧下降,但女方的性欲高潮时间较长,因此不要立即将阴茎抽出,略停片刻,以满足女方的性要求。

性交高潮以后,性的兴奋迅速下降,男方阴茎软缩下来,女方性器官充血逐渐消退,双方性欲趋于平复,情绪开始平静,双方都感到疲倦。性交完毕后,男方不要立即酣睡,应该与女方继续言谈,直到双方都有睡意,才可入眠。

 性高潮与快感出现的作用

性高潮又称性欲高潮,是男女性活动达到高峰时,一种能持续几秒到十几秒钟的极为舒适愉快的感受。在性生活过程中，由于阴茎和阴道反复摩擦，待到一定时候阴道前庭分泌液明显增多，阴道肌肉发生节律性收缩，有的女子盆腔肌肉也会猛然抽动，连肛门括约肌也都会不自觉地收紧，精神兴奋，快感汹涌。此时，全身的反应为呼吸更加急促，心跳加快，血压明显升高。一般认为，女子在性生活过程中，到达了这样的程度，就是出现了性高潮。

典型的女子性高潮感受，是从一种称为"悬置感"的感觉开始的。全部感觉意识集中在阴蒂，时间只持续 1～2 秒钟，紧接着这种感觉从阴蒂散发出来进入盆腔、有些女子本身在性高潮中，会有一种失控感，表现为呻吟不安或高声尖叫；有的会不断抓咬被褥、枕头或性伴侣的躯体，等等。

国外学者研究后认为，性高潮与其说在生殖器官，还不如说是由于对脑的冲动引起的性反应。经现代仪器测试，性高潮时男女均出现频率为 6～7 赫的 θ 脑电波，男子出现的时间极短，只在射精的一瞬间，而女子现出 θ 波时间则较长。其生理机制目前尽管不十分清楚，但专家们认为，性高潮的外在表现形式是肌肉的强烈收缩和性器官及全身的舒适感，但整个反射的实质，可能在大脑深处，是大脑的一种体验，是一种与生理有关的精神现象。

通常说来，当丈夫听到妻子阵阵快感呻吟声和喘气声，阴茎感到阴道肌肉节律性收缩后又突然收紧，收紧后又突然松弛，说明已开始出现性高潮。出冷汗和眼球停止运动是性高潮的表现。对女方来说，在充分享受性快感时，突然紧抱丈夫，什么也看不到、听不到时，则是典型的性高潮。

对于有了性生活经验的夫妇而言，如果配合默契，能掌握双方同时达到性高潮（男子有意识地适当延缓射精），那么双方都会感到特别愉快和满足，对性生活起到了锦上添花的作用。经常出现性高潮快感的人，常能保持性的欲望。这种基础，仍在于夫妇的感情，爱情越深厚，超越肉欲的成分就越多。只是有一点必须了解,大多数女子并不是每次性生活都能达到高潮,新婚蜜月有51%的新娘无性高潮,通过实践和配合,一年后只有75%的妇女产生了性高潮。有性高潮感受的妇女,一般每3~4次性生活才有一次性高潮出现已是不错的,并非每次都能达到性高潮。夫妻双方同时能达到性高潮那只是一种偶然的经历。只要夫妇的感情是融洽的,婚姻是美满的,能通过性生活获得愉快,就不能说性生活是失败的。即使经常出现性高潮的人,感受差异也比较大,有的强烈,有的比较模糊,似有似无,而有的人只出现愉快感。这些都是正常的。不了解这一点,有可能将此当作必须达到的目标,而产生一种压力感使双方都难以达到满足。

 ## 怎样才能达到性生活高潮

性生活的和谐,并没有固定的标准。对每一对夫妻来讲,只要是双方能完成性生理过程,各自获得一定的愉快感、心情舒畅,加深感情,增进性爱,这种性生活就是和谐而美满的。

婚后,每一对夫妻都希望获得和谐美满的性生活。那么,怎样才能做得到呢?

根据男女性生理功能的特点及医学调查资料,男女性欲发展一般有四种类型:

※男女同时达到性高潮;

※男子先达到性高潮,女子后达到;

※女子先达到性高潮,男子后达到;

※男子已达到性高潮,而女子性欲还没有得到充分发展,性快感不明显或没有性快感,或没有出现性高潮期。前三种类型的性生活,双方都能达到性高潮和得到性快感,是属于和谐,只有第四种类型是属于暂不和谐,需要夫妻双方共同努力,密切配合,逐步达到和谐。

也许有人会问:是不是第一次性生活,男女双方性的愉快舒适感的程度和性欲满足都是一样的呢?可以明确地回答:不是的。凡能完成性生活过程的夫妇,在每一次性生活中,男女双方的性快感程度都不可能完全一样。夫妻双方的性生活，也只能随着夫妻性生活经历的增多而逐渐达到和谐。为使婚后性生活逐步达到和谐，要注意以下问题：

※**夫妻应互相尊重、平等相待、互相体贴、互相照顾**

这是达到性生活和谐的前提。男女双方对性欲的要求和享有性欲满足与性快感的权力是平等的，不能搞什么"男尊女卑"，强调什么"妻子必须服从丈夫"，等等。

每一次性交，不论是男女哪一方先提出要求，都是完全符合性生理要求的。但性交的时候，必须双方愿意。如果男女一方因精神不愉快(如忧伤、焦虑、紧张、恐惧等)、身体不适或正在病中或正在集中精力考虑某种事情，这时要体贴对方，不要去勉强或强迫对方进行性交。

在文明的社会里，夫妻间的性生活，是一种文明活动。它既受道德制约，又负有家庭和社会责任。决不可无礼、粗暴和强行。

现在，还有不少男子的脑子里残存着"夫权思想"，或摆出家长作风。有时不管女方是否愿意，错误地认为妻子是我的，想要性交，妻子就该服从，粗暴地强行性生活，以满足自己的性欲，这是自私的行为。这样的性生活，不可能美满和谐。

同时，也有的妻子迁就丈夫，认为丈夫有要求，心里不乐意，也得应付，这也是不对的。日子久了，女方不仅得不到性欲的满足，反而会发生性冷淡或性欲减退。如遇到男方或女方性欲过分旺盛、强烈，则应考虑短期分居，减少性刺激，或接受必要的医疗指导，以免日子久了，彼此产生厌恶情绪。

※**掌握对方的性欲规律，以行适应、密切配合**

经过一段蜜月生活，男女双方就会逐渐了解对方性欲能力的强弱、性欲发展的快慢及性欲满足的方式等，并能逐渐熟悉对方的性生活习惯与性欲发展规律。同时，夫妻要彼此了解各自是否得到了性欲满足，以设法改善，互相适应。如果婚后暂不协调，就要用所学的性知识去改善。男方一方面要适当控制性欲的发展,使性交时间略长一些;另一方面激发女方使性欲发展快些,性高潮出现早一些。经过一段时间性生活的体验,便能互相配合,特别是促使女方出现性高潮期,这样就会逐渐达到和谐。

※夫妻之间要不断培养和发展婚后的爱情

性生活和谐主要是以夫妻相爱为基础的。有的人认为,结婚就是恋爱的结束,已经为终生夫妻,长久生活在一起,用不着再谈什么爱情。这种看法是错误的。结婚是恋爱的结果,但并不是爱情的结束,美好而持久的爱情,是家庭幸福的重要因素。

性生活不单纯是一种生理活动,也是精神心理活动的过程。它是夫妻双方表达爱情的一种方式,其中包含着夫妻之间美好的感情。夫妻感情不好,性反应就会淡漠、减弱、难以和谐;夫妻相爱,性生理反应就会旺盛、增强,性生活容易和谐。所以,婚后不论在劳动、工作上,还是在家庭的经济管理、业余爱好、社交活动以及性活动方面,夫妻之间都要更体现出互相关心、体贴,互相鼓励、帮助,互相尊重、谦让,互相宽容和谅解,处处想到对方,多为对方着想,爱护和加深夫妻感情,不断增进和发展持久的爱情。这样,将有益于夫妻性生活的和谐,并达到美满的境域。

性交体位多变的好处

为什么介绍性交体位呢?因为性交的体位直接影响性交的质量。不正确的体位可使一方或双方都不满意,以致引起婚变。

掌握多种体位性交有以下好处:

※夫妇双方身材悬殊太大,如男高女矮,女高男矮,一胖一瘦,双方都胖等,都有必要选择一种较切实际的姿势,方能得到满意的性生活。

※采用某种姿势,男方可以很容易地将阴茎送入阴道,这对于女方阴道口较高或较低、阴道的角度同阴茎勃起角度不一致等实际困难来说,是一种很好的解决办法。

※女方采用了某种姿势,就能很快达到性高潮,这对于那些兴奋迟缓的女性来说,是一种切实可行的措施。

　※怀孕期或分娩以后,因女性生理条件的限制,"男上女下"的传统姿势,是不适宜的。

　※对于某些有生理缺陷的人来说,如伤残、截瘫等采用某种适合自己的姿势性交是一种合理的选择。

　※在双方认同下,变换交合体位、姿势,能激起夫妻间更深的情趣。

　当然,如果任何一方单纯追求"体位"、"姿势",以满足自我,而置对方意愿于不顾,都会造成不愉快和感情损伤,结果只能适得其反。

性交姿势 13 势

　下面有选择地介绍几种从生理角度看来都是可行的性交体位、姿势:

　※正常位(男上女下)

　正常位在人类性交中用得最为普遍。这种姿势可以尽可能地保持阴茎抽动的最快节奏,男女可以继续用手彼此抚摸。此外,双方可以变换躯干和双腿的位置。如男性可将两腿与女性两腿交叉,还可以将两腿压在女性两腿之上。

　由于男性全身压在女性身上,所以阴茎可以尽量插得深一些,阴茎基本上全插入阴道内。同时,全身压住女性的胸部腹部,使对方性敏感区紧密接触在一起,此时男性可以前后运动骨盆,使阴茎一前一后地在阴道里抽动;也可以晃动骨盆,做回旋运动,让阴茎在阴道里左右撞击。如果女性喜欢这种刺激,男性可用绷紧的阴茎,在阴道里往上挑动,直接刺激阴蒂,在用力摩擦阴道的同时,可以反复进行上述刺激。随着每一次重复,双方的冲动必定增加,男性应不断加快摩擦速度,直到女性的快感到临为止。一般来说,女性有第二次快感,男性就要控制射精,采用阶段性的刺激方法刺激女性,如果女方对高潮仍存兴趣,男性可反复给予刺激,多者可达十几次;如果女性体质较弱,男性的阴茎不可对其进行几个高潮的刺激,否则女性身体吃不消。

❋屈曲位

这是受孕的最佳体位。女性仰卧在床上,双腿向腰部屈曲,男性用膝和肚或手掌支撑身体,此时,女性的阴道和地板面相垂直,阴道口开大。男性做活塞式运动不同于正常位,不是沿女性体轴水平运动,而是做垂直运动,女性从外侧抱住弯曲的双膝,屈在男性的脊背上搭扣。

屈曲位的优点是阴茎插入阴道很深,因阴道趋于垂直,精液滞留在阴道内不易流出,是希望妊娠的有效体位。

❋腰高位

面向初次体验的女性。女性仰卧在床上,除了需要在臀下垫枕头外,其他同正常位。男性用手掌支撑身体,女性阴道口上移,对阴蒂的刺激减弱。腰高位的特点是,适合破坏处女膜,故该体位是初次体验女性的较好体位。

❋女性上位

这是最得主导权的体位。女性在上位时,男性仰卧在床上,女性俯在男性的身体上进行性交运动,形式很像正常位男性那样,能充分地前后运动,更适于通过紧密相贴的摩擦运动来刺激阴蒂,也有略加变化把膝部向前伸出,前后移动身体,身体呈活塞式运动的体位。这种体位很适合男性疲劳时采用。女性上位的特点是,女性本身也可在性交过程中加入自己所喜爱的性交运动,多用于性感的开发部。

❋骑马位

是一种男性仰卧在床上,女性骑在男性身上进行性交的体位。也可以认为是女性上位的一种变化形式,但该体位可以比女性上位得到更多的享受。若女性上半身直立阴茎插入更深,上半身略前倾阴茎插入变浅。女性骑法有两种:一种是双膝跪坐;另一种是将臀部落在男性的腰间。双膝跪坐时,女性可自由地进行上下运动,如腰部的前后运动、回转运动和压迫运动等。双膝不跪而臀部落在男性腰间时,可以做较大幅度的上下运动,男性也可以用手指爱抚阴蒂。女性上位的优点是男性可以仰视女性的乳房,并可进行爱抚。骑马位是女性上位的变异形式,除具有女性上位的优点外,女性也可将臀部面向男性的颜面。若女性感到不稳定时,男性可轻轻支起单膝或双膝,女性可紧紧地挟住。

❋坐位

男性取正坐,盘腿坐或者两腿前伸,女性骑跨男性腿上,男性将阴茎插入阴道。女的坐法有两种:一种是面对男性的方法,另一种是背靠男性的方法。前者叫前坐位,后者叫后坐位。

前坐位女性分开双腿骑在男性腿上,此时阴道口开大。因此,女性身体上直运动,进出动作不宜过火,免得阴茎滑出,以紧密相贴和压迫为好,不必作激烈的运动,无须介意阴茎的勃起力,即使有早泄倾向的男性也可长时间地结合。

❋侧位

这是一种男女都侧卧进行性交的体位。是妊娠期的有效体位,如果男女面对面结合的话,即为前侧位,此位较容易插入阴茎,女性应屈曲挨着床面的腿,男性的腰部要向前突起,两人的上半身尽可能离开,以便加深插入阴茎的深度。性交运动虽无法过于激烈,但男性可自由地使用上侧的手,刺激女性的乳房和阴蒂。前侧位的变异是后侧位,两人仍侧卧,男性位置在女性的背后,虽然阴茎插入得不深,但由于女性的臀部形成夹持阴茎的状态,仍可给予男性很大的满足。可以说是一种观赏周围环境的性交,非常适于妊娠的文静体位。

※交叉位

女性仰卧于床上,双腿屈曲,两腿分开,男性单腿嵌入女性双腿之间,插入阴茎。上半身虽分开了,但男性的一侧手和女性的双手以至整个身体是可自由活动的,所以可随意爱抚全身各部位。加之男性上侧腿压迫整个女性外生殖器,因此对女性来说,本体位是一种极有价值的体位。

※背后位

这是满足男性征服欲的一种体位。男性对女性的臀部具有强烈的兴趣,背后位可满足男性从女性身后抱住臀部进行性交的欲望。女性双膝跪在床上,上半身前倾,用手掌支撑。若用双肘支撑半身的话,臀部高抬,女性外生殖器则呈现外露状态。

就女性的性感来说,阴茎插入方向和阴道方向一致,阴茎能很深地插入到阴道内,而且睾丸能碰到阴蒂时会大大提高快感。这种体位可在后面看见丰满的臀部和外露的外生殖器,对男性的视觉有强烈的刺激作用。虽然妊娠期可用该体位进行性交,但妊娠后期不宜使用。

此外,若女性收起双腿,男性双腿骑跨在外侧,则有利于增大阴茎的压迫感。背后位时,若女性身体依靠在床边或椅子上,则可以减少疲劳。

※立位

是一种男女都站着性交的体位。该体位阴茎插入浅,而且女性也难以达到性高潮。此种方法,在短时间内男性即可满足,而对女性来说是一种不平稳的体位,也许能得到某种程度的刺激。

立位也有两种类型:一种是女性依靠着树木或墙壁等,把两腿分开,男性从前面插入阴茎的体位;另一种是女性臀部凸出,男性从后面插入阴茎的体位。

❀女性坐式

是女性坐在低矮、宽敞的椅子上（别的合适位置也行），躯干后仰，把两腿尽力分开。男性跪在女性面前，上身前倾，把阴茎插入阴道。还有一种"坐式"，男性坐在椅子上，女性坐在男性的腿上，用双腿缠住男性的腰，双手搂住男性的脖颈，当阴茎插入阴道后，双方随意扭动，便可以达到高潮。

❀女卧男立位

女性仰卧在床上，臀部紧靠床边，双腿向上立起，使身体成90度。男子站立床边，将女性的双腿放在两肩上方。这种性交姿势能有效的缩小男女双方生殖器部位的间隙，增强对阴蒂的摩擦。

❀组合体位

只要两人认为性交和谐美满，何种体位的性生活都是自然的。

总之，如果能给夫妻双方带来满足与快乐，不至于伤害任何一方，并且能够增进双方精神上、肉体上和家庭生活上的幸福，那么，任何姿势都应视为是正常的现象。

性交的体位和姿势是没有严格规定的，它主要是按照夫妻的体型、习惯、生理状态等方面的具体情况决定的。选择体位和姿势，即要符合科学原理，又要尽量使双方都感觉舒适。那些视改变性交体位和姿势为放荡和屈辱的想法都是不正确的想法，只要某种姿势能够满足夫妻双方在精神上、生理上的享受，给双方带来满足，那么，这种姿势就应视为是正确的。

乳房小对女子性欲有影响吗

女子进入青春期，乳房就开始发育，直到发育成熟。乳房发育的大小是受遗传、种族、营养、体育锻炼等多方面因素影响，而性欲的强弱不在于乳房的大小，而是由女性自身的性腺发育、性生理和心理发育所决定的。所以，那些乳房过大或过小的女性，完全没有必要为自己的乳房发愁，它不仅不会影响自己的性欲，

而且在外观审美上,也各有千秋。在性行为中,刺激乳房有什么作用:

❋乳房对男女肌肤之亲起着前奏的作用,而乳头分布有丰富的神经组织,当异性触摸乳头时,就会诱发冲动。

❋乳房的触弄与吸吮是性行为中极其重要的一部分,它可能使女方性交欲望增强,并促使阴道腺体的分泌;若不事先刺激乳房,许多女性不会产生性交的欲望。

❋乳房对男性有很大的吸引力和诱惑力,某些情况下,甚至超过了对阴部的吸引力。一般男性抚弄女方乳房稍久,可使自己极度兴奋,而在阴茎插入后即行射精。

❋有些女性很敏感,仅仅刺激乳房,就足以使其达到性高潮丈夫应根据累次性行为总结出经验,把握好对妻子乳房的刺激程度。

❋第一次性高潮后,男方欲再次性交,抚摸女方乳房是双方再次兴奋的一种途径。

 ## 选择性生活的最佳时间

性生活时间的安排,通常应考虑两个问题:一是不在疲劳的状况下过性生活;二是性生活之后有一个比较充分的休息和恢复体力的时间。从性生活的实践来看,大致有以下三种说法:

❋晚上,一般是指 22 点左右;

❋清晨,也就是 6 点左右为好;

❋先睡上几个小时,一觉醒来再过性生活。

以上三种说法各有各的角度,各有各的道理。也很难说哪一种时间有绝对的优势或劣势,不过,就相当一部分夫妇的习惯来说,以第一种说法为最普遍。

其实,性生活时间的选择,主动权在每一对夫妇手中,什么时间过性生活,应根据双方工作、学习的安排,身体、精力、心情的状况,以及性生活的习惯、偏好来决定。例如性功能较弱的人选择在清晨就有利于弥补自己的弱点;工作费力的人选择在睡前就比较容易保持旺盛的工作精力。

总之,性生活的时间没有一定之规,只要夫妻双方共同认可和喜欢,又不影响彼此第二天的工作学习,不管选择什么时间都是适宜的,不必千篇一律地强求。

新婚期性生活的最佳周期是什么

新婚燕尔,夫妻感情处于如胶似漆状态,又刚刚有性生活的体验,性生活次数难免频繁。按说性生活频率稍高对夫妻健康影响不大,但新婚夫妻因婚前筹备婚事、婚时应酬、婚后蜜月旅行等,奔波操劳,精力消耗较大,需养息调整,所以过于频繁的性生活对身心都不利。新婚性生活过频,无论从生理上还是心理上都有诱发性功能障碍的潜在危机,所以适可而止才是明智之举。

新婚夫妻不要一天有几次性生活,或一夜有两次以上性生活。若每天一次性生活,连续几天后,必须停止1~2天,以调整养意;性生活后或第二天出现精神倦怠、面容憔悴、腰酸腿软、头昏目眩等症状,说明性生活已过度,宜暂停数日;发现有性功能异常,或因性交过频出现厌倦、反感等心理影响时也应停止性生活,做适当休息。

过度的性生活对新娘的影响

常有一些青年女性自结婚后,出现腰酸、腿软、眼花、精神不振、神疲乏力、食欲不佳,甚至白带增多等一些肾亏损症状。有的出现尿频、尿急……究其原因,均为性生活过频。新婚以后,性生活次数多些无可非议,然而如不加以节制,恣意放纵,必然要导致不良后果。

现代医学均强调性生活不宜过度,以免耗精伤气。可是好多女性认为性生活过度专指男性,其实并非如此。性生活过度对男性来说,伤害要大些,而对女性同样也有一定影响,因为,性生活是男女双方的中枢神经系统、植物神经系统、交感、副交感神经系统的全身性的综合反应。

研究发现，女人在性生活时，同样有全身痉挛、心跳加快、呼吸急促、血压升高、全身酥软、大汗淋漓、疲乏至极等全身表现。

以女性来说，性生活过频可导致植物神经功能失调，出现一系列的植物神经功能紊乱的表现，如精神萎靡不振、头晕、头昏、面色苍白、眼眶周围灰暗、心烦、口干、腰酸腿软、白带增多，个别的可出现月经不调。由此可见。女性也需防性生活过度。

 ## 怎样延长性交时间

这里仅指阴茎插入阴道到最后射精的时间。一般有多长时间呢？调查证明，一般都在30分钟以内。

显然，男方坚持的时间越长，女方达到高潮的可能性就越大。如果男方时间太短，就是早泄（1分钟内）。那么怎样延长性交的时间呢？问题的关键其实是降低龟头的敏感度。龟头是男性的第一性敏感区。

最终射精都是因为龟头受到强烈的刺激（一般是压迫）后而发生的。如果能降低龟头的敏感性，射精就会被延迟。这里介绍以下几种方法：

❀分散注意力法

做爱很投入时，意念都会集中在龟头上。男性甚至有自己全部身体进入女性的感觉。这时，如果想着其他东西的内容。就会暂时缓解射精的冲动。

❀机械压迫法

药店里一般都有类似的药膏卖。涂在龟头上，可以降低龟头的敏感性。但这种东西是否会对女性有伤害？很难说。毕竟是一种药物，而且要进入阴道。另外，就是戴上避孕套。一般这样比直接做爱时间要长。但也有人说，戴上避孕套做爱好比穿着雨衣洗澡。

❀增强体质

一般体质较好的人做爱时间要长些。所以根本上说要锻炼身体,并且注意营养。有人说吃三鞭之类的东西很管用,也许有点用。但实际在心理上的作用比在生理上的作用大。综合体质的提高才是根本。

❋加强锻炼

做爱的确是种艺术。而且是两个人的艺术。好比双人滑冰。讲究的是配合。实践证明女性善于引导的话,男性可适当延长性交时间,并且女子可获得足够的性满足。

 ## 性生活心理卫生不容忽视

专家研究认为,95%以上的性机能障碍是由心理因素造成的。因此遵守新婚夫妻性生活心理卫生原则,对保持新婚夫妻和谐的性生活有十分重要的意义。

❋对性生活要有明确的认识

在新婚夫妻性生活中,单方面不满意或双方满意程度下降及偶然出现的不满意是常有的事,不必大惊小怪。只要夫妻间积极纠正,增加双方的主动配合,性生活很快就会得到恢复的。

由此可知,一旦性生活失去和谐,或者一方出现障碍,切不可争吵,抱怨,甚至怀疑,侮辱对方,这样只能增加双方的心理负担,对解决问题毫无意义。

❋对性生活要有正确的认识和充分的理解

不论男女,也不论青年、中年、老年,性要求与性行为都是正常的心理现象,这是人的权利和自然本性,也是家庭夫妻生活中的不可缺少的内容。因此不必回避,也用不着内疚和羞耻。

※破除"男尊女卑"的不平等观念

不管男方还是女方,都有表达性欲的权力,均可采取主动,如果女方在支配性生活中占有主动地位时,对双方获得满意的性生活很有益处。

※认识男女在性反应的生理和心理上有所差异的现实

爱情是婚姻的基础,在爱情的范畴中,友谊也包含在内,它综合了同情、理解、尊重和支持,夫妻幸福相处的这些条件完善,也是性生活和谐的基础条件。

心理因素与性生活的和谐有密切关系,为此双方必须互敬互爱,平等相待,互相体贴,互相配合,只有这样才能保持双方都有性欲望与性冲动,在性生活中都把注意力高度集中在双方,没有其他杂念,不是应付了事,这是性生活和谐的基础。

丈夫怎样体察妻子的动情征状

在爱抚过程中,男方较容易出现性兴奋,而女方的性兴奋却可能姗姗来迟。只有双方都进入性兴奋状态,才是最好的性交时机。那么,怎样才知道妻子是否已动情了呢? 丈夫可从下述几方面来观察:

※外阴部分泌液增多

女性一旦动情,身体有一个明显的变化,就是前庭大腺分泌液增加,阴道分泌液也增多,在外阴部可感觉到这些分泌液的增多。如果没有这种分泌液,则说明妻子尚未动情。当然,一些年长的妇女和腺体分泌功能不正常者除外。

※阴蒂勃起

女性的阴蒂类似于男性的阴茎,当性兴奋时会充血勃起。

※性红潮出现

性兴奋引起的血管扩张充血,使女

性颜面部、颈部、前胸部皮肤发红,甚至全身皮肤充血发红。

※呼吸、心率加快

女性动情时会出现呼吸急促、呻吟不安的现象。据测量,女性在性高潮时,呼吸可达 40 次/分,心率增加到 120 次/分,个别女性心率 150～160 次/分。

※乳房和乳头变化

由于乳房在性兴奋时充血,所以乳房表面发热变红,乳房胀大。并且由于性兴奋时乳房组织内肌纤维的不随意收缩,使乳头勃起变硬。

※肌肉有规律地收缩

主要表现为手足痉挛、颜面扭曲。

当细心的丈夫观察到妻子发生上述变化时,就说明妻子已动情,进入了性兴奋状态。此时,是性交的最佳时机。

房事前留点尿的妙处

一些有性经验的丈夫有这样的经验:当膀胱内残留适量的尿液,使人略有尿意时,会提高性兴奋的刺激性,在过夫妻生活时能持续保持勃起能力。

因此,性功能稍弱、阴茎难以勃起,甚至有阳痿倾向的男子,在过夫妻生活前不要排尿,或排尿后喝些温开水或淡茶,约半小时后略有尿意时,再开始过性生活。

对于有早泄倾向的丈夫,则与之相反,性生活前一定要排尿。因为早泄患者哪怕是仅仅受到膀胱扩张的微弱刺激,也会诱发射精中枢的高度兴奋而引起射精。

对于妻子来说,膀胱内适量的尿液,也稍有提高性神经兴奋的作用。性生活后即排尿,可冲去性交时带进尿道中的致病菌,预防尿路感染。

这里所指的留尿,是指保留少量尿液,以微有尿意为宜,不可有太多尿液。因为对于男子来说,大量尿液积存于膀胱中,压迫其周围神经,提高了性神经的兴奋性,阴茎会勃起,并有性交的欲望。然而,神经中枢因为"尿急"的干扰,很难达到性高潮。此时,若尽力抑制尿意,又加快性交的动作,精液仍可排出,但却影响了射精时的性快感。若此时停止性交,立即去排尿,排尿后膀胱很快收缩,加上性器官脱离接触的时间长,阴茎就自然疲软,若是中年男子,再想勃起就不那么容易了。所以留尿太多也会影响性生活,甚至有可能因性兴奋导致性交时尿失禁。

房事"善后工作"应做好

很多人在房事后,都会产生疲惫的感觉,有的夫妻这时候因为抵不住睡虫的侵袭,往往来不及做好必要的"善后工作",就呼噜呼噜进入了梦乡。

人在过性生活的时候,因为激情荡漾,人身上往往会分泌出许多的汗液,女性的阴道内外,或多或少都会留有男方的精液,而男方的生殖器上,也会沾满女方阴道内的分泌物。如果不及时清洗,听任其留在身上过夜,一来会弄脏被褥,二来会助长病菌的繁衍。

这种不好的习惯,常常是已婚女性尿路感染的一大原因。女性的尿道短且直,而且和阴道的距离挨得非常近。房事前后,如果不注意搞好外阴卫生,男方的外生殖器上如带有病菌,极易乘机侵入女方尿道,使女方患上膀胱炎。如果病菌沿着输尿管进入肾部,还会造成肾盂肾炎。男方房事后不经常洗涤阴部,同样也容易患尿道炎,如包皮过长,还会形成包皮垢,天长日久,便有可能产生病变。

所以说,房事后的"善后工作"是必需的,万万不要偷懒。另外,女性在房事后不但要及时清洗阴部,还应及早排尿一次,以便把留在体内的秽物排出,减少发病的机会。

性爱时宜来点音乐

莎士比亚说:"音乐是性爱的食粮"。一定的音乐刺激会带来性诱惑和兴奋,特别是那些搏动节律类型的音乐和情调绵绵的柔和的音乐。它的意境能赋予夫妻双方以缠绵的情意,沉湎于音响和曲调的神奇气氛之中,从而为双方进一步的性行为做好了充分的身心准备。

这是因为,音乐中的节拍、韵律能刺激神经与肌肉系统的活动,轻快或高亢的音乐会提高人们的性兴奋强度。西方精神分析学家甚至认为,节奏或与韵律本身在每一种表现上都有一种本能的性要素。实验结果发现:听那些描写性行为的音乐,会使大多数男女产生极快的性唤起。这一成果已被运用到西方家庭的夫妻生活之中。

有关研究还发现,音乐对女性的启发调动作用比男性强。有些时候,音乐可以使女性不由自主地产生生理上的性唤起。一般来说,在性的积欲过程中,人的音乐才能越高,音乐所起的作用就越大。中国古代说到婚姻生活的美满,最喜欢用音乐的和谐来比喻,比如《诗经》就有"与子偕老,琴瑟在御,莫不静好","妻子好和,好鼓琴瑟"等句子。后世又称美满婚姻为得唱和之乐或得唱随之乐。据说过去江南迎神赛歌会上用的"抬阁锣鼓"音乐,是唐代武则天发明的,她进行性活动时,用此种音乐伴奏。直到今天,我国一些少数民族的男女青年仍用唱山歌的形式来择偶或进行性活动。

因此,专家们建议夫妻在进行性生活前播放一些轻松欢快的爱情音乐,可使双方处于一种浪漫、甜蜜、兴奋的心境中,为随后的性生活做好准备。

 ## 应暂时中断性生活的情况

※痉挛及疼痛

最常见的是性交时大腿外侧或小腿的肌肉痉挛,也就是俗称的"抽筋"。发生的原因可能与性生活时动作过于剧烈及肌肉过度拉伸有关。身体缺水、疲劳甚至房间的温度过高均可能成为诱发因素。可自己或由伴侣帮助按摩易出现问题的部位,促进局部血液循环,松弛肌肉。

❋对性生活过敏

纽约大学医学院妇产科教授戴伯温纳博士通过对多例性生活过敏作出诊断后指出:过敏的发生多数是由于对双乳胶(制作安全套的基本原材料)和对其他避孕用具和药物不适应,女性常会感到阴道刺痛、烧灼。所以过敏并不是真的对性行为本身过敏。一旦有过敏反应,可用水、湿毛巾或纸巾擦去或灌洗除去残留的液体、霜剂之类,然后洗个温水浴。外阴部可冷敷以减轻肿胀。必要时可以服用一些属于非处方药类的抗组胺药物。如果感到气短、心慌、关节疼痛、肿胀、或是身上任何部位出现红疹、荨麻疹时,必须立即看医生。

❋避孕具的滑落

几乎所有的已婚者都经历过安全套破裂或阴道隔膜滑落的意外。发生这样的事完全不必紧张,正确的做法是:72 小时内口服两次事后避孕药;假如安全套脱落在阴道内,只需轻轻捏住其根部拽出即可,而不要灌洗阴道,那样反而会把精子推向深处。

❋头、颈部疼痛

由于身体部位不适,使颈部肌肉僵硬或是牵拉疼痛,发生这样的扭伤,即刚感到颈部不适时应马上局部冷敷(冰袋最好),以减轻疼痛和水肿;用一条毛巾扭成一股围在脖子周围,并将两端系紧(以不影响呼吸为限),来支撑头部减轻肌肉的负担。服用一些非处方药物类的抗炎症药。

❋阴道隔膜取不出来

一般情况下旋转阴道隔膜就像穿鞋带一样容易。但有时比较剧烈的性动作会将阴道隔膜推向深处,以至于难以取出。对此,卫生科学家推荐的做法是:取蹲位,然后屏住呼吸收缩腹部(像分娩时那样),阴道隔膜就会被向外推至可以够得着的位置,自己将其取出。如果此法不奏效应即刻到医院,否则留在体内超过 24 小时易诱发感染。

※背部疼痛

无论什么原因或姿势造成背部疼痛,都应立即停止性活动。正常的性生活是不应有疼痛的。性生活中背痛多见于背部肌群相对较薄弱的女性,处理方法是立即屈膝侧卧,两膝之间放一个枕头,并局部冷敷。

※尿路感染

这是一个常见的问题。一般说来,每周4~5次或每次性生活的时间太长(所谓马拉松式性交)都算在"过度"之列,过度性生活造成细菌侵入尿道甚至上行膀胱,导致尿路感染。古人称之为"蜜月膀胱炎",看来不无道理。由于女性独特的解剖学特点,此类尿路感染的患者主要是女性。这时,要使用抗生素类药物清除细菌。

※盆腔充血

女性在性兴奋时,大量血液涌入盆腔组织形成充血状态。如果未能达到性高潮,则盆腔充血状态消退得很缓慢。约10%的人会感到下腹坠胀、背部下方酸痛等不适感,有人将其形容为一种"像痛经样的疼痛"。这时,你应该平卧,用一只枕头把臀部垫高,每次半小时,每日3~4次,可帮助血液返流,必要时可服用阿司匹林等抗炎药物。当然,最根本的预防方法是提高性生活质量;达到性高潮时肌肉和性器官强有力的收缩,是可使充血状态迅速消散。

怎样使你的蜜月期永世不忘

不少已婚男人的一个共同焦虑是:为什么对性爱不再像度蜜月时那么富有激情,有时甚至感到索然寡味,像完成某种任务一样。

也有不少女性诉苦说,自己丈夫有点"反常","好景不再"。甚至直截了当地问"他到底是爱上了别人,还是患了阳痿?"

为什么年轻健康的已婚男子对做爱丧失了兴趣呢?一位想报考博士学位的学生在与我们交谈时说,他把性生活也当作一项"作业"去完成。他的研究工作很繁重，又要准备考试，面对竞争，天天都要保持一种激昂的斗志。回家后，又要做一个很"主动的男人"。因此，他感到很累，身心俱疲，渐渐地对性生活失去了兴趣。另一位先生埋怨说，他的太太对性生活过于积极主动，反而浇灭了他原有的征服欲与热情，对此他感到不知所措。大部分男子则是因为对婚后性欲不可避免的减退而感到不安。于是常常躲避性生活，由原先的兴趣渐渐转化为一种负担。

对此，首先要承认问题的存在；再就是明确告诉他们，没病。最后指出问题的关键是心理调节上存在偏差，有某些模糊或错误认识。为摆脱性生活的困境，要做到以下几点：

※性生活的频率没有特定的标准

就是说，性生活的位置要摆正。对某些夫妻而言，每月做爱一次效果较好，双方也满足。而有的人可能一周做 5 次爱才觉得满足。这是个体差异，不可强求一律。只要双方以诚相见，明白说出自己的感受，就会协调一致，不会彼此乱猜忌，否则就会形成恶性循环。

不少男士是以"次数"来衡量自己的性能力。实际上，性生活的质量更为重要。打破这种迷信，就不会产生焦虑了。

※性接触不等于性行为

男子普遍认为两性接触就必须含性交行为，这是错误的。性生活包含许多方面，不一定每次都要伴有性交产生的兴奋。女人最清楚这样一个事实——只要有某种体贴感就足够了。就是说，当妻子主动拥抱你时，不一定非要求你"动真格的"，也许她只想寻找一种温馨的感觉而已。

※有计划地进行

做爱也应有所计划，只有这样夫妻间才能有默契配合。其实，两人订"性生活计划"，也是一种很感性的享受。比如，有位先生就埋怨说："我老婆通常喜欢在做完家务事，等孩子入睡后做爱，而我恰恰在此时提不起精神来。"结果"性"不逢时，彼此不欢而睡。可见订"计划"很重要。

※浪漫温情永远不过时

夫妻两人单独一起时,可以点起蜡烛吃晚饭;或者两人腿盖毛毯,在阳台上看月亮聊天,重温初恋柔情……现在不少夫妻还时兴一种"情人做爱方式",即不时地到宾馆去过夜,以一种休闲的方式享受性生活,心情往往特别轻松,既可淡化压力,又可增进夫妻间的亲密度。爱没有固定的方程式,性生活也一样,请记住,创造本身就很快乐。还有一点,世上没有最好的方式,只有适合你的方式。

男女间的性交流应遵循的原则

现代社会性生活知识已得到了较广泛的普及,有关性生活技巧等方面的文章或书籍随处可见,从性无知解放出来的人们,贪婪地吸取着这方面的营养,使家庭夫妻性生活的质量有了长足的改善和提高,但同时也出现了走极端的现象,某些性交流的实践,因带着过于强烈的目的性而出现了不和谐的现象,就使一些夫妻无所适从走进了性交流的误区,反而影响了性生活质量的进一步提高。所以,有必要提醒新婚夫妻,讲究性交流的方式方法,别闯偏向极端的红灯。

※分清时间场合

有的夫妻认为在性爱的进行中交换意见和感受,反而影响了性爱的正常进行,正在享受快感时,伴侣提出问题可能会使美好的情绪受阻,尤其是男性会受到较大的影响,扫兴而终。还有的丈夫或妻子不看时间场合,吃着饭或做家务时想到就开口要探讨性的问题,使正在做别的事情的伴侣难以接受,顿生反感,好心做坏事。

※内容适可而止

男女之间的关系能维持一定的激情,其因素之一是若有若无的神秘感,加上受教育的程度以及长期以来形成的固有观念,某些问题好提问却不好回答,或者是不好用言语表达,故言语之间也要注意适可而止。

❋避免涉及隐私问题

性生活是自私的,不应追问伴侣是否有过其他性伙伴,或是要伴侣说出性生活的对比程度等难以言明的问题,夫妻应真诚相待。但也会有一定的隐私,尤其是不要追问伴侣的性经历,说出来双方都会不是滋味。

❋不与其他人语

性爱应是夫妻自己的事情,切忌将夫妻生活的细节告诉哪怕是父母或最要好的朋友,否则一旦发生什么事情,夫妻私生活的事情扩大化了,伴侣是绝对不会原谅对方的。还有就是不能为了体验性的感受而寻求婚外性伴侣,一失足会成千古恨。

❋身体语言效果更妙

夫妻长年相处,性生活自有互相适应的良好状态,有时稍加改变就会引起对方的响应或反对,身体语言已经能表示出是否同意改进性技巧等内容,往往会有此处无声胜有声、美妙尽在不言中的意境,只要夫妻感觉良好即可。

❋发掘新意避免俗套

任何事情都是久而烦多而厌的,如果每次性爱中伴侣都问差不多同样的问题,答的人必然索然无味,问的人也未必出自内心,反而会由此生出厌烦之情,也会影响性爱的和谐。从性封闭中走出的人们,很容易在开放的形势下走向另一个极端,所以有必要提醒追求美好性生活的人们,切忌走入性交流的误区。

性爱中爱抚的要点及其注意事项

爱抚是性交的前奏。有了充分的爱抚,才能使男女双方在性交时得到满足。爱抚是男女之间一种很自然的亲昵行为。

通常人们认为性行为只是性器官的结合,只要男方射精以后,性交即宣告结束。其实,性行为是男女双方互相喜悦、彼此获得满足的所作所为。如果男性没有把爱抚作为前奏的性交,对于女性来说是极其无味的,甚至会导致性冷淡。对于男性来说,女性缺乏兴奋的性交,所得到的满足感,比起经过爱抚而兴奋的性交要少得多。

爱抚即丈夫以温柔体贴的态度,以各种亲昵的行动来表示对妻子的爱慕,帮助妻子做好准备,迎接性交的高潮。爱抚可由拥抱、抚摸、接吻等动作来完成。

在爱抚的过程中,手与嘴唇占有相当重要的地位,但性感带的位置也是不容忽视的。女性的性感带除了嘴唇、乳房与性器官之外,还有头发、耳垂、后颈部、大腿内侧、脚心等部位,男性巧妙地运用手或唇来轻抚这些部位,女性会渐渐地兴奋,甚至较敏感的女性阴道会流出透明而黏滑的液体,以便利于男性阴茎进入。

女性的阴部对刺激的敏感度较强,特别是阴蒂,只要用手指轻柔的滑摸,即可使女性性欲亢奋,甚至颤抖不已,这可由拥抱男性的松紧程度而看出。

有些男性喜欢将手指深深插入女性的阴道中,以为这样可使女性舒服些。其实不对,阴道本身对性反应的刺激并不太大,手指插入阴道对爱抚其实没有实质的意义。

女性第二敏感部位是乳房,这比男性的乳房所感受到性反应的刺激要来得大些。但不能因感受的刺激大,即给以过重的动作。正确的方法是先用手轻抚乳房的周围,特别是下腹部与乳房的交接处,而乳头处可用掌心轻轻按摩,或是用手指轻轻捏,如果对女性乳房的刺激做得好,女性一样可以享受快感。

至于嘴唇,不只是唇与唇重合的单纯式接吻,可随次数的增加而加入嘴唇的动作与舌头的运用。

男性的性感带除了阴部外,大致和女性差不多。阴部以阴茎最为敏感,特别是龟头包皮韧带附近,只要指头轻微的接触,即会震颤不已。而阴囊非常脆弱,下手过重,不仅造成疼痛,甚至睾丸不再制造精子而导致不孕。做妻子的要特别小心。

爱抚对于性交,就像赛跑前的热身运动一样必不可少。但是爱抚时切忌用力过大,以造成对方的痛苦,甚至一生的遗憾。所以,只有通过适度的爱抚,待两人的性反应完全受到刺激以后,再行性交,才可享受和谐的性生活。

 ## 不同体型所对应适宜的性交姿势

不同的性交体位,男女双方可根据喜好而选择采用,男女相对体型比例不同,又应采取不同的性交体位。

❋高大型的女性体位

高大型的女性,因身体高,身形长,适宜采用缩短身体的体位,如屈曲位,或者是后背位,用头部贴往床上,将臀部高耸,这样做,尽管身材高大,却不会在性交时有不顺利或不适的情况发生。

❋娇小型的女性体位

娇小的女性动作敏捷,应该适应各种体位,倘若男性相当高大,则不宜采取屈曲位,亦不适合伸张位,适宜采用坐位或骑乘位。

❋肥胖型的女性体位

肥胖型女性不适合坐位和骑乘位,亦不适合采用屈曲位,若采取这些体位将使对方失去快感,一般姿势和后背位是较适合的两种姿势。

❋瘦削型的女性体位

过于瘦削型的女性,适且采用坐位、后背位、侧位或骑乘位。

 ## 特殊情况下的性交方法

❋男性生殖器过长、过短、勃起不全

男性生殖器官过长时,为避免插入阴道太深,刺伤女性子宫颈,适宜采用伸张位,这种体位不易使阴茎深入,立体或侧位也可以,但以立体为佳。

男性生殖器过短时,宜采用紧密性交的体位,如骑乘位、坐位、屈曲位。

勃起不全时,应采用最方便的性交体位,一般体位、屈曲位或骑乘位皆适宜。

❋月经期间

月经期间不宜性交。若勉强性交,应采用前侧位或后侧位,以阴茎插入浅、不费体力为原则。但要注意,经期性交,极易引起生殖器炎症。

❋妊娠期间

妊娠期间不宜性交。如欲行性交,应避免压迫女性腹部,一般姿势最适宜,骑乘位虽不压迫女性腹部,但子宫易遭到强烈的刺激,只能采用上半身分离的侧位,男性从女性弓起的腿根部后侧方插入阴茎。

❋女性分泌物过多时

性交时,若女性分泌物过多,为避免沾污被单可采用屈曲位或伸张位。如此分泌物便不易流出。

❋男性体型过于壮大时

为避免男性的体重压迫女性,性交时宜采用女性上位的坐位或骑乘位。

❋疲倦时

在身体疲倦时,为减轻男性负担,适宜采用侧位、坐位或骑乘位等体位。

❋对性冷淡的女性

对于性欲低下的女性,为增加刺激,宜采用坐位、后侧位或屈曲位,以便在性交时,除可进行爱抚外,更可由视觉增加性欲。

❋倦怠期间的体位

男女双方经过长期一起性交之后,逐渐产生倦怠感,为增加情感,除了变换性交地点,注意性交环境外,改变性交体位也很重要。例如采用易于变换体位的立体,双方便容易重新体会性交的情趣。

 ## 男女性器不同形态的性交方法

❋阴茎小而阴道宽

男女双方会因密切感、紧缩感、摩擦感都非常微弱,会感到不满意,这样的情况只能从性交体位上得以弥救,适宜采用屈曲位或骑乘位,后侧位也可以,但女性要用双脚缠住男性的脚,这样能增加刺激。

※阴茎长而阴道窄

男性阴茎过深插入,女性会感到痛苦,适宜采用骑坐位,由女性控制阴茎插入深浅最好的方法。其次侧位也可以采用,但女性双脚必须并拢。

※阴道上开

女性生殖道上开,在性交时,男性生殖器较易受耻骨丘压迫,很容易得到快感,适宜采用一般体位,或女性仰卧两脚从床铺垂下的体位为佳。若遇男性生殖器过长,须减少阴茎插入深度时,可采用趴式的后背体位。

※阴道下开

女性生殖道下开,性交时如采用一般体位,虽能增加对阴蒂的刺激,却难使阴茎较深插入。若采用屈曲位或骑乘位以及后背位,则可将下开的优点表现出来,配合这些体位,不论任何形态的男性性器官都很容易较深入地插入而性交。

※子宫后屈

女性子宫一般向前倾,但也有向后弯曲的情况,性交时最好采用后背位,特别是以头趴下,突高臀部的后背位最适宜。

※阴茎弯曲

男性的性器官一般稍微向左向右弯曲,这是正常的。但严重弯曲者在性交时会有困难,若采用面对面的坐位,除能顺利地性交外,女性将因阴道壁受到异样的刺激而产生意外的感受。

 ## 男女不同心理状态时的性交姿势

※急于达到高潮

若要急速达到高潮,则必须选择能让男性运动方便,快速的体位,或能紧密性交的体位,屈曲位是最理想的一种。后背位也可以,但要女性身体前后摆动配合。

※延长性交时间

如果想延长性交时间,首先应避免采用男上女下的体位。这样体位时,男性是主动的,性交运动很方便,常常在不知不觉中加快性交动作,很快达到高潮而结束性交;或紧密地性交,在互相高度刺激下亦很快便达到高潮。延长性交时间最合适的体位是采用骑乘位或侧位。骑乘位由女性控制性交运动,而且男性是仰卧,不能动作,因而较不容易达到高潮。侧位则因阴茎插入不深,对双方性器官的刺激均较小,也不易达到高潮。

※女性性偏执

有些女性对性行为暗示性很强,虽然是很普通的动作亦觉得很"下流"或肮脏,对这种女性只能很原始、自然的体位,一般体位似乎是惟一采用的体位。

※强烈的害羞心理

对于这种女性,若是采用后背位,一定会使其异常难堪,更不用说自行控制性交行动的骑乘位。连一般体位也是行不通的,最好的体位是后侧位,让她的正面不被看到,同时也看不到对方。

※有好胜心理的女性

不少女性在性交时,如果处在下面的体位,便有被征服的心理感受而不易达到高潮,适宜采用女性上位的体位,如骑乘位或坐位。

※情志亢奋的女性

有些女性在性交达到高潮时,会有神经质的忘我亢奋现象,在无意的状况下把对方抓伤或高声叫喊。则应以后前位为宜,可以避免被抓伤。此外,背对的骑乘位亦可。

※女性有性不感症反应

这种女性的性感很难高昂,更不容易达到高潮,性交时应充分刺激其性器官及其他性感部位。屈曲位是最适合的性交体位。

什么时间不宜过性生活

合理、适度、和谐的性生活,对增进夫妻之间的情感和维持美满幸福的家庭都是一个重要因素。但是,由于一些人缺乏必要的性生活知识,粗鲁行事,结果给双方(特别是妻子)的身心健康带来很大的危害。所以一般来讲,以下几种情况夫妻不宜过性生活。

※清晨

一般来讲,性生活应在晚间 12 点以前进行。这样性生活后既可宁静入睡休息又符合人体的生物节律,对身体有益而无害。再说,一日之计在于晨,清晨是人们一天的学习、工作的开端,是一日中的黄金时间,如果此时进行性生活,人会因得不到适当的休息而使体力得不到恢复,那这一天人会感到头晕脑涨、四肢无力,提不起精神。

※无欲

合理、和谐的性生活,应在双方有要求的情况下进行。如一方因种种原因而不愿过性生活时,另一方则不可勉为其难,以免造成对方反感心理产生。但是,如一方有要求而对方无特殊情况下,则不宜压抑拒绝。夫妻双方应相互体谅,让性生活为你的身心健康带来裨益。

※心情不佳时

有些夫妻在一方情绪不佳时勉强过性生活,不仅得不到性生活的和谐,还会使情绪不好的一方对此反感,如反复发生,会导致女子的性冷淡或男子的阳痿。美满的性生活必须是男女双方在心情愉快时通力合作,共同完成的。

※环境极差时

在污浊、杂乱不堪的环境里过性生活,会影响男子双方的精神状态,干扰性生活的成功;性器官不卫生对对方的健康构成威胁,将其细菌等病原体带入对方体内,损害爱人的健康。相反,整洁、赏心悦目的环境及每次性交前双方都清洗下身,不仅有益于双方的健康,还有助于性生活和谐、美满。

❈准备不充分

有些人不懂得女子性生理特点,不做好准备工作就急于性交;或因时间仓促,匆匆而就,草率收兵。这些做法均不能使女方达到性高潮,不但不会对性生活产生兴趣,反而会带来痛苦,是女子产生性冷淡的主要原因。

❈饱食或饥饿时

因饱食使胃肠充盈并充血,大脑及全身其他器官相对地血液供应不足,故不宜在刚刚吃饭后就过性生活。而饥肠辘辘,人的体力下降,精神不充沛时,过性生活往往不易达到满意的效果。

房事须节制的情况

性生活应避免过度,新婚或年轻夫妇每周 1~2 次为宜,中年以上妇女可每周 1 次左右。应该在性生活后当时或第二天,或者一段时期内,不出现性生活过度的信号,不然会影响身体健康。

性生活过度主要有如下症状:面容憔悴、形体消瘦,精神倦怠、萎靡不振、头重脚轻、肌肉酸痛;头昏目眩、周身无力、气短心足、虚汗淋漓、胃口下降、失眠多梦。若出现这些症状就会影响身体健康和工作了。

如果想防止性生活过度,不仅要节制房事次数,还应该得做到以下"三不要":

❈疲劳后不要房事

强体力劳动后,身体非常疲劳,应该好好休息,这时不要再行房事,不然体力消耗太大,损伤"元气",贻害不浅。

❈浴后不要房事

洗澡时全身血液循环加快,等于在进行全身运动,皮肤血管扩张。浴后这种情况要持续一段时间,如果有房事,性器官急骤充血,必须紧急动员分布在扩张血管里的血液去补充,身体里血液循环就容易发生平衡失调。洗浴后全身肌肉放松,神经活动也变得平静,进入一种"休息状态"。倘若有房事,等于要让静止状态下的肌肉、神经立即加速工作,则需较大的能量,这要影响健康。

※酒后不要房事

中医说:"醉以入房,以欲竭其精。"就是说在醉酒情况下房事,要影响健康,是早衰和早夭的原因。

房事应该有所节制,这是人生重要的一项"养生之道"。

 ## 结婚当年适宜用什么方法避孕

新婚后第一年,受孕机会最多,若想暂不要孩子,还是采用避孕套避孕较好。可在避孕套外涂上外用避孕药膏,如此避孕最有把握。

另外,哺乳的妇女在孩子满月后,就应采取避孕措施。适宜选用男士用避孕套(加外用避孕药膏)。产后 42 天,恶露已净,生殖器官恢复正常,倘若没有禁忌证,则宜选用宫内节育环;产后 1 年或断奶后,也可选用避孕药避孕。但避孕药不宜久用,一般连用 3~4 年就须停用 2~3 个月。停药期间可能怀孕,必须用避孕套、阴道隔膜等方法避孕。

还有,探亲期间可用探亲药。但对 1 年探亲 1 次,每次假期半个月以上,选择用 53 号避孕药为好。已生孩子的,可以做绝育手术。女方在产后就能立即做输卵管结扎术;男方结扎比女方结扎更为方便,随时都可以做。

男女一方患有慢性肝炎、心脏病或其他慢性疾病的,必须坚决避孕。女方有病,应该由男方避孕或做绝育术;反之,应该由女方避孕或做绝育术。

 ## 意外疾病时采用什么方法避孕

避孕方法已众所周知,但往往会遇到突如其来的意外疾病的发生,应该如何酌情选择避孕方法呢?

❀一方患乙肝

男女一方患有乙型肝炎时,应该避免通过性生活将疾病传染给对方,适宜用避孕套避孕。

❀心肾疾病

如果女方患有心肾疾病、高血压、肝功能异常、糖尿病或内分泌疾病时,不可服用避孕药物,适宜选用避孕套、子宫帽或放置宫内节育器避孕;或因患有某些慢性疾病不宜妊娠时,应该根据男女双方的身体条件,由健康一方做绝育手术较为安全。

❀过敏体质

过敏性体质的女性,应该避免采用避孕药膏或外用药膜避孕,以免引起阴道黏膜的过敏,适宜放置宫内节育器。

❀盆腔炎患者

患盆腔炎的女性,要避免使用避孕药膜和放置宫内节育器,以免引起感染。应该选用口服避孕药,因为服药后,可相应使月经量减少,不利于生殖道细菌的生长繁殖,可防止炎症的发展。患有阴道炎的女性,男方应该使用避孕套,这样也可避免将炎症传染给男方。

❀月经不调

如果女性月经不正常时,可根据月经情况,选用适宜的避孕方法,如月经周期不准者,可选择服用短效口服避孕药,能使月经周期变得有规律;月经过多的女性,服用短效口服避孕药或长效口服避孕药,可使月经量减少;月经过少或闭经者不能服用避孕药,以免加重病情。但无论哪种月经异常者,皆可采用避孕套或子宫帽避孕。

❀患癌

癌症患者必须更要重视避孕问题,特别是在放疗或化疗时期,倘若怀孕,对胎儿有极大的损害,容易发生流产、早产或畸胎。已婚的癌症患者,无论是男方或女方,均应坚持避孕。

❀生殖器炎症

倘若女性生殖器有炎症时,如急性或慢性盆腔炎、滴虫或霉菌性阴道炎、重度宫颈炎,通常不宜放置避孕环。患阴道炎的女性,或丈夫患有泌尿生殖器炎症或结核者,选择使用避孕套为最佳。不但可以防止夫妇间滴虫、霉菌、结核菌或其他细菌的相互交叉传染,而且可防止男子阴茎包皮垢接触污染女性生殖道,从而减少或预防子宫颈癌的发生。口服避孕药可促使宫颈黏液的粘着力加强,形成黏稠的黏液塞,堵住宫颈管口,会成为女性下生殖道的一道机械性或化学性保护屏障。加上服药后月经量减少,不利于生殖细菌的生长繁殖,所以会预防盆腔炎的发生与发展,且可降低患盆腔炎妇女宫外孕的发生,值得选择使用。

❋月经不调

如果有月经过多、频发月经或不规则阴道出血的新娘,不宜放置避孕环或服用长效避孕药,以免增加出血量。如果平时月经特别少的女性,最好不用口服避孕药。长期服药,可使子宫内膜发生一定程度的萎缩,易引起闭经。

❋痛经

痛经的新娘应避免放置避孕环。部分女性痛经与排卵有关。控制排卵可达到治疗的目的。口服避孕药主要作用机理为抑制卵巢排卵,患痛经的女性应用后,不但可达到避孕目的,而且又兼有治疗痛经的效果,可谓是一举两得的避孕方法。

❋过敏反应

个别对乳胶制品有过敏的新婚夫妇,不宜使用避孕套或子宫帽。如使用后局部发痒、发红,一般不需特殊治疗,只需停用即可自愈。

❋心脏病

新娘患心脏病,除轻度者外,妊娠、分娩或人工流产均有较大危险性,因此严格避孕非常重要。避孕效果不可靠的安全期法、体外排精法及尿道压迫法等都不宜采用。避孕药可引起心脏病患者体内水分和钠盐的潴留,从而增加心脏负担,同时可引起血液黏性增加,血液易凝固,形成血栓。这些对心脏病患者极为不利。比较适宜的是,新郎用避孕套或子宫帽配合外用避孕药膏或药片共同使用。

服用某些药物治病时,口服避孕药与某些药物之间相互作用,会减弱避孕药的作用,同时避孕药也会影响某些药物的代谢和药理作用。例如抗结核药利福平、抗癫痫药苯妥因钠、苯巴比妥、扑痫酮等,抗菌药物如氨基苄青霉素、羟氨苄青霉素、四环素、氯霉素、红霉素、新霉素、磺胺药等,如与口服避孕药同用,可造成避孕失败。因此,确因痢疾需要应用上述药物时,不宜服用避孕药,应考虑更换避孕方法或加用其他方法。

其他不宜口服避孕药的疾病,如急、慢性肾炎和肝炎,严重高血压以及肾源性或肺源性高血压、糖尿病、甲状腺功能亢进、血液病患者,胆囊炎、胆石症、胃溃疡、胃炎患者,偏头痛、青光眼、白内障、视神经炎等患病者,均不宜口服避孕药,应在医生指导下选用其他避孕方法。

 怎样运用安全期方法避孕

正常女性排卵是周期性的,排卵期在下次月经前 14 天左右,如果在排卵前后 4~5 天内同房就容易怀孕,若避开这几天,就不会怀孕。不会怀孕的时期叫做安全期。如何测算安全期呢?若月经周期为 28 天,这次月经是 6 月 1 日来,下次月经的第一天该是 6 月 29 日,排卵期大约是 6 月 15 日,在 6 月 10 日到 6 月 19 日这十天中,是容易怀孕的日期,除了这十天外的日期就是安全期。若月经期为 30 天,这次月经期是 1 月 15 日,下次月经的第一天该是 2 月 15 日,排卵期是 2 月 1 日,容易怀孕的日期是 1 月 25 日到 2 月 4 日,其他日期就是安全期。安全期避孕简便,但此法并非绝对安全,若经期不准,非常容易造成失败。

 体外射精避孕法是好还是坏

体外射精避孕法就是指夫妻双方在进行性生活时,当男方快要进入性欲高潮即将射精的一瞬间中断性交,迅速抽出阴茎,将精液排在女方阴道外,以达到避孕的目的。这是一种古老的避孕方法,过去在缺乏避孕药具的情况下,民间有不少人采用此法避孕。

体外射精避孕法虽然简便,但并不可靠,失败率较高。失败原因是,男方在将阴茎抽出阴道前,已有少量精液射入阴道。因为在即将射精和射精是一个连贯的动作,两者之间相隔的时间极短,多数男子不能准确地把握时机,以致在即将达到性高潮时,不能及时将阴茎从阴道内抽出,使最初射出的精液排入女性的阴道内,而这部分精液中的精子数量最多,所以容易导致怀孕。这是造成体外射精避孕失败的主要原因。其次,男子往往在射精动作发生前已有少量精子进入阴道。这是积存在输精管内的精子,在性兴奋过程中,随着输精管的收缩,将其择先排入尿道,然后随尿道分泌物而溢入阴道。这种在射精之前出现的精子外溢现象是无法控制的,结果也可导致避孕失败。

体外射精又称抽出法或性交中断法。体外射精法所根据的是男性的生理现象。男子的高潮分为两个阶段:第一个阶段,精液集中在阴茎要部,称为"射精不可避免"阶段,几秒钟后达到第二阶段——"射精阶段",精液经过尿道射出。使用体外射精法的时候,男子在射精不可避免阶段把阴茎从阴道里抽出来,在女子的体外射精。

体外射精能引起一个相当严重的性问题:早泄。使用体外射精法避孕的男女,最普通的程序是在前奏中刺激男子到很兴奋的阶段,插入后用力抽送几次,突然拨出射精,这样能使男人满足,同时保证女子不会受孕。但是男女双方由于很容易落入性心理的陷阱,一开头就忽视了男子应该帮助女人满足的观念。因此,要不了多久,男子就会养成早泄的习惯。

体外射精会使缺乏性经验的年轻男子养成迅速的射精反应,男子不能在阴道内冲刺到射精为止,不能无拘无束地享受高潮快感。同时,在生理上和心理上,男女双方都会认为阴道只是用来使男子获得射精快感的器官。

一般来说,新婚的妻子也许并不在乎满足自己。对她们来说,跟丈夫亲近或能使他满足就已经很愉快了。但是,当她觉得自己也需要满足的时候,他可能已经养成了早泄的习惯,没有满足她的能力了。

体外射精法可能是全球最风行的避孕法,也是效率最低的节育方式。根据统计数字,如果有 100 对夫妇使用这种方法来避孕,有 30 个妇女会怀孕。

体外射精法容易失败的原因有哪些

※精子细胞通常在射精前从尿道口流出几滴,每滴内含有精子约 50 000 个,如果流入阴道,有一滴精液就足可使女子的一个卵子受精。

※在冲刺到最紧张的阶段,抽出阴茎的时机可能因男人依恋快感而失之太迟,使一部分精液射在阴道内。

※有时在体外射精后,男子立刻用手指来抚摸女子的阴部,使她达到高潮,或隔不了多久就进行第二次性交。在这两种情形下,手指和阴茎都可能把精子带进阴道。

体外射精不是很好的避孕法,即使在安全期使用,失败率还是很高,而且有养成早泄的可能,因此,对于新婚不久又想避孕的夫妇来说,可以尝试工具避孕或药物避孕法,如果坚持用体外射精法,没准是"赔了夫人又折兵"啊!

避孕套避孕失败的原因是什么

避孕套是一种有效的避孕工具,造成避孕套失败的原因多数是使用不当引起的,常见的失败原因有:

※型号不合适

避孕套型号不合适。过大或过小的避孕套在性交过程中,容易脱落在阴道内或造成破裂,使精液流入阴道。

※套体破损

使用前没有仔细检查避孕套,结果使用了有漏孔的避孕套。

※套前小囊空气未排尽

戴避孕套前没有将避孕套前端小囊内的空气挤掉,因此在射精后造成囊内压力增加,使避孕套破裂,精液流出。

※没有及时取出套子

射精后在阴茎软缩之前,没有及时将避孕套和阴茎一起从阴道内抽出,阴茎软缩后精液从阴茎和避孕套之间溢入阴道,或使避孕套脱落在阴道内。

※性交中途戴套

有些人怕避孕套影响性感,性交开始时没有戴避孕套,待性兴奋达到高潮前快要射精时再抽出阴茎戴避孕套,这样就起不到避孕效果。因为男性在射精前已有少量精子随尿道黏液流入阴道。有时即使在阴茎抽出阴道前主观上不想射精,但会不知不觉地有少许精液射出,导致避孕失败。选择型号合适的避孕套,使用前仔细检查,掌握正确的使用方法及在使用过程中发现避孕套破裂或脱落在阴道内,能立即进行补救处理,这样就可以避免避孕失败。

使用避孕套时发生过敏怎么处理

避孕套是采用天然乳胶制成的,有些人使用后会发生过敏反应,男子表现为阴茎头部潮红、瘙痒和刺痛,严重时发生破溃、糜烂;女子的外阴及阴道有瘙痒及烧灼感,阴道黏膜充血、水肿,白带增多等。发生过敏反应后需要采取下列治疗措施:

※停止使用避孕套,改用其他避孕措施;

※在治疗期间及恢复正常后2周内停止性生活;

※局部不要搔抓,也不要用热水烫洗或肥皂清洗,防止使病变加重;

※局部外涂金霉素或四环素眼膏,也可使用肤轻松软膏等;

※服抗过敏药物,如扑尔敏、赛庚啶、息斯敏等。避孕套引起的过敏反应,一般经 5～7 天治疗,可以恢复正常。

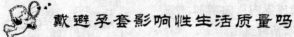

戴避孕套影响性生活质量吗

避孕套对性感的影响目前有两种不同的看法,因此对使用避孕套也持有两种不同的态度。有些人认为使用避孕套会延长性交时间,从而感到更为愉快;另一些人则认为避孕套会减少性交时的快感,因此不乐于接受。男性戴避孕套性交,阴茎头部的敏感性有所降低,达到性高潮的时间可能延长,但是不会影响射精时产生的快感。一般在正常情况下,女性达到性高潮所需的时间比男性长,如果男性采用避孕套可以延长性交时间,使女性的性感得到满足。特别对于有早泄的男性,戴避孕套性交可以防治早泄,从而使性生活得到和谐。目前,我国生产的避孕套是采用优质的乳胶制成,质地柔软,薄而透明,对性感的影响很小。愿不愿意使用避孕套是个习惯问题,西方和一些发达国家的男性多乐于使用避孕套,日本约有75%的夫妇把使用避孕套作为惟一的避孕方法。因此,只要坚持使用就会渐渐习惯。最近四川省做了一项避孕药具应用效果流行病学调查研究表明,在 9 个市、地、州所辖的 11 个县、区 43 万人群中,避孕套是最受城乡育龄夫妇欢迎的避孕工具之一,占43.8%。将避孕套和安全期避孕结合使用更为理想。采用测量基础体温的方法,当体温升高持续 4 天(这时卵子已经死亡)以后,即可停止使用避孕套,直到月经来潮为止。这样做可以减少使用避孕套的日期,同样可以起到避孕作用。

怎样正确使用阴道避孕药片

阴道避孕药片的功能是杀死精子和阻止精子前进,其原理是:此药遇水分解成二氧化碳,形成许多泡沫,泡沫可以促进药物迅速扩散到阴道内部,以杀死精子,同时由于泡沫的存在,可以抑制精子的活力,阻止精子前进,使其无法与卵子结合。

使用方法是在使用前,先把手洗干净,然后把药片湿润一下,再用手指把药片推入阴道深部,5～10分钟后再性交。若放药半小时后性交,应再放1片。

使用阴道避孕药片需注意以下几点:药片一定要放入阴道深部;药片放入阴道后应仰卧,不要坐起或站立;性交后6小时方可洗阴部,以防避孕失败。

 ## 口服避孕药的种类及其效用

口服避孕药分短效、长效、速效三类。

❋短效口服避孕药

作用机理是抑制排卵。有口服避孕片Ⅰ号、口服避孕片Ⅱ号和复方18甲避孕滴丸。

服法:从来月经当天算起第5天开始服药,连续22天,不能间隔。可避孕1个月,一般停药1～3天来月经,从下次月经第5天开始继续服用,方法同上。

为什么从月经第5天开始服药,不能漏服呢?因为避孕药主要作用是抑制排卵,若第6天以后才服药,卵细胞发育到一定程度,就达不到抑制作用,从而造成怀孕的可能,如中间漏服,容易发生阴道出血,打乱正常的月经周期。

❋长效口服避孕药

其作用机理是抑制和改变孕卵运行速度,每月服1片可避孕1个月,适于长期同居的夫妇。

服法:在月经来潮第5天服药1片,第25天服药2片,以后每月按第2次服药的同一日服1片。

❋速效口服避孕药

又称探亲避孕药。其作用机理,主要是迅速有效抑制排卵,影响精子穿透和使孕卵不能着床。好处是不受月经周期限制,何时探亲何时服用。

怎样选择自己适合的避孕药

避孕药很多,每一种都有不同的特点,根据什么来选用适合你自己的避孕药呢? 下面有几个原则以供参考。

❄ 避孕效果

若要避孕效果好,短效避孕药和每月注射一次的避孕针效果最好,其次是长效口服避孕片,可靠性较差的是外用避孕药。

❄ 方便易行

短效口服避孕药需连续服,天天服,漏服即影响效果,不方便。一月服一片的长效避孕药和一个月注射一次的避孕针方便。探亲片可随时开始服,不受什么条件限制。外用避孕药膜男女方随时都可以用,更为简便。

❄ 利于控制月经期

短效药和月服药对月经周期无影响或影响小;探亲片服后一些人有不规则月经,但月经量不多;避孕针可使月经期延长;而外用药膜对月经期无任何影响。

❄ 副作用

避孕药多数含孕激素、雌激素,会引起恶心呕吐等副反应。一月一片长效药反应较重,短效口服药反应较轻,注射针剂反应也较轻,探亲避孕药反应不明显。

还有,40 岁以上妇女及吸烟妇女,因易患心血管病,故不宜用口服避孕药,至于患内科疾病及某些妇科疾病的,也不易口服避孕药。

服避孕药时忌同服的药物有哪些

避孕药忌与下列药物并用:

❄ 抗结核药:利福平。

❄ 抗生素药:氯霉素、氨基苄青霉素、新霉素、四环素、磺胺甲氧嗪、呋喃坦啶。

❄ 抗惊厥药:苯巴比妥、苯妥英钠。

❋镇痛药：眠尔通、利眠宁、非那西汀、吡唑酮、克霉唑等。

❋抗抑郁药：丙咪嗪。

❋抗凝血药：肝素、双香豆素等。

❋皮质激素类药物：强的松、可的松等。

如确因治疗上需服用上述药物者，应改用其他避孕方法。

婚姻妙曲

最佳的生育年龄是什么

从生理上来看,女性生殖器官一般到 20 岁以后才能逐渐发育成熟,而全身骨骼、牙齿的钙化和智齿的出齐一般要到 23 岁才能完成。若过早怀孕,孕母还在发育,胎儿又萌芽生长,母子就会互争营养,不仅影响胎儿的生长,还可使孕妇营养不足,发生贫血、浮肿、软骨病,即将出生的婴儿也可因先天不足,造成体质衰弱,而易患病。

从优生观点来看,也不提倡过晚怀孕。因为妇女年龄越大,卵子在卵巢中积存时间就越长,有些卵子的染色体会发生老化,出现衰退,以致生先天痴呆和先天畸形儿的机会也就越多。而且年龄越大,人体包括卵巢所接受的各种射线、污染环境的有害物质和毒物之影响也就增多,这会使遗传物质发生突变的机会增多,导致生痴呆及畸形儿的机会就增多。年龄过大,妊娠并发症又会增多,骨盆韧带的弹性下降而松弛,盆底肌肉收缩能力下降,这些均不利分娩。

因此,23～30 岁是怀孕最佳年龄,最迟不要超过 35 岁。此阶段妇女的身体成熟健康,精力旺盛,排出的卵子绝大多数是正常的。男性的性发育与成熟比女性迟 3~4 年,故丈夫最好比妻子大 3~8 岁。妻子怀孕时,丈夫年龄在 28~38 岁为好。

医生认为,如果能在这个时期内生孩子,那么先天性愚型(伸舌样痴呆)、多发性畸形等严重先天性疾病可以减少一半以上,数以万计的家庭可以免除沉重的精神负担和经济负担,并使国家、民族、社会得到很大益处,减轻国家经济负担,提高民族人口素质。

血型与优生的关系大吗

※人类的血型

人类血液的类型称血型。国际上通用英文字母来表示的 ABO 血型系统有 A、B、O 及 AB 四种血型。它们的区别在于各自的红细胞上所含抗原不同。例如,红细胞上有 A 抗原者为 A 型血,A、B 两抗原均有者为 AB 型血,A、B 抗原均无者为 O 型血,然而在 A 型血人的血清中天然含有 B 抗体,B 型人血清中有 A 抗体,AB 型人血清一般没有抗体,而 O 型人血清中有 A、B 抗体。由于抗原和相应的抗体混合时会发生凝集反应,甚至红细胞被破坏溶解而发生溶血,故输血时必须严格检验供血者与受血者的血型,以输入同型血液,否则将造成严重不良后果。

※血型的遗传

血型是由位于染色体上的基因决定的。人体细胞含的 23 对染色体,其中一半来自父方,另一半来自母方,这些染色体分别携带着来自父母双方成千上万的遗传基因,以此代代相传。

ABO 血型是由 A、B 和 O 三种血型基因所决定,血型基因位于第 9 对两条染色体上。由于 A、B 是显性基因,O 是隐性基因,所以第 9 对染色体只要一条带 A 基因,无论另一条染色体相应位点上是 A 或 O 型基因,都表现为 A 型血。O 型血则必须是第 9 对两条染色体上都同样是 O 基因。如果第 9 对染色体上一条带 A 基因,另一条带 B 基因,就表现为 AB 型血。根据这个道理,一对配偶如果男方为 A 型血,妇方为 O 型血,那么他们子女的血型遗传可能有两种组合,即 3/4 的人为 A 型血,另一半为 B 型血。所以,子女的血型可以与母亲或父亲都不相同。

❋母儿血型的矛盾

当胎儿血型和母亲不相同时,婴儿出生后不久就会发生新生儿溶血病,一般多见于母亲为 O 型血,胎儿是 A 或 B 型血,临床上又称 ABO 溶血。这是因为胎儿红细胞进入母血后,就会刺激母体产生相应抗体,当胎儿体内抗体达到一定量时,抗原体发生反应,使红细胞大量破坏,造成新生儿溶血病。这种情况多在胎儿出生后数小时内迅速发生,婴儿呈现渐进性黄疸、贫血、精神萎靡、不吃奶、呕吐等症状甚至发生惊厥、抽搐,医学上称为核黄疸,严重者可于 3～5 日内死亡。经救治幸存的婴儿也多数留有智力和运动功能不全等后遗症。胎儿时期若溶血严重可引起流产、早产或死胎。

❋矛盾可能缓和

为避免上述悲剧的发生,应广泛开展围生期保健。在产前检查时检测夫妇双方血型,如孕妇为 O 型血,丈夫为非 O 型血时,就要进一步检查孕妇血清抗体含量,当抗体含量达到一定浓度时,就应采取适当的预防措施,包括给孕妇服用大量维生素 B、C、E 和叶酸,并给予葡萄糖、氧气等治疗,以保护胎儿红细胞,促进红细胞增生修复,提高胎儿抵抗力,降低母血抗体含量,同时增强胎盘屏障,阻止免疫抗体进入胎儿体内。临床还观察到中药活血化瘀有降低母血抗体含量的功效。给子宫内胎儿输血，并酌情适时终止妊娠，使胎儿早日脱离险境而获救也是一种有效措施。

18岁以前怀孕对身体有多大影响

从生理上讲，18岁以前怀孕会损害母亲和孩子的健康。因为18岁以前的女性在生理上尚未发育成熟，这时生育很容易出现早产儿和低体重儿，这些孩子为"高度危险儿"，极易在第一年内死亡。同时，这时生育对母亲本身的健康也危害较大，导致高度危险的妊娠。必须强调所有的妇女只有在发育成熟后才能有身体条件做母亲。

最理想的怀孕季节是什么

评价孩子长得好坏，不外乎看其智力、体质两个方面。而智力与体质的好坏，除了与先天遗传和后天的教育、锻炼、营养、环境有直接关系外，还可能与受孕季节有关系。

大量的医学调查和越来越多的实例表明，在怀孕早期，许多病毒性疾病都会致使畸形。冬末春初气候由寒转暖，病菌和病毒迅速滋生繁殖，病毒性疾病流行。在这个季节受孕，由于孕妇容易遭受病毒、病菌的侵袭，其结果是危及胎儿，导致胎儿畸形、死胎、流产及孩子智力低下等，故不适宜怀孕。

从营养角度看冬末春初受孕也不利于优生。孕妇和胎儿需要足够的营养，才能保证胎儿在母体内健康发育。特别是怀孕早期，如果营养不足，胎儿各器官的细胞数量将会显著减少，这不但影响胎儿身体的发育，还会影响其智力的发育，因此，孕妇除了要摄取足够的蛋白质外，矿物质和维生素的摄取量也绝不可少。否则，孕妇的身体和胎儿的正常发育都将受到不同程度的影响。而冬末春初，尤其是"青黄不接"的阳春三月，是水果蔬菜等的淡季，这将会影响到孕妇的营养补充。

另外，在保暖条件差的家庭，要避免严冬出生婴儿。因婴儿离开四季如春的子宫,来到寒冷的环境,温度差别大,加之新生儿体温调节功能不完善,以致难以适应。如果在低温环境中保温不好,则易患硬皮症呼吸困难,血液循环不良,甚至危及生命;同时冬季呼吸道传染病较多,而新生儿呼吸道黏膜抵抗力差,故易患呼吸道疾病,如肺炎。一旦患病,由于新生儿体内免疫力差,可发展为重症肺炎,甚至导致死亡。

由此可见,避开严寒的冬季和冬末春初,选择一个比较理想的月份受孕,可能有助于自己生一个健康、聪慧、美丽、可爱的好宝宝。

人体生物钟节律的孕育佳期

结婚后,双方的遗传素质已定。大家都希望双方遗传物质中的优秀部分能更多地传递给下一代,而不要打过多的折扣。这就要按照人体生物钟的原理,选择最佳受孕时机,它就是生物钟的高潮期。

什么叫人体生物钟呢?宇宙空间以及生物界都普遍存在着规律性。例如,地球绕太阳转,一年一周;月球绕地球转,一月一回;地球自转,一日一转;植物生根、发芽、开花、结果;动物成熟衰老,生殖繁衍……都遵循着特定的时间规律。

人的工作学习、睡眠休息,以一昼夜为周期。人体各种主要生理指标,如体温、血压、脉搏、氧耗量、血液中血红蛋白、血糖含量都随昼夜变化而变化,在一天之内呈规律波动。人的生理功能,上午7时开始上升,上升到上午10时,形成一天中第一个高峰;此后缓慢下降,到下午1~3时形成一个平坦的低坳;下午4时以后功能再度上升,到晚上9时,形成一天第二个高峰;晚上11时以后又下降,到次日凌晨3~4时,形成一昼夜中生理功能之低谷。在生理机能高潮时,人体功能旺盛,工作效率高;低谷时则相反,易出差错事故。这种人体时间的规律性,被形象地称为人体生物钟。人体生物钟不但对人的体力、情绪、智力起作用,而且还可影响精子和卵子的质量。

有哪些症状时说明自己怀孕了

如果你是位健康的生育年龄女性,月经周期正常,有过性生活,没有避孕或没有采取有效的避孕措施,那么这次月经过了2周以上没来,就很有可能是怀孕了。

也有一些人该来月经时也会有少量出血,但一般量少,色淡,时间短,不伴有小腹坠痛,有时被误认为是月经,这时就要注意是否伴有下列症状,以进一步确定是否妊娠。

※恶心

有时还伴有呕吐,通常在空腹的清晨;食欲不佳,或食欲旺盛,嗜食某种食物,有的人觉得口水特别多。

※乳房发胀

早期增大,往往在孕8周时开始,初产妇比较明显,有时还有乳头疼痛。乳头和其周围皮肤(乳晕)着色加深,乳晕周围还有深褐色的数个小结节突起。

※头晕

乏力,昏昏欲睡,总没有精神。

※尿频

增大得子宫压迫了膀胱,有点儿尿就想去排,但没有尿疼痛或尿不净等感染症状。

※嗅觉的改变

特别地喜好或厌恶某些气味,对某些气味变化非常敏感。

到医院检查时,医生会询问你的月经情况、你的症状以及不适反应;检查子宫是否增大,变软,增大的是否与停经时间相符,做尿妊娠试验,必要时还要通过做B超,抽血化验HCG来确诊。

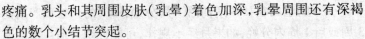

怎样准备计算预产期

肯定了怀孕,知道末次月经时间就可以推算自己在什么时候分娩,诞生可爱的小宝宝了。在正常情况下,足月妊娠是从最后一次月经的第一天开始计算共280天,提前3周或拖后2周都是正常的。平常讲的"十月怀胎,一朝分娩"并不是日历上的10个月,而是按照28天(即4个星期)为1月,共10个月,即280天。7天为1个孕周,共40周。

计算预产期有一公式:末次月经的月份减去3或加上9等于分娩月份。末次月经第一天日期加7等于分娩日。农历的计算方法为:末次月经的月份减3或加9,日期是加15。

例1:末次月经的第一天是2002年2月25日。月份2月+9=11月,日期25日+7=32日,预产期为2002年12月2日(因11月无32日,故移到12月2日)。

例2:末次月经的第一天是农历2002年11月5日。月份8月+9超过12月,故预产期在第二年,用月份8月-3=5月,日期5+15=20。预产期为:农历2003年5月20日。

60%的孕妇在预产期前后1周分娩,90%的人在预产期前3周或后1周内分娩,如果月经不规律,可能分娩日期与预产期相差更远。

如果月经不准,还可以根据早孕反应出现的时间,初次胎动的时间推算。早孕反应一般在停经40天左右出现,孕50~70天反应最重,据最初出现早孕反应的时间上推40天,可作为相当于正常人末次月经时间,并据此算出预产期;初次胎动时间,对月经不规律的孕妇推算预产期很有意义。一般初产妇,在孕18~20周时可以感到初次胎动,往往很弱,不仔细体会往往会漏掉;经产妇比较有经验,孕16~17周就有感觉,知道了初次胎动的时间,用40减去19(初产妇)或17(经产妇),就是还有多少周到预产期。早孕期超声波检查子宫内胎囊和胎芽的大小能比较准确地推算预产期,时间越早越容易估计准确。当然这需要由妇产科大夫来帮助月经周期不准的孕妇来核实孕周和预产期,在孕晚期核实孕周相对困难,需要通过病史,测量子宫底高度,测激素水平及超声检查等综合起来判断。

确定怀孕就奏响了新生命诞生的序曲。

哪些行房时间最易受孕

受孕是指精子与卵子的结合成为受精卵。受精的过程是一个复杂的生殖生理过程,然而,受精的基本物质是精子和卵子。精子由男性尿道排出,一次射精有数亿个。经由阴道、宫颈、子宫到达输卵管约1小时。最后只剩下约200个精子到达壶腹部。其余的则由阴道排出或被子宫内的白细胞吞噬及个别进入腹腔而消失。受精前精子要经过形态生理和生化的变化,这种变化称为获能。

获能后精子穿入卵细胞内与其结合完成受精。受精标志着受孕的开始。通常性交后排出的精子在1~3天内具有授精能力。

卵子在排卵期由卵巢表面的成熟卵泡排出,排卵期时女性生殖道的其他部分也都为了迎接精子作好预备。排卵期时在卵巢分泌的雌激素影响下,宫颈口松弛,宫颈黏液量增多,pH值偏碱性,质稀薄,含水量达95%~98%,黏液透明,拉丝度增强可达10厘米左右,这一切都有利于精子穿透宫颈到宫腔。性交前及性交时的刺激可引起阴道及子宫的有力收缩。这可能是由于性交刺激使催产素释放以及精液中含有的前列腺素的缘故。而在排卵期性交,子宫对前列腺素的敏感度达高峰,故更有利于子宫收缩,子宫的收缩可加速精子的运行。精子到达输卵管后的运行和速率受多种因素影响但在排卵期时输卵管的一切变化为精子、卵子提供良好条件。

总之,受精的完成需在排出卵子后24小时之内。也就是说可先排卵后性交。即卵子等待精子或先性交后排卵即精子等待卵子。但性生活一定要发生在排卵期前后。简单的推算,在排卵前3天或排卵后2天的这段时间内性交都有受孕的可能。人们亦利用这个道理避开这段时间性生活来达到避孕的效果。

准爸爸也要接受孕前检查

据妇产科专家介绍，想要生个健康宝宝。第一步就是在怀孕前要做一个最全面的体格检查，无论是准爸爸还是准妈妈都要参加。有的人会说"我做过婚检了，还有什么要查的呀?"其实婚检对孕育一个完全健康的宝宝是很不够的。孕前检查除了要排除有遗传病家族史之外，还要排除传染病，特别是梅毒、艾滋病等，虽然这些病的病毒对精子的影响现在还不明确，但是这些病毒可能通过爸爸传给妈妈，再传给肚子里的宝宝，使他们出现先天性的缺陷。另外，爸爸要接受很详细的询问，比如自己的直系、旁系亲属中，有没有人出现过习惯性流产的现象，或是生过畸形儿，这些状况对于医生判断染色体出现平衡异位有很大帮助，以减少生出不正常宝宝的可能。

准爸爸补叶酸对孕育儿的好处

叶酸的缺乏可能使染色体出现断裂，造成畸形儿，有人认为准妈妈需要补叶酸，其实准爸爸补一些对宝宝也有好处。另外锌、维生素A等的缺乏容易使精子数量下降，所以准爸爸们也要注意合理的营养，多吃蔬菜水果，不要喝太多的咖啡和浓茶。在妻子妊娠的前三个月，准爸爸就应该开始准备，创造一个好的环境，心情保持愉快，然后做一个全面的身体检查，同时调整作息时间，安排好工作，不要加班熬夜太多，休息时尽量少去很嘈杂的地方。虽然营养足不足没有固定的指标，但营养不良和肥胖的准爸爸都是"不合格"的，尤其是肥胖，会影响准爸爸体内性激素的正常分泌，造成精子异常，使胚胎的物质基础受到影响，所以对爸爸来说在孕前也应该和准妈妈一起补营养才好。

孕期中应节制性生活，特别是孕早期和后期，这一点丈夫负有更大的责任。

丈夫应成为怀孕妻子的精神支柱,不但要包揽家务生活,还要让妻子吃上可口的饭菜,增加营养,保证妻子心情愉快、精力充沛地度过孕期。

协助妻子做好孕期自我监护和胎教,定期测量宫底和腹围、听胎心,业余时间一起散步,一起欣赏优美的音乐,浏览优秀的文学作品,看电视、电影、陶冶性情,把父爱带给胎儿。

婴儿出生后,协助妻子做好新生儿的喂养和护理,保证妻子有较多的时间休息并适当增加营养,促进乳汁分泌。

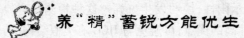

养"精"蓄锐方能优生

生一个健康、聪明的宝宝是每对夫妻的愿望,为了达成这个愿望,需要夫妻双方一起努力,因为优生是爸爸和妈妈的共同责任。而对于丈夫而言,精子的数量、质量和活力是优生的关键要素。

丈夫的身体素质、生殖器官的健康和功能状况及某些外界环境因素,都影响着精子的质与量。某些自身和周围环境的因素,可能造成精子生成方面的缺陷,更严重的甚至会导致后代的先天缺陷。因此,丈夫一定要了解和避免这些不利因素的影响。

影响优生的环境因素有哪些

高温、离子射线、非离子射线、重金属、杀虫剂等。

如果妻子准备要宝宝,丈夫要避免洗桑拿浴、穿紧身牛仔裤,研究发现,每星期泡热水浴 3~4 次,温度 40℃ 以上,丈夫畸形的精子和不成熟精子均有明显增加。如果长期在高温环境下工作、经常洗桑拿浴、穿紧身牛仔裤等,均可使阴囊、睾丸和附睾温度升高而影响精子的生成与成熟,甚至导致后代的先天缺陷。

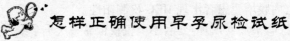

怎样正确使用早孕尿检试纸

新颖、方便的早孕试纸问世后,妇女在家中自测尿液,即可获知自己是否怀孕,确实广受欢迎。那么,该怎样识别早孕试纸呢?

从妊娠的第 7 天开始,孕妇的尿液中就能测出一种特异性的激素——人绒毛膜促性腺激素(简称 HCG),通常在医院进行的尿妊娠试验检查的就是它。目前市售的早孕试纸,也是通过尿液迅速检测其中的 HCG,灵敏度很高。

在一般情况下,早孕试纸检测结果有两种:将尿液滴在试纸上的检测孔中,如在试纸的对照区出现一条有色带(有的试纸显红色,有的试纸显蓝色),表示未受孕,反之,如在检测区出现明显的色带,则表示阳性,说明发生妊娠。这种检测具有快速、方便、灵敏、特异性高的优点,可避免与 HCG 有类似结构的其他糖蛋白激素引起交叉反应。但是,自测早孕的妇女必须记住:早孕试纸只能作为一种初筛检查。你在试用时要注意以下几个方面:

※您购买的试纸如果存放时间过长(1 年以上),或试纸受潮,且未注意保存在正常室温条件下(不应冷藏),就可能失效,出现检测结果假阴性。

※如果妊娠刚刚开始,或者有异位妊娠(宫外孕)的可能,体内 HCG 水平一般偏低检测的样品需静置 3 分钟以上(一般仅需 1 分钟),并必须仔细辨认是否有弱阳性——检测区色带仅隐隐出现。

※在极端的情况下,如葡萄胎、绒癌、体内 HCG 水平会过高,尿液检测反而不显示阳性。

※妊娠 3 个月后,HCG 水平下降,尿液检测有时会出现阴性,或弱阳性。

※阳性结果也并非意味着百分之百妊娠。因为有些肿瘤细胞如葡萄胎、绒癌、支气管癌和肾癌等,也可分泌 HCG。而且还有过子宫内膜增生患者出现 HCG 检测阳性。

因此,育龄妇女出现停经,不要仅仅依靠一次早孕纸自测来判断自己是否妊娠。为保险起见,可以在 3 天后再测一次。当然,最可靠的还是及时到医院进行全面检查,尤其是弱阳性者,以便采取措施。

这里尤其要指出，近年来宫外孕屡见不鲜，如果由于自测早早孕假阴性，而忽略了及时的诊治，一旦宫外孕着床部分破裂出血，抢救不及时会危及生命。

 ## 受孕时的心理状态对优生很重要

中医强调，交媾时精神愉快，心情舒畅，可以排除一切思虑忧郁和烦恼。《大生要旨》指出："时和气爽之宵，自己情思清宁，精神闲裕"、"清心寡欲之人和，则得子定然贤智无病而寿"。说明了受孕时良好心理状态与优生的密切关系，情绪的激烈变化极度疲劳势必导致气血逆乱，经络闭塞、脏腑功能紊乱、精气耗散、干扰精卵结合、影响受胎。

根据德国一位心理学家调查，在青少年精神分裂症患者中，有41%在遗传因素外还有母体受孕时突遭精神刺激的历史，诸如被强奸、做爱时突遇巨大声响、恐怖事件或性交后被虐待、殴打、激怒等。他认为这可能是突然强烈的心理刺激干扰了精子或卵子的遗传密码，使胎儿在将来的脑神经发育中留下了隐患。

根据现代心理学和人体生物钟理论，当人体处于良好的精神状态时，精力、体力、智力、性功能都处于高潮，精子和卵子的质量也高，此时受精，易于着床受孕，胎儿素质也好，有利于优生。

 ## 你了解保证受孕的必备条件吗

受孕过程比较简单，但受孕成功必须具备下列条件：

※必须有健康活泼的精子进入阴道，并能保持活动力。

※宫颈黏液的黏稠度必须合适而富有营养，利于精子的生存和游入。

※生殖器官发育正常，生殖道必须通畅，使精子能顺利通过子宫到达输卵管。

※必须有健康成熟的卵子，且卵子也能进入输卵管与精子

结合。

※受精卵需及时到达宫腔,且宫腔内环境适合受精卵的生长发育。

如缺乏其中任何一个条件,就不能受孕。

妊娠中期性生活有必要限制吗

怀孕中期(4~7个月)胎盘已经形成,妊娠较稳定,早孕反应也过去了,你的心情开始变得舒畅。性器官分泌物也增多了,是性感高的时期,因此,可以适当地过性生活。但是要节制,还要注意性生活的体位与时间,避免造成对胎儿的影响。

这个时期的子宫逐渐增大,胎膜里的羊水量增多,胎膜的张力逐渐增加,孕妇的体重增多,而且身子笨拙,皮肤弹性下降。这个时期最重要的是维护子宫的稳定,保护胎儿的正常环境。如果性生活次数过多,用力比较大,压迫孕妇腹部,胎膜就会早破。脐带就有可能从破口处脱落到阴道里甚至阴道外面。而脐带是胎儿的生命线,这种状况势必影响胎儿的营养和氧气,甚至会造成死亡,或者引起流产。即使胎膜不破,没有发生流产,也可能使子宫腔感染。重症感染能使胎儿死亡,轻度感染也会使胎儿智力和发育受到影响。

此时,肚子越来越显眼了,注意不要压迫腹部。而且由于性感高潮引起子宫收缩,有诱发流产的可能性。所以孕妇本人自身的调节也是极其重要的。此外,丈夫也应注意不要刺激乳头。假如,你对性生活仍然没有太大的兴趣,做丈夫的一定要尽量理解自己的妻子。

因此,妊娠4~6个月时,虽不严格限制性生活,也要有所节制。

孕育后期还应该有性生活吗

在怀孕8个月以后,孕妇的肚子突然膨胀起来,腰痛,身体懒得动弹,性欲减退。此阶段胎儿生长迅速,子宫增大很明显,对任何外来刺激都非常敏感。夫妻间应尽可能停止性生活,以免发生意外。若一定要过性生活,必须节制,并注意体位,还要控制性生活的频率及时间,动作不宜粗暴。这个时期最好采用丈夫从背后抱住孕妇的后侧位。这样不会压迫腹部,也可使孕妇的运动量减少。

尤其是临产前 1 个月或者 3 星期时必须禁止性交。因为这个时期胎儿已经成熟。为了迎接胎儿的出世,孕妇的子宫已经下降,子宫口逐渐张开。如果这时性交,羊水感染的可能性更大。有人做到调查后证实,在产褥期发生感染的妇女,50% 在妊娠的最后 1 个月夫妻性交过。如果在分娩前 3 天性交,20% 的妇女可能发生严重感染;感染不但威胁着即将分娩的产妇安全,也影响着胎儿的安全,可使胎儿早产。而早产儿的抵抗力差,容易感染疾病。即使不早产,胎儿在子宫内也可以受到母亲感染疾病的影响,使身心发育受到障碍。

子宫在孕晚期容易收缩,因此要避免给予机械性的强刺激。

对于丈夫来说,目前是应该忍耐的时期,只限于温柔地拥抱和亲吻,禁止具有强烈刺激的行为。为了不影响孕妇和胎儿的健康,夫妻间不但要学会克制情感,而且最好分睡,以免不必要的性刺激。

有自然流产和习惯性流产的孕妇,应在整个妊娠期间都避免性交,千万不要为一时的冲动造成永久的悔恨。

早孕期应注意的护理要点

※尽早到医院检查,确定妊娠,月经不规律的妇女,出现早孕反应,要及时检查子宫大小,必要时做 B 超,及早确定妊娠对孕期保健非常重要。

※生活要有规律,不可过分劳累和紧张,保证充足的睡眠,继续工作的孕妇,最好能在午间稍事休息,一般的家务劳动可量力而行。

※早孕反应较重时容易烦躁,忧郁,可多听音乐,外出散步,

读一些轻松的书籍,借以减轻紧张情绪,丈夫和其他家人要多给予关心和照顾。

※不要玩弄猫、狗、鸽子一类的小动物,预防弓形虫感染(感染后可引起胎儿畸形)

※注意预防感冒,如患感冒,发烧,或在风疹流行季节(冬春)身上出现风疹块和轻微伤风感冒症状,可在发病10天左右到医院检查有无抗风疹病毒抗体,如高度可疑近期有风疹病毒感染,宜早期施行人工流产手术,因为风疹病毒感染的胎儿可有多脏器畸形。

※不吸烟,不饮酒,避免接触放射线、有机苯、铅、汞等有害物质,以免对胎儿造成不利影响。至于是否可以看电视,电视射线是否对人有害,尚无明确结论,但看电视不要时间太长,距离要适当远一些。

※如在孕早期需服药,一定要按医生要求服药,不可擅自主张,因为有些药物在孕早期可诱发胎儿畸形。但也不是一味地不吃药,疾病不控制,对孕妇和胎儿同样有害。

※避免性生活和剧烈运动。

※若孕妇呕吐严重,不能进食,应到医院治疗,防止出现脱水及体内平衡紊乱。

※轻微下腹坠胀,少量阴道出血,可卧床休息;下腹坠疼,阴道出血比正常月经多,是流产先兆,要到医院检查。

孕早期3个月是胎儿各器官形成的关键时期,特点是变化快,稳定性强,一旦成形,无法更改,母亲会有或轻或重的早孕反应,身体抵抗力相对降低,很多有害因素会对母亲和胎儿产生不利影响,引起胎儿畸形或流产;各种强烈精神刺激,劳累,引起子宫收缩,也会把胎儿挤下来,造成流产。

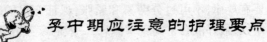

孕中期应注意的护理要点

※保证充分休息和睡眠时间,胎儿的生长速度加快,孕妇不仅应多增加营养,而且每天应该在附近比较安静而空气新鲜的

地方散步,做一些轻微家务劳动,休息时要侧卧位,使子宫供血充足。

※可以有适度的性生活,以不太疲劳为宜。

※做好乳房的保护,纠正乳头凹陷,要注意口腔牙齿的保养,有些不科学的说法在民间流传,认为妊娠期和产后都不能刷牙,否则牙齿要掉。其实不经常刷牙容易引起牙齿及牙周发炎,影响咀嚼,很难得到充分的营养。牙齿有病最好在孕中期治疗。

※每日做些运动,如散步,打乒乓球,每次 20 分钟左右,心率不超过 140/分。

※腹部增大,乳房增大,要穿合体的衣服和平底鞋,多食新鲜蔬菜和水果。

※有一些妊娠合并症会随着胎儿逐渐增大而出现和加重,要定期做好产前检查。

孕中期,早孕反应消失,精力充沛,胎盘功能也逐步完善,流产的危险性已大大减少,腹部也未特别膨隆,行动尚灵便,而且此时的孕期合并症也较少。母亲可以为胎儿所做的是养好身体,为妊娠后期准备;做好乳房护理,为将来哺乳准备,还要注意做好胎教。

 孕末期注意事项

※定期产前检查,因为在这一阶段容易发生妊娠高血压综合征,和其他合并症。

※注意产前休息,产假最好在产前 2 周就开始,防止跌跤,穿平底鞋、低跟鞋,否则会引起胎膜早破,甚至发生胎盘早剥的危险。

※禁止性生活,因其可造成胎膜早破,引起胎儿宫内感染,并诱发早产。

※不要外出旅行,有临产先兆时,以充沛的精力、体力迎接挑战。

※有异常的孕妇,要提前住院,在医生监测下分娩,准备行

剖腹产也应提前 2 周入院。

孕末期,母亲身体负担加重,最容易发生并发症,胎儿在有疾病的母亲腹内,得不到充足的养分,生长受到影响,甚至窒息,死亡。这时要特别重视胎儿监测,对母亲来说,最重要的是要学会自我监测,随时了解胎儿在子宫内的情况,帮助医生做出准确的判断,适时终止妊娠。

怀胎十月的状况及其表现

※孕 1 个月(0~4 周)

在末次月经来潮日向后两周末左右的一天,卵巢排卵,卵子进入输卵管;如果此时逢性交,又未避孕,大量精子通过阴道、子宫颈口、子宫,进入输卵管与卵子相遇,有一个幸运的精子与卵子结合,形成肉眼见不到的受精卵——一个新的生命就形成了。受精卵经过多次分裂,并经输卵管的蠕动把它运往子宫,大约 7~8 天后在子宫内膜下着床,这时的小生命称为胚芽。

母亲不会有什么感觉,也没有早孕反应。有时因受精卵不健康而死亡是一种自然淘汰,或因接触有害物使受精卵死亡。这时的流产往往都是完全性的流产,表现为月经稍晚 1~2 天或月经量比平时稍多一点,通常被忽视。

※孕 2 个月(5~8 周)

胚胎长约 2.5 厘米,约 4 克重,外观初具人形,可以区分出头部,身体,四肢,有心跳,肺、肝也出现雏形,最重要的大脑重量增加很快,比起其他动物来尤为突出。

孕妇最初发现月经没有如期而至,到 40 天左右出现恶心、呕吐、乳胀、尿频等早孕反应。到医院检查可以确定妊娠。

※孕 3 个月(9~12 周)

胎儿身长 7~9 厘米,体重约 20 克,整个头部较大,约占身长的 1/2~1/3,脸部逐渐趋于人形,眼睛向中间靠拢,长出眼皮,眼睛闭合,鼻孔很大,嘴唇轮廓清晰,耳朵像两条裂缝,四肢能明显区分,出现指甲,内脏系统已开始具有功能,吞咽羊水,排泄尿液,肉眼可辨男女,胎儿已经能动了,但母亲尚不能察觉。

停经 50～70 天是早孕反应最重的时期,最为痛苦,流产也最易在此期间出现,孕 3 个月末,自己可以在耻骨上方摸到子宫,增大的子宫压迫膀胱、直肠,出现尿频、便秘。

✳孕 4 个月(13～16 周)

胎儿的身长约 16 厘米,体重约 120 克左右,生长迅速,开始长头发,身上也开始出现胎毛,头部相对变小,腿相对变长,骨骼迅速骨化,在肝、胃、肠的功能作用下,形成绿色的胎便,但要等生后才能排出。胎儿的心率是成人的 1 倍,胎儿供应营养的胎盘逐渐完善,胎儿与母体的联系更加紧密。

孕妇的早孕反应逐渐减轻,食欲增加,至孕 4 个月末,自己可以在耻骨上 3 横指摸到子宫底部(子宫上界),多普勒仪可探及胎儿;流产的危险已减小。孕期的黄金时间开始了。

✳孕 5 个月(17～20 周)

胎儿身长约 25 厘米,体重约 300 克。头与躯干的比例是 2:1,子宫底位于耻骨与肚脐之间。

母亲会有一个最震撼的感觉——胎儿在踢你了,小宝宝在向你介绍他的存在,这就是胎动。经产妇感觉早些,初产妇要在

18～20 周才能感到。初时很轻微,就像肠子动了一下,慢慢地动作越来越明显,尤其在母亲休息时,有时一下一下动,有时是叽里咕噜一连串的翻动,胎动证明胎儿是充满活力的,如果胎动消失或减少,就要找医生检查。

胎儿可以听得见声音,已有研究表明:放母亲心跳的录音,可以使胎儿安静,所以可以和胎儿讲话,轻轻地抚摸,放音乐,也

就是胎教,未来的爸爸妈妈尽可以从这时起和宝宝交流感情,倾注爱心。

❋孕6个月(21~24周)

胎儿约30厘米左右,体重660克,身体逐渐匀称,胎动频繁,皮肤薄且布满皱纹,大脑继续发育,眉毛长出,鼻骨轮廓坚挺,耳变大,脖子变长,这时出生的小儿已能呼吸,但仅能存活几小时,原因是呼吸系统不完善。

子宫底已达肚脐,乳房开始分泌,有时还会分泌少许初乳。

❋孕7个月(25~28周)

胎儿约35厘米,体重约1千克,皮肤被毳毛覆盖,头发长0.5厘米,肺发育基本完成,但机能很弱,男孩睾丸尚未下降,女孩的小阴唇阴核已清楚凸起,神经系统发育进一步完善,此时出生虽能哭及吞咽,但生命力弱,很难成活。

孕妇子宫底已高过肚脐,由于腹部皮肤的伸展导致皮下组织及弹性纤维断裂出现妊娠纹。

❋孕8个月(29~32周)

胎儿身长40厘米,体重1.5千克~1.7千克,胎儿在羊水内活动协调,还会做360°转身,到8月末,胎儿的位置基本固定,头重向下,胎儿的神经系统进一步完善,肺及其他内脏已基本发育完成,此时出生的早产儿已能存活,但需在暖箱里精心照料。

孕妇因腹部大静脉受子宫压迫,仰卧时常感到不舒服,可能会有心悸、气短、食欲不佳、腰腿疼等不适,如休息好能缓解,妊娠高血压病、贫血,最容易出现。

❋孕9个月(33~36周)

胎儿身长45厘米,体重约2.5千克,皮肤红润而光滑,女孩的大阴唇隆起,左右紧贴在一起,大部分男孩的睾丸下降到阴囊,胎动幅度较小,此时分娩早产儿,成活率可达90%以上。

母亲负担加重,子宫底高度达到最高——剑突下,可以感到子宫一阵阵变硬,但不疼,这是过敏性宫缩,常感小便不尽。

※孕 10 个月(37~40 周)

胎儿身长 50 厘米,体重约 3 千克,已完全发育成熟,每天约可积聚 4 克脂肪,会打嗝,会吮自己的拇指,随时可以应付母体以外的世界了。

母亲感到子宫稍微下降而轻松些,当出现腹部阵痛阴道少量出血(见红)时,孕期就快结束了。

 孕期锻炼与运动的好处及其方法

适当的运动能调节神经系统,增强心肺功能,助消化,促进腰部及下肢血液循环,减轻腰酸,腿疼。

户外运动可呼吸新鲜空气,增强紫外线照射,促进身体对钙、磷的吸收,有助于胎儿骨骼的发育,防止孕妇因缺钙引起的抽筋。

通过锻炼增强腹肌,防止因腹壁松弛造成的胎位不正及难产;腰腹肌和骨盆底肌肉力量增强,还可缩短分娩时间,防止产道撕裂,产后出血。

散步是适用于整个妊娠期的运动,每日半小时或 1 小时在空气流通的地方步行,可多吸收 25% 的氧气,不会有任何危险。

其他如打乒乓球、羽毛球,做广播操,游泳等较温和的运动也可适当进行,游泳区水质要清洁。

有可能引起冲撞的运动如篮球、足球及体育比赛最好不要参加,远足、外出旅游、爬山在孕早期和孕末期最好不去,孕早期劳累会造成流产,孕末期随时有临产、早产的可能。

呼吸操是妊娠期该做的一种特有的运动,旨在帮助孕妇在分娩时减轻疼痛,节省精力,加速产程进展,一般在孕中期开始,每天做操 5 分钟,躺在床上,安静身心,天气好时要打开窗户,使空气流通。

※胸式呼吸:用鼻子深吸一口气,胸部鼓起,然后张开嘴,慢慢呼出,如此不断交替,在分娩的第一产程宫缩间歇期使用此法呼吸。

※有节奏地快速吸气、呼气交替,大约每2秒一次,不必吸气太深,在宫口开大期强烈宫缩时,很有帮助。

※屏气:先吸气至尽可能深时,屏住气,默念至10,然后再吐气,经反复练习,屏气时间可达半分钟或更长,在胎儿娩出期时应用。

※哈气:呼吸节奏加快,大约1秒呼吸1次,半张嘴,在胎儿即将娩出时会有帮助。

临产的先兆应细心体会

临近预产期了,孕妇已经到了相当疲劳的时期了,身体日趋笨重极易疲劳,稍微活动多一些就会心慌、手脚发胀、尿频,尤其到夜间,甚至会影响休息,还有些人便秘,长了痔疮。这些只要好好休息,就能缓解。孕妇要有信心,只要再努力坚持一下很快就会渡过难关。丈夫应该给妻子充分的关心和爱护,周围的亲戚朋友及医务人员也会给予一定的帮助和指导。有充分准备的孕妇,难产的发生率会大大降低。

接近产期有哪些症状呢? 在孕期的最后2~4周,初产妇的胎头会进入盆腔,孕妇感到轻松、舒服了许多,生过一个孩子的产妇可能不太明显。胎动"似乎"减少了,其实并不是真的减少,只是胎儿越长越大,子宫的容量有限,不能像以前那样大范围的拳打脚踢了,胎动幅度减小,但次数不少,每日3次做胎动计数,每小时仍在3次以上,如有胎动突然减少或不动,要随时请医生检查。还有一个症状是尿频但尿量少,这是胎头入盆压迫膀胱的结果。

这时要做的准备:

※准备好入院时的物品,保健卡(手册)、手纸、洗漱用品;

※记好应急电话号码,如医院、急救站、出租车及其他家人的号码;

※住院期间及产后由谁来帮助,要事先与丈夫及家人商量并决定好;

※出院时的婴儿用品及产妇出院时要穿的衣服。

保证顺利分娩的因素有哪些

分娩前,胎儿在母亲体内是什么样呢?头位(正常胎位)时,头朝下,四肢屈曲,躺在子宫内的羊水囊里,四周有羊水包绕,胎儿能自由活动,子宫颈像一扇关闭的门,把住出口。分娩,就是通过宫缩把胎儿从母亲的子宫和阴道挤出来。

顺利完成分娩有三大因素:

※产力

子宫收缩力(宫缩),把胎儿挤压入产道,并使子宫颈口逐渐张开,使胎儿头通过,在胎儿将娩出时,产力还要加上腹肌和盆底肌肉的收缩。

※产道

骨盆组成的骨产道是形状变化、弯曲的,胎头要通过塑形、旋转来适应它,寻找合适的路径通过,同时还要通过骨盆底肌肉、筋膜、阴道组成的软产道,如果它们弹性较差或胎头较大,也会使分娩过程减慢。

※胎儿

胎儿的姿势(头位、臀位、横位),胎头的方向,俯屈程度都影响分娩的进展,正常情况应该是头朝下,四肢屈曲,面部屈向胸前并随宫缩、胎头下降的程度逐渐变化方向。

胎儿处于子宫的羊水囊内,四周包围着羊水,宫缩时,压力通过羊水传给胎儿,均匀受力,不会使某一局部比如脐带受到过强的宫缩压迫,发生危险。宫缩压迫宫颈使之张开时,也是先压在羊水囊上,由于羊水的缓冲使宫颈受力均匀,在子宫口快开全时,羊水囊会自然破裂。有时医生为了加快产程或便于观察而刺破羊水囊,孕妇不会感到痛苦。

分娩的过程是怎样的及其注意事项

分娩的全过程包括宫缩开始到胎儿、胎盘全部娩出,分为三

个产程:

❋第一产程(宫颈扩张期)

时间:初产妇 11~15 小时,
经产妇 8~9 小时。

宫缩由稀疏到频繁,由弱到
强,由大约五六分钟一次,到两
三分钟一次,每次持续时间由 20
秒左右到 40 秒左右;强度逐渐
加强,刚开始宫缩疼痛较轻,按
压子宫的硬度如手指按在鼻尖的硬度相似,到宫口快开全时,宫
缩时子宫硬度如手指按在额头上一样。宫口逐渐扩张,宫口从
未开到宫口开 2~3 厘米比较慢,大约 8~10 小时,从 3 厘米到
宫口开全,大约 2~4 小时。

医生和助产士在此期间要询问孕期情况,阅读产前检查时
医生所做的检查、治疗,分娩方式鉴定结果;定时观察宫缩情况,
了解子宫颈口扩张情况,胎头在骨盆里的进展情况,听到医生说
宫口开"2 个"、"3 个",是指宫颈扩张情况,"减 1"、"加 2"是指
胎头的位置。在条件良好的医院,还会视情况做胎心率的监护,
了解胎儿情况;有时还会给孕妇注射药物,静脉输液,还可能刺
破胎膜观察羊水性状。

孕妇该做的是要放松、放松、再放松,要注意以下几点:

(1)宫缩是逐渐加强的,有规律的,不要屏气,全身僵硬抵
制宫缩,乱喊乱叫,这样非但不会减轻疼痛,反而会耗费体力,影
响子宫口的顺利扩张。

(2)要学会有规律的呼吸,就是在宫缩疼痛时,有节奏地浅
呼吸,大约每 2 秒一次呼吸,宫缩间歇时,做全面呼吸,慢慢吸
气,再后呼出。

(3)如果羊水囊未破,不一定要躺在床上,可散步或坐着,
选用最舒适的姿势,以利于肌肉放松,如羊水囊已破,最好侧卧
床上。

XINHUN BIDU

（4）可在此时吃些易消化的食物，但不宜过多，以免腹胀、呕吐。

（5）及时排空膀胱，以免尿液充盈膀胱，影响宫缩及胎头下降。

（6）子宫口快开全时，孕妇已有想排大便的感觉，但这时还不能用力，过早用力会产生疲倦，还会影响子宫口继续开大，要在医生准许后，才能用力。羊水囊一般在这时自然破裂。

❋第二产程（胎儿娩出期）

指子宫口完全张开（直径 10 厘米）。

初产妇时间约 1 小时，经产妇更短些。此时孕妇来到产床上，宫缩更频繁，更剧烈，有的孕妇感到间歇只是喘口气儿的工夫，下一阵宫缩又开始了。

医生或助产士会教导孕妇在宫缩时深吸一口气，屏住呼吸，如同大便秘结时排便一样，向肛门处用力，同时双手向上拉产床边扶手，双脚蹬住床边或脚架，大腿根部尽量向两侧分开。感到气不够用时，吐出肺内空气，然后再迅速吸入一口气，重新屏气、用力，直到宫缩结束。两次宫缩间歇期要尽量放松，正常呼吸，不要用力。

几次宫缩后，医生会要求孕妇不要再拼命用力了，这时胎头即将娩出，用力过猛会使胎头突然挣出，造成会阴撕裂。医生会让你徐徐地用力，胎头慢慢娩出，或者做会阴切开术，帮助过大的胎儿或会阴发育不好、弹性差的孕妇娩出胎儿。

胎头一旦娩出，还要在助产士的帮助下慢慢旋转，娩出一个肩膀，再娩出另一肩膀，然后，胎儿的其他部位就毫不费力娩出了。

很快，产房内会响起宝宝落地的第一声啼哭，此时此刻母亲的心情是无法用语言形容的。虽然疲惫不堪，但却心满意足，不胜自豪。

助产士为婴儿剪断脐带，擦干羊水，称体重、量身长、检查胎儿有无畸形，有无损伤，让母亲看新生儿的会阴部，分别是男婴还是女婴。在分娩记录上捺上小脚印及母亲的拇指印,给小宝宝的手腕上带上标有母亲姓名、宝宝性别及住院号的小手条,把宝宝放回妈妈的怀里。

※第三产程(胎盘娩出期)

胎儿降生几分钟后,又会有宫缩,但不很强烈,这时胎盘从子宫上剥离,排出体外,医生给产妇注射催产素,帮助胎盘剥离,也帮助胎盘剥离后的子宫收缩,减少出血。产妇可以自己在肚脐下摸到又圆、又硬的子宫。

至此,分娩过程全部结束。助产士或医生缝合切开的会阴伤口,观察一段时间,如没有特殊情况,就会把产妇和她的宝宝一起送回休养室休息了。

良好的睡眠质量对优生非常重要

睡眠能使身体得到完全的休息,是恢复疲劳的主要方式。这是生理需要。工作休息是有规律性的,就如同自然规律中有白天、晚上一样。白天从事各种工作,晚上应停止工作去睡眠,让体力、脑力得到恢复。如果睡眠不足,会引起疲劳过度,使身体抵抗力下降,不能对抗外来细菌或病毒的感染,从而发生各种疾病。睡眠时间的长短有个体差异,有人仅睡 5~6 小时即感到体力恢复,有的则需要更多的时间。正常成人一般需要 8 小时。孕妇因身体各方面的变化,容易感到疲劳,故睡眠时间应比平时多 1 小时,最低不能少于 8 小时。怀孕 7~8 个月后,每天中午最好有 1 小时的午睡时间,但不要睡得太久,以免影响晚上的睡眠。因此,午睡最多也不超过 2 小时为宜。

孕妇睡眠的正确体位是什么

人们卧床休息,不论采取什么体位,只要自己感到舒服就行。孕妇则不然,不能只顾自己,还要考虑哪种体位对胎儿更为有利。胎儿通过胎盘与母体进行气体及物质交换,获得氧气、养料,排出二氧化碳及废物。胎盘血液灌注的充足与否,对胎儿的发育与生存至关重要。孕妇的体位直接影响胎盘的血液灌注,故对孕妇体位应给予足够重视。

妊娠早期子宫增大不显,体位对胎儿的影响不大。此期孕妇一般多喜平卧,膝下垫枕,全身肌肉易于松弛。妊娠 5 个月后,子宫日益增大,对体位有一定要求,一般侧卧位比仰卧位为好。仰卧时子宫压迫脊柱前方的血管,下腔静脉管壁较薄,所受影响更大,以致阻碍下肢、盆腔脏器以及肾脏的血液回流入心脏,从而降低了心脏排血量,子宫盈盘的灌注也相应减少。若腹主动脉受到压迫则直接降低了子宫胎盘血流量,长期胎盘灌注不足,胎儿缺乏氧气及养样,可导致宫内发育迟缓。急性而严重的胎盘灌注不足可造成胎儿宫内窘迫,甚至危及其生命。另外,当下腔静脉受压时,下肢及盆腔内静脉的压力增加,可致静脉曲张及痣发生。提倡孕妇取侧卧位可以避免上述各种弊端。此外在正常情况下,妊娠子宫外右侧旋转,使子宫动脉受到扭曲,左侧卧位可使之得到一定程度的纠正,保证子宫血流畅通及良好的胎盘血液灌注。因此,左侧卧位又比右侧卧位为好。

睡时,孕妇可用棉被支撑腰部,两腿稍弯曲,或上面的腿伸向前方。孕妇如有下肢浮肿或静脉曲张,应将腿部适当垫高。

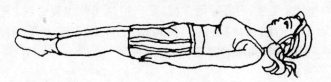

孕妇衣着应遵循的原则

孕妇体形的变化,主要表现为腹部日见增大、乳房逐渐丰满,胸围亦增大。孕妇的衣着应以宽大舒适为原则,式样简单,易穿也易脱,防暑保暖,清洁卫生。不宜穿紧身衣裤或束腰带来限制胎儿生长,这样会影响胎儿的发育。裤带及袜带不可过紧,以免影响下肢血液流通。由于孕妇体形的改变,服装设计可根据个人的爱好,选择能很美地显出胸部线条,并使增大的腹部显得不太突出的衣服,现认为"A"字型、上小下大的连衣裙比较好。也可选上下身能分开的套服,穿衣服比较方便。

 ## 适于孕妇的营养食物有哪些

为了优生,孕妇需要充足的营养。一切营养素都来源于食物。适于孕妇的营养食物有以下几种:

❋蛋白质

蛋白质是人类生命的源泉,是直接组成肌肉、血液等的基本物质,是参与生长发育及供给热能的营养物质。妊娠期每天需要优质蛋白质(含人体必需氨基酸的蛋白质)85克左右(非妊娠期60克),方可满足孕妇的需要。优质蛋白质主要来源于动物性蛋白质如蛋、肉、奶类及植物蛋白质豆类。

❋脂肪

能供给较多的热量,孕妇每日所需脂肪以60克左右为宜(非妊娠期约50克左右)。脂肪太多会导致肥胖。动物性脂肪来源于猪油、肥肉等;植物脂肪的来源为豆油、菜油、花生油及核桃、芝麻等。

❋糖

粮食、土豆、白薯等均含糖,是产生热量的主要来源。母体及胎儿代谢增加,需要的热量也增加,平均每天主食(谷类)400～450克即可满足需要。

❋矿物质

特别要提出的是钙、铁、钠等。孕妇需要钙量明显增加,食物中牛奶及鱼含钙高,且容易吸收,最好每日喝250～500毫升牛奶,或服钙制剂补充。孕妇对铁的需要量也增加,为预防贫血,应多食含铁丰富的猪肝、瘦肉、蛋黄、菠菜、胡萝卜等。钠与身体的新陈代谢,特别是与水代谢关系密切,过多或过少都不相宜,自日常饮食中摄入即可。

❋维生素类

缺乏会引起代谢紊乱。维生素存在于多种食物,如蛋、肉、黄油、牛奶、豆类及各种蔬菜。

※微量元素

如镁、锌、铜等,对孕妇及胎儿的健康是不可缺少的。海味中含碘多;动物性食品、谷类、豆类和蔬菜等含镁、锌、铜等微量元素。

总的看来,为保证孕妇的营养,需要多种营养食物。但必须强调合理的营养及平衡的膳食,即每种营养素应保证需要,不要过多,也不能过少。营养素相互之间应有适宜比例,保持一定的平衡。

 孕妇应谨慎食用的食物有哪些

※不吃不洁食物,以免引起胃肠炎、痢疾,导致流产或早产。

※不吃污染食品,特别是发霉粮油食品中所含的黄曲霉素。不吃含有亚硝基化合物的食品,如腌菜、酸菜等。这些污染食品不仅有致癌作用,而且还可诱发胎儿畸形。

※戒酒,以免因酒精中毒导致胎儿发育不良、畸形或智力低下。

※避免饮浓茶和浓咖啡,其所含咖啡因对胎儿可能造成不良后果(动物实验有胎儿致畸作用)。

※饮食不要太咸,如咸菜、咸鱼可引起水肿,或加重妊娠高血压综合征。

※少吃甜食或油脂太多的食物,因其可致肥胖。

 孕期怎样对乳房进行卫生保健

众所周知,母乳是婴儿的理想食品。为了产后能顺利地授乳,准备工作始于孕期。孕期乳房卫生包括以下几项内容:

※妇女怀孕后,乳房进一步发育长大,孕期不宜穿过紧的上衣,以免由于压迫乳房而妨碍发育。并佩带合适的乳罩,防止乳房下垂。

※孕妇的皮脂腺分泌旺盛,乳头上常有积垢和痂皮,强行清

除可伤及表皮,应先用植物油(麻油、花生油或且油)涂敷,使之变软再清除。

哪些职业的孕妇孕期应暂停工作

凡是对孕妇身体不利的工作和环境都应该给予回避。常见的几种情况有:

※过重的体力劳动,如搬运工人。

※频繁上下楼梯的工作,如送文件的工作人员。

※接触刺激性物质或某些有毒化学物品的工作,如石油化工厂某些车间的工人。

※受放射线辐射危险的工作,如放射科技术人员。

※震动或冲击能波及腹部的工作,如公共汽车的售票员。

※不能得到适当休息的流水作业的工人。

※长时间站立的工作,如售货员、电梯服务员、招待员等。

※工作环境温度过低,如冷库工人。

※高度紧张的工作,如机器作业的工人。

※单独一人工作,万一发生问题无人帮助。

以上情况均对孕妇身体不利,应暂时回避。为了母、婴的健康,在孕期应调换其他能够胜任而无害的工作。

怎样从饮食上缓解早孕反应

早孕反应的症状是各种各样的,每个孕妇的表现都不一样。但大多数有胃部沉重感、食欲不振、恶心甚至呕吐。为了不使母亲的健康及胎儿的成长受较大影响,就得想法摄取营养。

饮食上有以下几点应注意的事项:

※饮食不要求规律化,想吃就吃。每次量可以少一点,可以多吃几次。不必考虑食物的营养价值,只要能吃下去就可以。待早孕反应过后再恢复饮食规律。

※对空腹感胃部不适、恶心者,应事先准备一些孕妇爱吃的食物,如饼干、点心、蛋糕等,放于床边随时食用,恶心呕吐能得

到缓解。

❀想办法增进孕妇食欲,根据其爱好进行调味。如爱吃酸者,可准备些酸梅、酸柑橘或于蔬菜中加醋;喜食凉者,可予凉拌菜如凉拌豆腐、黄瓜、西红柿以及冰淇淋、酸奶等。不断改进烹调方法亦可增加食欲。

❀避免刺激气味,如炒菜味、汤味及油腻味等。

❀避免便秘,因便秘可使早孕反应加重。可多食蔬菜、水果及含纤维素的食品。若已发生便秘者,应多吃植物油、蜂蜜等,以保持大便通畅。

❀补充水分。除进食水果、汤菜、牛乳外,还可饮淡茶水、酸梅汤、柠檬汁甚至糖盐水以补充水分,并可通过利尿而将体内有害物质从尿中排出。当早孕反应恢复后,就不必过多饮水,以免引起浮肿。

婚姻佳曲

怎样和双方家庭成员和谐相处

两个相爱的人结婚组成小家庭的同时,也和双方的大家庭发生了密切的关系。新郎面对岳父母的家,新娘面对公婆的家,几乎都是陌生的,有着一定的心理距离。要和双方的家庭人员和睦相处,需要作出持久的努力,采用合适的方法。

❋对男女双方的家庭人员一视同仁,平等对待

这是一条重要的原则。不论男方还是女方,从结婚开始,都应认识到,结婚不仅意味着爱情的结合,同时也需要承担责任。结婚不仅是两个人的结合,也意味着毫无联系的两家人产生了亲戚关系,本人也成为对方家中的一员。承担这一关系,是婚姻的责任之一。那么,无论情感如何,在理智上应把对方的家人视作自己的家人,不分厚薄,一律平等相待。如轮流参加节假日双方的家庭聚会,在给双方家庭的老人亲友买礼物时

也要公平对待,如果女方主动给男方家庭成员买东西,男方也积极给女方家庭送礼物,双方都为对方的家人着想,这样做无疑会有更令人满意的结果。

❋重视情感联络以诚待人

由于婚前一般和对方家庭不会有太多的情感交流,所以婚后若要融洽相处,情感投入是必要的。尤其是和公婆或岳父母,仅仅从礼节上表示尊重和尽孝心是远远不够的,还应注意和他

们多多交谈,在精神上予以沟通,了解他们的想法和愿望,并切实地在生活上帮助他们,使他们真正感到媳妇或女婿是自己的亲人。和别的家庭成员也应尽量沟通情感,能够达成朋友加亲戚的关系是最理想的,这是一种大家能够互相关心、帮助和照顾的良好的人际关系。

※避免介入对方家庭成员之间的是非纠纷

初入对方家庭,对其中成员的个性、品格,对这个家的家风都不甚了解,所以应格外注意不对任何人发表不好的评论,以免引起误解或事端。如果对方家庭成员间发生纠纷,最好不要介入,也不要轻易作评论,更不要传话。如果要进行劝解,一定要对事情和双方个性有所了解,劝解时要站在公平的立场上,尽力做到大事化小,小事化了。在遇到这类事情时,最好和配偶多商议,倾听他(她)的意见,切不可自以为是,又自行其是,落得个两面不讨好或引火烧身的糟糕结局。

※随和宽容,落落大方

家庭中的许多事看起来都是小事,但若认真追究起来,也会涉及到自尊、面子、公平等问题。比如婆婆给媳妇们送礼物,给某个妯娌的似乎特别丰厚,而在所有妯娌送给婆婆的礼物中,你送的那一份却是最重的,这时,也许你会感觉不公平;你对待别人一向和颜悦色,可快嘴利舌的小姑子往往嘴上不饶人,你也许会感觉窝囊。在这些情景之下,如果你明显地表现出不愉快,丈夫也许会说你小家子气,旁人也会认为你不够风度。而事情却并不因此会有所改变。所以,聪明的做法是对婆婆真诚地表示谢意,对小姑子的不友好摆出一副大人不记小孩过的高姿态,而心里也是真正地对这些小事不屑一顾,因为你知道你只是在作宽容的让步。如果你坚持这样做,天长日久,一定会受到有良知的家人发自内心的尊重。

如果夫妻双方都能和对方家庭成员和睦相处,夫妻之间也就少了许多让人烦心的事。二人世界的生活会更清纯、更亲密、更美满。

怎样提升婚后爱情的层次

爱情不应因结婚而消失，而应由结婚发展到更高的层次。

从浪漫的爱到现实的爱，是情感列车的一次大转变。新婚的男女青年如何实现这一转变，而不至于脱轨翻车？

※要正确理解爱情的含义

真正的爱情是相爱的人之间的全面接近，是心理上的亲密感，精神上的相互融洽。

※要改变婚前心理定势

应该明白，人在恋爱时和婚后的心理定势并不一致。如果一个人在婚后保持婚前的定势，幻想对象同恋爱时一样浪漫，就难免会失望。

※要从日常小事做起

人是感情的动物，而爱作为感情的一种高级形式，又是可以通过日常生活中的积累而不断递增的。例如，妻子身体欠佳，丈夫主动将烧好的香甜可口的饭菜端到妻子手中；当天气转冷时，妻子已将一件亲自织好的毛衣悄悄放在丈夫的枕头边，等等。

情感交流是夫妻沟通的生命线

情感交流是夫妇沟通的生命线。情感交流障碍会阻碍夫妻间的正常沟通，使双方的情感变得自私起来；而关闭了各自心灵的门户，无疑会扼杀了夫妇关系发展的生命力。

一些婚姻问题专家认为，在夫妻之间建起一条牢固的风雨无阻的通讯线路，远非几句结婚誓词或者一口之功便能奏效的；相反，它需要以双方的共同努力、主动交流和无私奉献作为前提。

无声的交流是极富感染性的，它为夫妻间的信息传递铺设了背景。同样,言语交流也是感情沟通的重要方法。夫妻的大部分思想都必须通过言语来表达,夫妻的一部分感情也必须通过言语来传递,使对方了解自己的真实思想感情、动机需要,以利于夫妻双方进一步沟通。

感情的吐露是增进恩爱的最有效办法

新婚之后,夫妻间经常表达感情绝不是做作,而是爱意的自然流露,也是对对方表达爱情的最好鼓励。

在沟通不足的情况下,表达感情是改善夫妻关系的最好办法。

即使对方知道你爱她(他),你也必须表达,因为爱需要许多内容来体现。爱的形式也需要变化,爱情的更新和发展,有赖于双方不断表达新的思想、新的感情和新的眷恋。

较多的夫妻过分崇尚"含蓄",它阻碍了夫妻间许多必要的感情表达。

对爱人有爱意,就要想法把它表达出来,干吗要藏在心里?

要知道,让对方知道你爱她(他)是多么的重要——对方心情不好的时候,会快活起来;对方愉快的时候,会变得更快乐。

谁都希望自己有幸福的婚姻,自己爱着心爱的人,也被心爱的人爱着,这种幸福,是人生最感人的幸福之一。

为什么不说"我爱你",让爱人的笑容更灿烂地为你展现?昨天说了,今天也要说,明天还要说,爱情没有穷尽,感情的表达也没有止境。

正如爱情场合中一句常用的话:"你心换我心"。彼此说一声:"我爱你",这不但在初恋的情人之间会引起热烈的情感,而且在新婚夫妇之间,在老夫老妻之间,也可以唤起甜蜜的情景。

试想,从初恋到白头,有谁对爱人所说的"我爱你"表示过厌烦呢?

夫妻间爱意的表达不仅仅限于语言方面,表达的方式方法是多种多样的。除了经常说"我爱你"之外,还可以通过接触来表达,如拉手、拥抱、做爱都是重要的方式;此外,还可以通过欣赏和赞叹对方的言行来表达爱情,比如去观看丈夫的演出,津津有味地品尝妻子的饭菜等。

相爱的夫妻互赠礼品,给对方买最心爱的东西;他们互相容忍对方的缺点,并不求全责备;在困难时互相支持,在逆境中心心相印;他们配合默契,寻找机会避开他人来相互表达爱情。

总之,表达爱情不需要规定什么方式方法,只要夫妻间有那样的需求,就可以向对方随意、自然地流露,以此巩固和加强彼此的爱情。

怎样营造一个幸福的家庭氛围

新婚之后,丈夫与妻子都希望营造一个家庭的幸福氛围。

※营造家庭的休息气氛

任何人都因工作而产生紧张,回到家里,若能松弛这种紧张情绪,那么,第二天他才能充满新的活力,迎接新的挑战。

※营造一个整洁的生活环境

多数妻子都愿意自己成为能干的主妇。可惜,因为她们过分要求完美,反倒不能使丈夫在家获得充分的休息。例如,妻子不愿意别人弄脏家具,所以丈夫也就从来不请朋友到家里玩。

妻子太爱整齐清洁,一定要丈夫看完报纸后,整整齐齐地摆回原处;穿鞋子绝对不能踏地毯等。丈夫因处处受到限制,不能放松,也就得不到充分的休息了。

所以,营造一个幸福的家庭氛围,是十分重要的。

和谐的伉俪关系怎样保证

夫妻关系是家庭的主体。爱情是夫妻结合的纽带。所以,夫妻之间要平等相待,互敬互爱,体贴理解。

夫妻恩爱,不仅有利于家庭的和睦,而且从生理卫生科学的角度讲,还有利于身体健康。因为夫妻之间是否恩爱和睦,直接影响到双方的精神状态。据研究,人在精神好的时候,可以分泌出一些有益的激素,酶和乙酰胆碱,这些物质有利于身心健康,能把血液的流量,神经细胞的兴奋调节到最佳状态。因此,新婚夫妻就要注意维系感情的培养。

夫妻双方工作性质有不同,职位有高低,能力有大小,但都要平等相待。丈夫要防止和克服"男尊女卑"、"夫唱妇随"等大男子主义,妻子要尊重丈夫的意见和要求,不要自己说了算,使丈夫成为"妻管严"。家庭中要实现经济民主,共同安排好全家的收入和支出。本着勤俭持家的原则,过好家庭生活。

夫妻双方的兴趣,爱好可能不尽相同,在生活中,要互相尊重,不要强求一致。为了把夫妻生活安排得更生动活泼,丰富多彩,应兼顾双方兴趣,爱好,如不能兼顾,各自都应多为对方着想,互相适应。

在家务劳动中,夫妻双方要互相体谅,分担家务劳动。有些男同志,把全部家务推给妻子,自己只管饭来张口,衣来伸手,这是不对的。夫妻双方应根据自己的特长,主动承担,相互配合,能者多劳。

夫妻双方要以诚相见,不要互相隐瞒和猜忌,更不要有意搞无聊的"爱情考验",人为地制造矛盾。要支持爱人与其他异性同志、同事、朋友接触和交往,多参加社交活动。

在日常生活中,如果产生矛盾,要有忍让精神,采取克制态度,最好是开诚布公,平心静气地交换意见,以便及时消除误会和分歧,不要意气用事,冷嘲热讽,更不要出口伤人和打人骂人,夫妻相依为命,家庭才能和美幸福。

密切夫妻关系,要学会相互间通过甜言蜜语,加强感情的交流。

❋沟通性语言

如看了电影,相互谈谈观感,读了一本书,互相评判一番,单位里的事情,彼此交流看法,这些都是感情的沟通。心理学家建议,夫妻之间每天都要留出一定时间说说闲话。其实闲话不闲,它是夫妻间信息、感情沟通的重要渠道。

❋赞美性语言

人是需要赞美的。诚心诚意的赞美是对人的尊重和热爱,能唤起对方美好的情感。如妻子穿了一件新衣服,或丈夫烹制了一桌可口的饭菜,互相赞美一番,都可以使人在愉快中得到感情满足。

❋安慰性语言

生活中一个人遭遇挫折或不幸,常是难免的。这时,安慰性的语言能使对方领略到感情的温暖与力量。法国科幻作者凡尔纳在创作伊始屡遭退稿时,正是妻子的安慰使他获得进行新的尝试的勇气,并一举成名。在我们的现实生活中,也曾目睹过这样一种人,当妻子身体健康,能承担全部家务劳动时,丈夫笑容可掬,但妻子生病时,他不但不去安慰,反而像抽风似的拿孩子撒气。做饭时,故意敲的锅碗瓢盆乱响,从而加深了夫妻间感情的裂痕。

❋互酬性语言

也就是用语言表示报答和感谢。如丈夫为自己做了件事,说声"谢谢",妻子做家务累了丈夫应主动进行安慰,说声"辛苦了",这些都会使对方获得愉快的感受。

夫妻间的甜言蜜语是增进感情的添加剂。是维系爱情之花常艳的甘露,切莫等闲视之。

 ## 和谐的婆媳关系怎样保证

婆媳关系是家庭关系中的一个重要方面婆媳关系处理是否妥当,直接影响到夫妻关系,及其他家庭关系。

中国"婆婆"之掌权,慈禧太后之干政,实在有其潜在的因素,而并非事出偶然。《红楼梦》里的贾母。并不是一个"恶婆婆",但是贾府里有多少人命运简直就是操纵在她手里。

工业社会的来临,几乎把婆婆传统的权威击得粉碎。现在有些婆婆是靠儿子和媳妇,甚至只靠媳妇一个人来奉养,于是有些婆婆成了"管家妇",替媳妇洗衣煮饭料理家务,替媳妇带孩子,看家守门,婆婆的权威再无"用武之地";因此,现实生活中,处理好婆媳关系确有很多值得认真研究之处。

在我们的周围,确有许多五好家庭,婆婆疼爱、体贴媳妇;媳妇孝敬、尊重婆婆,彼此密切合作,使家庭和睦幸福,体现了一代社会主义新风。但是也有很多家庭,婆媳不和,矛盾重重,生活得不那么愉快。那么,怎样才能处理好婆媳关系呢?

❋生活上要互相关心

媳妇年轻,应多关心婆婆;婆婆年迈体弱,生活上往往需要别人照顾,作为媳妇应主动承担。在经济上每月多给婆婆点零花钱,根据老年人的生活习惯和爱好,按时给买一些喜欢的食品和爱吃的食物;婆婆生病时,媳妇要陪着去医院看病,取药,给婆婆做点可口的菜饭,买些罐头和水果。更要从精神上多安慰老人,使老人早些恢复健康。婆婆也要关心媳妇,现在一般年轻人不会做针线活,婆婆可根据情况主动帮忙。媳妇生小孩时,更要好好照料;媳妇上班工作忙,婆婆应在力所能及的情况下,帮媳妇做些家务,照看孩子。总之,人都是有感情的,婆媳之间只要互相体贴,就能和睦相处。

❋态度上要互相尊重

婆媳关系应建立在互相平等,互相尊重的基础上。媳妇首先要尊重婆婆,对婆婆要热情,有礼貌,说话要和气。婆婆不对时,当媳妇的也不能顶撞,可以委婉劝说,更不能背后数落婆婆;不能因老人守旧而瞧不起或冷落老人,要心平气和地与婆婆谈心,交换意见,婆婆也会通情达理的。当然,婆婆也要尊重媳妇,支持媳妇的工作。对媳妇有意见时,要当面讲清,以理服人,以情动人。不要背后议论,更不要当着自己儿女或其他亲属的面讲媳妇的坏话。媳妇管教孩子时,婆婆不要阻拦,或当孩子的面斥责媳妇,这样既能维护媳妇的尊严,又不至于把孩子惯坏了。

❊感情上要互相信任

婆媳之间虽然不是亲母女,但长久生活在一起,必须做到感情融洽,互相信任,不能乱猜疑。婆婆不要怀疑媳妇过日子有小仓库、顾娘家;媳妇也不要怀疑婆婆偏袒其他姐娌和小姑。婆媳之间有了不同意见和看法,要互相谅解,多做自我批评,多看对方的长处和优点。当一方发火时,另一方要保持冷静,回避一下或心平气和地解释开,千万不能对着干。

常言道,有钱难买婆媳和,婆媳和睦全家乐。这不仅关系到每个家庭的美满快乐,也影响着整个社会风气和精神文明建设。因此,每个年轻的媳妇和年迈的婆婆都应严格要求自己,使婆媳关系处得更好。

和谐的翁婿关系怎样保证

目前,青年人结婚男到女家的不少。岳父、岳母和女儿、女婿一起生活的家庭,翁婿关系处得好坏,直接关系到家庭的和睦、愉快。

在这样的家庭中,年轻人应当体谅老人的甘苦,从生活各个方面对老人多加照顾和关怀。就拿住房来说,应把光线足、面积大、通风好的房间,主动让给长辈,以表示敬孝之情。有些青年,总觉得男到女家,岳父岳母没有儿子,应对女婿实行"优惠"待遇,有大小两间的,要住大间,南北间的,要住朝阳的,这很不好。岳父、岳母奋斗了一生,退休后又没地方去,住室几乎成了学习、睡眠、活动的惟一的点,房间太小,对老年人是不利的。对青年人来说,情况恰恰相反,白天上班不在家,下班后很短时间就休息了,住室主要是睡眠地方。即使岳父、岳母把朝阳的大房间让给自己,平时也要把钥匙交给老人,动员他们到大房间里活动和休息。

在平时,当女婿的要注意自己的言行举止,说话要掌握分寸,不能挫伤老人的感情,自己爱玩爱唱,但不要影响老人的休息,遇事多征求老人的意见;外出时,要告诉老人自己的去向和时间,免得老人挂念;吃饭时,应请老人先入坐,不可不拘小节,独自先吃,特别是好菜好饭应让老人品尝,多吃,不要只顾夹给爱人和孩子吃;如果老人体弱多病,更应多加照顾,给请医生看病,做有营养的饮食,解除老人的烦恼和苦闷心理。

在家庭经济上,要事先商量好,最好有老人管钱。女婿和女儿每月交多少钱,应根据老人收入和自己的工资多少,本着宁肯自己少花一些,也要使整个家庭生活宽裕一些的原则,不要因为钱、物与老人争执。如果老人工资收入不高,生活不宽裕,自己应尽力分担家庭经济困难,勤俭持家,减轻老人的精神压力。

在家务劳动方面,年轻人更要主动,做饭、洗衣服、收拾室内外卫生等活,不能一下子全推到老人身上。自己应抢着干,让老人得到更好的休息,有更多的时间去参加文体娱乐活动。

从岳父、岳母角度看,应把女婿当自己的亲儿子对待,一切事情就都好办了。翁婿之间,只要互相关心,和美相处,就能建立起亲如父子的密切关系。

和谐的姑嫂关系怎样保证

俗话说:"缝衣少不了线连针,家和离不开姑嫂亲。"在一个家庭里,女儿毕竟是娘的亲骨肉,而媳妇是外姓,因此有什么思想问题,总愿向女儿透露。而姑嫂大都是年龄相近的人,无话不谈。因此,姑嫂关系搞好了,即使婆媳发生了矛盾,问题也比较好解决。根据老人的性格特征,小姑子可以采取灵活的方法,做好"解疙瘩"的工作。姑嫂双方应处处以精神文明为行动准则,互相关心,互相帮助。

当嫂嫂刚进门时,生活习惯不太一样,做小姑子的要热心帮助嫂嫂熟悉、适应新的生活环境,主动介绍老人的口味、性格等。在母亲面前,小姑子应多讲嫂嫂的优点和长处,不搬弄是非,努力促使婆媳关系融洽。

小姑子年轻,嫂嫂应像亲姐姐那样关心她,照顾她,特别是当小姑子恋爱、结婚时,当嫂嫂的应帮助出主意、当参谋。当嫂子工作忙,需要加班时,小姑子应帮助嫂子做些家务,接送孩子。姑嫂之间互相帮助,才能建立亲密的感情。

在家庭经济方面,小姑子不要依仗父母的宠爱,把自己的工资存在自己的小仓库内,应如数交给父母。不要跟嫂嫂争夺衣物或饮食;嫂嫂也要同样关心小姑子,支持小姑子的学习和工作。小姑子经济上遇到困难时,要无私地给予援助。

在嫂子和母亲发生矛盾时,小姑子应站在中间立场,不要站在哪一边或帮助哪一边说话。因为人在冲动的时候,理智上已经失去了控制,如果小姑子站到母亲一边,冲上去和嫂嫂辩论一番,必然会引起嫂嫂的恼怒,理由再充分,也只能是火上加油,越闹越凶。小姑子采取中立态度,分别做好双方的思想工作,姑嫂之间既不会产生分歧,又会加深彼此了解,使彼此关系更加亲密。

姑嫂之间有了意见分歧时,要互谅互让,学会克制自己。自己再不顺心,也不能出口伤人心。更不能背后发牢骚,或指桑骂槐,而要通过摆事实,讲道理来解决。姑嫂虽然不是亲姐妹,但只要互相关心,交心,以心换心,就能够建立起真挚的感情,亲如手足。

和谐的妯娌关系怎样保证

妯娌之间,原来素不相识,因为姻亲关系汇集到一个家庭中来。由于来自不同家庭,性格各异,又了解不深,互相之间往往容易产生误会,发生矛盾,但若相互待之以礼,文明相处,同样可以达到情同姐妹,亲如手足。

从日常生活中看,妯娌之间不和,并没有什么大不了的原因,多数是由一些家庭琐事造成的。有的新媳妇私心较重,不喜欢和妯娌、公婆等一起过大家庭生活,总想自己过清静日子,于是一进门就留个心眼,这样在行动上就会表现出种种异常,引起妯娌之间的猜疑、不满。时间长了,你这样干,我也这样,针尖对麦芒,自然会产生矛盾。也有的妯娌常因孩子发生口角,也有的由于家务活分工不明,你干多了,她干少了,互相推托而闹矛盾等等。

一个家庭,是一个小集体。家庭成员都应齐心协力,把这个集体建设好。妯娌间不能因为生活习惯、性格爱好等不同,而不友好地相处。妯娌之间,彼此是同志,又是姐妹,为了家庭这个大局,都应当讲风格。有礼貌,少猜疑,不计较,互相关心,互相尊重。

在生活上互相照应,是搞好妯娌关系的一个重要因素。比如,谁的工作较忙,没时间照顾孩子,他人可以多帮助接送孩子;谁要是妊娠、生孩子,但缺少经验,生育过的人应帮助做好孕期保健、产前准备工作,在月子里给予细心照料,使母子得到家庭的温暖和妯娌间的友爱;不管大人孩子生病,都要热情地请医取药,并给做些可口的饭菜,帮助做些家务等。

在家庭经济方面,既要合理负担,又不能斤斤计较。妯娌与老人都在一起居住的,要商定一个办法,由谁当家,每个月都交多少钱,穿衣由谁负责,零花钱多少,定个基本的原则,然后,大家都照着办。如果分居,老人又没有收入,需要子女赡养,应通过协商,确定各家应承担的义务。

妯娌一起生活,要珍惜建立起来的友谊,不要因为一点小事而发生口角,要学会忍让,克制自己;不能在背后议论人,传小话,以免引起分歧;而应通过交换意见,多做自我批评,求得和解;也不能因为孩子发生吵闹,妯娌之间产生隔阂,关心自己孩子,也要疼爱别人的孩子。

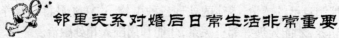

邻里关系对婚后日常生活非常重要

俗话说:"远亲不如近邻",建立良好的邻里关系,就能更多的互相照顾,互相帮助,改善生活环境,增加和谐气氛,使生活更加美满幸福。

邻里相处,难免要有一些利益纠纷,在遇到矛盾时,就需要彼此谦让,忍辱负重。苏州有个"六尺巷",传说是邻里两家为争三尺地皮曾大动肝火。其中一家家翁乃当朝宰相,故寄书告状,书寄京都,宰相阅后,当即挥毫题诗一首曰"千里寄书只为墙,让他三尺又何妨,万里长城今犹在,不见当年秦始皇。"忠告家人,为身外之物,不要伤了邻里和气。家中收信后,即退让三尺,对方一见,也番然省悟,也退让三尺,故出"六尺巷"。这一小故事,告诫后人,邻里之间应相互谦恭有礼,严于律己,宽以待人,只有这样才能搞好邻里关系。

邻里之间还应相互信任,不可疑神疑鬼,互相猜忌。古有齐人失斧之典故,就是讽刺那些毫无凭据,只凭主观意志,胡乱猜疑的疑者。这种猜疑,轻则影响关系,重则会引起口角斗殴,甚至产生难以弥补的严重后果。某报纸曾披露一乡村两户农家,为丢失一只公鸡,相互猜疑,继而指桑骂槐的漫骂,又由口角发展到斗殴,后其中一人持刀将另一人杀伤致死。为一只鸡,使两户人家家破人亡。如此悲剧,我们当引以为鉴。

处理好邻里,还应做到不搬弄是非,即成邻里就不两户人家的交往,古有"三人成"的典故,就是对那些不负责任的流言蜚语的鞭挞。社会上往往有很多子乌虚有的事情,传来传去,弄假成真,出现恶劣效果。特别是对一些挑拨性的传言,更要口下留德,切莫信口开河,张家长、李家短,产生连锁反应。对于不利邻里团结的事,要"谈到唇边留半句",甚至守口如瓶。

有些人性格直爽,处事泼辣,心直口快,毫无遮挡,高兴时,开怀大笑,不高兴时,立时狂风暴雨,劈头盖脸而来,甚至破口大骂,大打出手。处理邻里关系要特别防止行动上的偏激,要善于控制自己的感情,得体的处理各种事物,这样才显得有修养,有涵养,才能处理好邻里关系,才能和周围人相处融洽。

新婚夫妻互敬互爱的原则

夫妻是爱情的结合,夫妻间的关系是平等的关系,因此,这

就要求夫妻双方互相尊重。夫妻间的相互尊重,主要包含以下三点内容:

※要尊重对方的人格

不能以学历的高低,挣钱的多少,相貌的美丑,门第的"尊卑"等,压对方一头。

须知,若不加以注意,那么感情的破裂,家庭的解体,往往从这里开始。

※要尊重对方的工作和劳动

社会有分工不同,但工作和劳动无高低贵贱之分,鄙视对方的职业,进而看不起对方,这就给对方心理上造成压力,并影响夫妻感情。

※要尊重对方的兴趣和爱好

两个人共同的兴趣和爱好是可以培养的,但也允许各有不同。如果对对方横加干涉、限制,就会使对方有一种压抑感。"一个向隅,合家不欢。"这样的家庭也就会缺少温暖。

 ## 夫妻恩爱长久的维情秘诀

心理学家在调查研究中发现,一对恩爱夫妻的行为方式常表现为以下几个方面。

※倾吐衷曲

他们常以"我爱你"这句话倾诉情怀。严妨说出"你是什么意思。难道我不爱你吗?和你结婚还不是好的证明吗?"一位妇女说得好:"说'我爱你',本身就是爱抚的方式。"

※接吻拥抱

手拉手、臂挽臂、肩并肩、抚摸拍打、接吻拥抱等身体接触方式,使彼此的感情得以抒发。"拥抱对我来说,如同调情说爱、性生活一样重要"。一位妻子说。

※重视房事

最初几个月的甜蜜生活过后,性生活对夫妻来说仍然十分重要。尽管对性生活的要求不尽相同,但对"许身于你献深情"

的说法,是深为理解并加以实践的。对那些如漆似胶的夫妻来说,性生活是与钟爱之情、关切之心融为一体的。

❄敬慕赞赏

他们对爱人的美德总是赞不绝口。一位妇女说:"我丈夫始终是我最热心的观众,不管哪一天我做了什么事,或是在宴会上说了句什么机敏风趣的话,或是穿什么衣服,或是做的什么好吃的,自己好像是站在光彩夺目的聚光灯下,我也殷切希望能够尽情表达我对他的敬慕之情。要知道,爱别人是世界上最美好的东西,受人爱是世界上第二位最美好的东西。"

❄敞开心扉

恩爱夫妻都乐于敞开心扉,直抒胸臆,让对方了解自己的内心世界。他们交流思想,沟通感情,畅谈理想,纵论抱负。无论内心多么伤感、痛苦、恼怒,都向爱人尽情倾诉,因为他们能相互分忧解愁。当然,为数不少的人,不习惯明确表达内心深处的真情实感。然而,这样的人也同样需要信赖和依靠自己的终身伴侣。

❄关照体贴

在疾病侵袭,困难来临,危机当头之时,恩爱夫妻常常相互激励,齐心协力,并肩战斗。他们是风雨同舟、患难与共的真正朋友。相互关照,就是要关心别人的要求。一位妇女说:"我想,在爱情生活中,妻子所寻觅的一个最为重要的东西,就是一个能为家庭幸福而真正富有献身精神的丈夫。同样,这自然也是对方所期待的。离开这一点,还谈得上什么爱情、婚姻?"

❄互赠礼品

在节假日或者其他场合互赠礼物,是一种很好的表达感情的方式。礼品贵重与否无关紧要。礼品的真正含意在于你的一片丹心给对方带来的欣慰和快乐。

❄宽宏大度

任何一个幸福家庭都不可避免地存在这样或那样的缺陷和不足,关键是采取的态度应当是大度包容,知情达理,不为家庭的美中不足自寻烦恼或制造痛苦。他们明白,世界上没有完人,自己的爱人不可能尽善尽美,其缺陷与美德相比根本不值一提。他们愿意看到生活的积极方面,而绝不止任何消极的东西来破坏他们的美满婚姻。

※夫妻同乐

创造机会争取时间单独相处,尽情共享美满婚姻之乐。他们知道,爱情需要关注和时间,他们不愿参加使其分离或者无意义的活动。

如果对自己的婚姻生活很不满意,如果夫妻之间矛盾很多,如果想彻底改善夫妻关系,最好的办法就是重温上述九条秘诀,并付诸实践。

怎样应对婚后的情感失落

"婚姻是爱情的坟墓"这句话常听人说。之所以这样,是因为说这话的人,对爱情和婚姻的理解不够实际,也缺乏深度。

第一,结了婚的人,其心理与恋爱时是不同的,在爱情的表达方式上自然就不一样。婚前,恋爱双方把倾心相爱的感情以渴望和追踪的形式表现出来,彼此对恋人的要求能付出任何代价来满足,以赢得恋人对自己的好感,还时刻担心恋人是否和自己心心相连。婚后,这种紧张感消除,不需要对爱人紧追不舍了,就像那句话"钓上来的鱼不用再给饵"。然而,这并不是说爱情随着结婚的到来而死亡,而是情侣双方心理发生了变化,爱情的表达方式也相应变化。第二,爱情在婚姻生活中发展。婚后,衣食住行、生儿育女,家务琐事随之而来,这都是家庭生活最基本的内容。在每天有节奏、有规律的生活中,丈夫不可能像妻子期望的那样持续不停地献殷勤,无微不至地给予关注;妻子也不能像丈夫期望的那样永远展现美丽大方、温柔多情。双方已不同于热恋阶段,而是在实际生活中,少有爱的表白和浪漫,更多的是爱的实际行动。婚姻生活中,把对方的心理需求与自己的满足看得同样重要,爱情才能发展。那么,婚后失望怎么办呢?

首先,要冷静地分析一下婚前的期望是否超越了现实。几乎所有人在结婚前,对婚后的生活有这样或那样的向往。这些期望有合理的,也有不合理的,比如有的女人非常羡慕电影电视中描绘的恩爱夫妻,希望丈夫也会那样对自己;还有的女人期望婚后丈夫一切服从自己的意愿等。但是,婚后的现实不可能那样。当感到婚后失望时,就应该冷静分析一下自己的婚前期望是否过高,倘若期望不合情理,就干脆放弃,以缓解失望情绪。

要避免婚后失望,还应该认识到期望是有连续性的。夫妻关系的真正融洽,很难在一朝一夕便能建成,而是会有个相互适应、相互调整的过程。所以,新婚夫妇不要将希望割裂开来,而应把期望看成是连续的,犹如登山,一步一步向上攀。这样,即使夫妻间发生冲突或受到点挫折,也不至于感到失望。

婚后感情生活中"理解万岁"

两人恋爱时就决定要"改造"对方和完善自己,结婚后更是要"修正"各自的个性和生活习惯,使之与家庭生活相适应,这个阶段通常被人形象地称为"磨合"期。中国家庭又一向主张"和为贵"。要和,则必须去掉家庭成员的棱角。

如何在家庭中做到如鱼得水,需要家庭主要成员具备相处的艺术。近年都市家庭流行一句口号:"婚姻是一种艺术,把配偶当外人。"在理论上,这叫保持心理距离。

对方有毛病不要刻意纠正,不要往心里去,而要解脱出来。这绝非脱离社会。为了自我保存,有时往往需要把自己封闭在孑然一身的世界。这种能力也可以说意味着健康。那种不时刻与他人进行感情交流就不能心安理得的人,才真正有问题。

有人感叹:"真实的东西固然可贵,有时却并不可爱;真心的恋爱固然重要,有时却未免可行。适当隐藏你的真实,'用心'相处,也许你会更幸福!"

正如距离产生美一样,人的好奇心是与生俱来的,人的征服欲也极强。要想让自己对配偶产生持久的吸引力,就有必要放长线钓大鱼慢慢地"吊对方的胃口"。只要保持"新"不产生"旧",即使人类有喜新厌旧的天性,也不会失去对方。

"久别胜新婚"也是这个道理。两人同在一个屋檐下总是相互看不顺眼,你争我吵,大动干戈。一旦分开又后悔不已。如果这类夫妻在家中也把配偶当外人,就不会把对方当作最亲近的人任意发泄在社会单位中产生的怨言。很多夫妻对配偶暴跳如雷后总是很委屈地道歉:"你是我最爱的人,我的气无处发泄,不向你发泄向谁发泄啊?如果有一天我不对你发脾气了,那么你就不是我的心上人了,而是一个普通朋友甚至陌生的外人。"

一位饱受妻子任性性格折磨的作家说:"从情理上讲,我应该当她的出气对象,为她分忧解愁,但是我还有事情要干啊,特别是创作需要宁静的心绪和环境,我无论多么通情达理,也不可能不因为她的大吵大闹而影响创作情绪。从情感角度看,我愿意妻子把我当信赖的人,在我面前能欢能愁,但是从家庭的致富和事业的繁荣发展上看,我根本不需要因妻子太信任我而产生的内耗,我宁愿她把我当外人。"为了各自拥有一个空间,都市家庭开始流行分室而居和同城分居两地的"分偶"现象。当然,家庭的独立意识也不能够偏激。夫妻俩太独立对婚姻只有破坏而无建设。

怎样"囚禁"妻子的芳心

夫妻感情之链,是由无数细小的环节组成的。作为丈夫,自然要有一个博大的胸怀,更要粗中有细,多一份柔情,才能与妻子细腻的感情需要达成和谐,使妻子能得到情感上的满足。

在夫妻生活中,丈夫要记住哪些具有特别意义的细节呢?

※妻子的生日

妻子过生日时,丈夫如能主动提起,即便是一份小小的礼物,作妻子的也会打心底里感到无比的甜蜜,她能真切地感受并感激丈夫对她的一片情意,心理上得到满足。即使平时双方有些摩擦,也会在这小小的满足与甜蜜中烟消云散。如果妻子的生日被丈夫忘得一干二净,甚至连句慰藉的话语也没有,她自然会感觉到你忽视了她的存在,淡漠了对她的感情,甚至会发生一些不悦之事。

※结婚纪念日

影视剧中常有这样的情景:妻子精心打扮一番后,深情地对丈夫说:"今晚我俩出去吃顿饭好吗?"这时,丈夫如果不解风情地对此提议不屑一顾,或者推托有事不能奉陪,那么妻子的失望就可想而知了。

※加调味品

生活中有些细节,就像在清汤里添加的调味品一样让人余味无穷。当你出差到外地时,给妻子寄一封言简意赅的信或打个情意绵绵的电话,寥寥数语,保证那头你的妻子会幸福地晕倒。平时大多是妻子做饭,当妻子晚归或是身体不适时,你主动动手做好,即使一个月只有那么一次,你给妻子的心理感觉就会大不一样。

※善待妻子的家人

不要认为好男人都可以"大礼不辞小让",家庭生活的礼仪也不能忽视,尤其是妻子那一边的事情。别忘了经常给妻子的家人一些关怀,在妻子的心目中,这也是对她的关爱,妻子一定会铭记在心,自然会对你更加温柔体贴。

细心有加的丈夫能使妻子充分感受到家的温暖,也能增加家庭的凝聚力和生活的情趣。所以你不妨在百忙之中多审视一下自己,多关照妻子的心理需要,效果可能大不一样。都说细心的男人是女人的福气,那其实是在为自己造福。

怎样面对丈夫的婚前女友

当昔日初恋的女友出现时,丈夫难免会怦然心动,泛起思恋怀旧的涟漪。此时,作为妻子,该如何应对?

首先,莫要以为你就是胜利者,虽然你已经拥有了他,但是要知道,得不到的却常常是最有魅力的。

如果事先知道她要来家中作客,可留意一下自己的穿着打扮和举止风度。这样当你与她相傍而坐时,让丈夫情不自禁地做着比较,在一般情况下,同年龄间虽有差异,但各具风雅,至少不会因此失分。

谈话间要很融洽自然地把握话题。丈夫与昔日女友难免要叙叙旧日情谊,共同追忆往昔的浪漫。此时,你尽可坦然处之,表示充分理解。但几个回合之后,就要不露痕迹地把话题拉回到自己的家庭生活中来,甚至还要有意无意间做出一些关爱的亲昵动作。这些会让对方在心理上感受到你家庭的幸福美满,至少轻易不会产生一些重温旧情的幻想。

如果对方并非光彩照人,而正面临困境,如下岗、离婚、疾病等,此时作为妻子,一定要落落大方,慷慨相帮,一个善解人意又极富同情心的妻子,不仅丈夫十二分地满意,对方也会心存感激,对你的为人由衷地敬佩,觉得再有什么非分之想就是有昧良心。

丈夫、妻子、女友之间的情感尽管十分微妙,但都有一个守恒与转化的度,处理上佳的,是三者都能相敬如宾,成为知心朋友。当然,这要看各有一份主动权的三方各自的修养如何了。

 ## 怎样"囚禁"丈夫的爱心

※以鼓舞代苛求

"一个丈夫若受到苛求,他情愿住到露天的屋顶上,也不愿回到家里来。"喋喋不休的苛求让男人愈发沉溺在不良嗜好之中,如果你能接受一个"真实的丈夫",以鼓舞代苛求。丈夫将成为世界上最快乐、最爱你的人。

❈随时赞美他

假如你真爱你丈夫,现在就告诉他;假如你感受到他的好处,随时赞美他。女人爱听甜言蜜语,男人同样需要这样,即使他的个子不高,也不妨让他觉得自己"高与天齐"吧!

❈满足他的口腹之欲

没有一个男人喜欢一年到头吃"家常便饭"。你必须在烹饪艺术上下一番功夫,以博取他的宠爱。当他发现离开你他不可能吃到一顿称心如意的晚餐时,他这一辈子就会跟定你。

❈保持窈窕的身段

所有的丈夫都希望他的妻子是一个曲线玲珑的女人,如果你的身体超重,你必须立即采取行动来消除身上那些不受欢迎的脂肪,否则,恐怕你整个人都不会再受欢迎了。

❈衣着翻新

没有比长年累月穿同一件衣服,同一件睡袍令人意兴索然的了。而精心刻意的穿着可以带来罗曼蒂克的气氛,使他对你永远保持新鲜的爱情。

❈做他的"性对手"

有人提醒妇女们:"不要老是按照同一模式,在同一时间中做爱。"让你们的性爱有生气,不只是无可奈何的发泄以及冰冷的回应。性生活不协调是感情不睦的导火线。聪明的人知道,家务事里也包括对丈夫肉体上的安慰。

❈争取时间,做事有计划

一个做事无秩序的妻子绝对不可避免地成为一个黄脸婆。如果你每天花几分钟把待做的事按轻重缓急计划一下,就可以省去许多无谓的忙乱和焦躁。只要你切实利用时间,你就可以完成一切丈夫所期望于你的事务。

❈量入为出

不要埋怨丈夫赚钱不够多,要在有限的收入中审慎支出,依照预算处理家庭财政。使经济生活安定乃是减少夫妻龃龉的好方法。

※**妥善照顾家庭**

丈夫喜爱的妻子通常也是儿女的好母亲,把家整顿好,把孩子教养好,你自然就拴住了丈夫的心。

※**保持自信**

若你不能爱自己,你就无法爱别人,也无法让人爱你,因为你一无可取,也一无可予。你接受你丈夫,同时也要接受你自己,自信能让你做到你想做的任何事。

 ## 同父母同住的五大好处

※**互相照应**

年轻人工作忙,家是温馨的后方;父母有病,可以得到孩子的照顾。

※**有安全感**

和父母在一起,永远都是长不大的孩子。他们是孩子的保护神。

※**省心**

家里的事他们操的心最重。父母在家,出门不用带钥匙。

※**省力**

买煤气有人送,买纯净水有人送。保姆把衣服给洗了,饭给做了。有孩子的,父母给带了。

※**省钱**

至少水电费父母给掏了。父母不会计较他们都付出了多少。小两口抓紧时间存点钱。

 ## 不及格丈夫的表现

※**懒**

62%的妻子最忌讳丈夫懒惰,下班回家不做家务活,而是等妻子回来做饭吃。

※吝啬

做丈夫的忌吝啬。"嫁汉嫁汉,穿衣吃饭。"你工作得这么辛苦,不就是为了让她过得更好么?只要能力许可,千金买一笑又如何?拿出点气度来,做一回男人嘛!

※花心

做丈夫的最忌讳花心。世上没有比丢了西瓜捡芝麻更傻的事。两情相悦白头偕老才是人间最珍贵的。为了不相干的女子惹自个太太不高兴,值得吗?一头扎进脂粉堆里的男人,醒醒吧!

※没有口德

跟女人吃一餐饭也要到处宣扬,不负责地毁坏女人名誉的男人是最可恶的,与强奸犯同罪。

※暴力

打老婆的男人绝对不是男人,是男人怎么会跟女人比体力,不是一个重量级别的嘛。只有在外面抬不起头的男人才会回到家里耍威风。

※肤浅

做丈夫的要忌肤浅,不学无术。不强求你是文学家,但也不要以标榜自己是文盲为光荣啊。

※嗜烟酒

抽烟喝酒本来都没啥,可是上了瘾就犯傻了。这不但会引起妻子的反感,而且对自己和妻子,儿女的身体也有害,为了健康,为了幸福,少抽点吧。

※不拘小节

做丈夫的忌以为在家就可以毫不顾及妻子的不良情绪,"不拘小节",暴露自己的不良习惯,长此以往,会引起妻子的厌恶,影响夫妻感情,破坏自己的形象。比如在家里不洗脚,吃饭时有不文雅举止等。

❋不按时回家

妻子的一位朋友说,每天她在回家路上的最大愿望是:远远就能看到自己家中的窗户透出暖暖的灯光,奔过去敲门,丈夫应声出来开门。

这样的时刻,一个人走在黑黑的楼道里也觉得心安。因为知道前面有盏为自己点燃的灯,有一位盼望自己归来的人,尤其是在冬天,自己不必用冻僵的手摸索钥匙开门,真感到无比幸福。

正如一首歌唱道:让我为你点亮一盏灯,让我为你守候。其实,按时回家,点亮家中的灯,真是爱情最朴素的体现。只不过,偶尔为之不难,一辈子那么做就难了。

就如那位朋友,她的期望常常要落空,她的丈夫总是隔三差五要同朋友一道出去"潇洒"一番,很少按时回家。

如今这样的人并不少见,弥漫于整个社会的浮躁将家庭也卷入其中,使很多人难以面对平静如水的日常生活。他们以种种借口晚归或不归:赶材料、加班、开会、应酬吃饭、跳舞、唱歌,甚至朋友打麻将三缺一也是堂而皇之的理由。

然而,外面的世界很精彩,外面的世界很无奈。一个人累了的时候总是要回家的。

还记得《飘》中让人心碎的结尾:当郝思佳除了金钱,丧失了她赖以生存的一切,母亲、父亲、女儿、情人,才突然发现自己一直是靠瑞德的爱这堵石壁上,安然度过命运中的险滩、急流。于是她气喘吁吁飞奔回家,可是瑞德却离她而去——他独自守候家里的灯光,已经太久,他累了。

家就是这样,不能只靠一个人支撑。家,的确可以让我们身心放松,但是家的存在绝不仅仅是为了收容疲惫。对于家,只是索取温存却从不奉献一点体贴,很难想像家中的另一半能不能容忍到老。

按时回家,只是家庭协奏曲中的一个小节,但却是起始的一节,她将决定行将奏起的主题是快乐、甜蜜还是忧伤、沉闷。

"君问归期未有期,巴山夜雨涨秋池,何当共剪西窗烛,却话巴山夜雨时。"想想诗中所写的有家不能回的人,真应该珍惜回家的日子。

※对妻子的感情无动于衷

63%的妻子,最忌讳丈夫对自己的感情无动于衷,比如丈夫下夜班,妻子送上一杯热奶,而丈夫连一句关心的话都没有。

※心胸狭窄

66%的妻子最忌讳丈夫心胸狭窄,她们认为男子汉应该有大将风度,心胸宽广,小气的丈夫会使妻子觉得办不了什么大事。

※对妻子娘家人不热情

77%的妻子最忌讳丈夫对自己娘家人不热情。

※开口便叫"滚"

93%的妻子最忌讳在夫妻争吵时,丈夫开口便叫"滚",或者声称要离婚,因为这些话很伤感情,也是妻子听了最伤心的。

不及格妻子的表现

※对于丈夫"性趣"进行批评

"性"是婚姻的第一大事。做丈夫的最忌讳的就是妻子对于自己"性趣"的批评,那会令他索然无味,因为自卑而渐渐失去对妻子的热情。如果这时有新的对手来到,很难不乘机而入哦。

※苛求完美

女孩在做了母亲之后升格为真正的女人。而男子不会生孩子,所以永远长不大,女人对此一定要给予谅解,不要总以"你是男人"的大前提来苛求他。男人怎么了?男人就该力拔山兮气盖世?对男人的要求过高,会越来越加大他的压力,从而使夫妻日渐疏离的。

❋一切标准化

百科全书做教授、做同学或者做朋友都可以忍受,惟独不能做太太。谁要同"永远正确"耳鬓厮磨?万一他挑剔自己亲热的姿势不合标准怎么办?生活不是计算机,不需要过分格式化,稍微随意一些,会让彼此都轻松得多。否则,你只好在图书馆里孤独到老了。

❋盲目攀比

世上美女何其多,你比得过来吗?溺水三千,他只取你一瓢饮,这是你最大的骄傲与自信,何必一定要比别人强,你又不是别人的太太。虽说出门像贵妇,但那是指就家庭的实际情况而言。如果丈夫月收入一千,你却非要穿名牌。最终会影响夫妻感情甚至会引起夫妻关系破裂。

❋世俗

是非往往就是这么来的。对于花边绯闻过于热切会损害自己的气质形象,让丈夫觉得你世俗委琐。好女人应该懂得为他人保守秘密,远离丑闻。

❋把恩情挂在口头

时刻提醒他,你对他的恩义,只会加速他的忘记,恩重复千遍就变成了仇,说不定他心里正后悔当初受你一碗嗟来之食以至落得今日不自由呢!

❋过分指责

妻子对丈夫无伤大雅的小错不要总是指责。要知道,走错路了已经够懊恼的了,如果这时你能表现得耐心而兴致勃勃,他会很领情并感谢你的宽容。男人的要求其实很低,有时候,一个温柔的笑比一千句赞美的话都更容易令他感动。

❋关心过度

美国心理学家分析,每个男人在情绪上都有一个"黑洞"时期,每当进入"黑洞",他便显得沉默寡言,郁郁不乐。这时候他最渴望的是宁静。千万不要滥用温情,咄咄相逼,关心过度。这种过分的关心只会让对方觉得你啰嗦没听说过"距离产生美"么?

婚姻瘴曲

常见男女性功能障碍

许多单独因素或综合因素都可以引起性功能障碍。任何分散性兴奋的因素都可以阻碍阴茎勃起(男性)、阴道润滑(女性)、高潮/射精(两性)。某些影响自主神经系统或有镇静作用的药物,也可引起性功能改变。常见男、女性功能障碍见下表:

女性	男性
1. 性欲缺乏	1. 性欲缺乏
2. 性高潮缺失	2. 早泄
—原发性	3. 阳痿
—继发性	—原发性
—条件性	—继发性
—随机性	—器质性
3. 性交疼痛和阴道	—药物性
痉挛	—心理性
—原发性	—综合性
—继发性	4. 不射精
	5. 逆行射精

阳痿的原因及治疗方法

阳痿是常见的男性性功能障碍之一,是指男性虽有性的要求,甚至有较强的性欲或频繁的性冲动,但其阴茎不能勃起(轻者勃起不坚),无法插入阴道。

阳痿分原发性阳痿和继发性阳痿。原发勃起困难(勃起时间短暂,不能维持到阴茎插入阴道),往往与对性生活过度焦虑有关,但并不常见。治疗即焦虑的心理学治疗。

继发性阳痿很常见。其原因有心理性的、器质性的,或药物性的。心因性阳痿常伴有早泄或急性酒精中毒史,担心自己的性交能力是最常见的原因。

一般而言,由器质性疾病引起的阳痿往往没有具体的突发诱因,其发作呈进行性恶化,甚至在任何情况下(如夜梦、手淫等),阴茎也不能勃起。阳痿者有的有性欲,有的没有。

器质性阳痿与四种疾病有关:内分泌疾病、血管性疾病、神经性疾病、全身衰弱性疾病。

药物性阳痿除了酒精和药物成瘾之外,抗高血压药(包括利尿药)、抗焦虑和抗精神病药、溃疡治剂(除单纯抗酸药以外)三类药物可引起阳痿。

实际上,大多数阳痿是心因性阳痿。有的人因童年起就对女性心怀恐惧;有的从青少年期长期手淫,又对手淫没有正确的认识,焦虑和自罪的情绪一直持续到结婚;有的对妻子存在敌意、怨恨和恐惧或者女方要求太过,精疲力竭,无法勉为其难;有的遭遇突然的生活打击、工作紧张、性生活环境受外界干扰等;有的对一次性交后的一段不应期缺乏了解,或第一次性交时精神紧张未获成功,误以为自己阳痿,随之产生恐惧心理,于是诱发真正的阳痿。无论何种心理因素造成的阳痿,阳痿者在性生活时往往无心于体验性的快乐,而是出现强烈的"操作焦虑",这种焦虑分散了对性兴奋的注意力,于是导致失败。下一次焦虑更甚,陷入恶性循环。

对阳痿的治疗,要根据引发的原因区别对待。器质性阳痿应找出原因,治疗原发病;药物引起的阳痿,除非必需可停止用药,性功能可望恢复。但器质性因素所致的阳痿,常常也有精神心理方面的因素同时左右,不可忽视这一点。

对心因性阳痿,应尽量从病史中查找原因,消除精神和心理上的顾虑及负担,培养自信心。专家们认为:一个男子,不论什么时候,只要他阴茎有过完全勃起,则他患阳痿的根源,不会是身体方面,而是精神方面的。所以,应该满怀信心地去医治。开始,可以暂停一段时间的性生活,养精蓄锐,协调一下兴奋和抑制平衡;在体力和脑力方面要避免过劳,多参加一些文娱活动和体育锻炼,转移"兴奋灶",增强体质;不嗜烟酒,戒除手淫,保持阴茎的清洁卫生,避免刺激;如有全身疾病要积极治疗,这样就会逐渐赢得性生活的能力。另外,在阳痿的治疗中,妻子的配合非常重要,妻子的耐心和理解,可以宽慰丈夫的心;妻子的外表、亲吻、爱抚以及热情的语言等可成为性兴奋的刺激,使丈夫消除担心,将精神集中于性生活愉悦的享受,使性生活获得成功。

阴道痉挛是怎么回事

阴道痉挛又称性交恐惧综合征,是女性性功能障碍的一种。当试图性交时,围绕阴道外 1/3 段的肌肉群发生不随意的痉挛反射,于是这些肌肉强烈收缩成一个环状肌肉团块,像一个中心微凹的围棋子,把阴道入口关闭得紧紧的,以致性交根本无法进行,甚至连医生常规的妇科检查也行不通。

阴道痉挛的主要原因是心理性的,和发生性交疼痛的心理性因素类同,如不当的性教育,遭受过性的创伤,初夜时丈夫的粗暴等,留下痛苦的记忆,或因疼痛和创伤引起痉挛,反复发生后形成条件反射,对性交非常恐惧,使夫妻生活的努力屡遭失败,并因此而造成严重的身心创伤和痛楚。

阴道痉挛分原发性和继发性两种,还有一种是境遇性的,即由于环境改变而发生痉挛。

在女性性功能障碍中,阴道痉挛是比较少见的,治疗效果也最好,治愈率可达 90% ~ 100%。医生会通过讲授科学知识使患者学会放松肌肉,使阴道得以逐步扩张。丈夫也应积极配合,以使妻子早日恢复正常。

什么是蜜月病及其解决办法

新婚期间,男女都较易发生泌尿系感染,主要是急性肾盂肾炎和急性膀胱炎,女性多为合并尿道炎,男性多为合并前列腺炎。这两类炎症称为"蜜月病"。

急性肾盂肾炎发病急,高烧可达39℃以上,并伴有恶心、呕吐、便秘或腹泻。泌尿系症状为腰疼及尿频、尿急、尿痛等。尿可以出现浑浊或恶臭,还可能出现血尿。如不及时彻底的治疗,将会反复发作,变为慢性肾盂肾炎。

下尿路感染所致的膀胱炎和尿道炎,常是起病急,表现为尿急、尿频、尿道灼热刺痛并于排尿时加重及耻骨部疼痛等,常伴有血尿;严重者排尿次数多至无法计数有如尿失禁。一般不发烧。

❀蜜月期发生感染原因

(1)初次性生活时,由于处女膜的破裂、阴茎进入阴道、双方外阴的摩擦等,打破了生殖器官原有的生理平衡,因而容易出现感染;

(2)不注意性器官和手的卫生,盲目触摸,将细菌带入生殖道,引起感染;

(3)新婚期忙碌劳累,再加之性生活频繁,则导致身体疲劳,抵抗力下降,细菌便乘虚而入,如果又患感冒等,尤其容易引起感染。

"蜜月病"的预防主要是注意性生活的卫生,治疗则是对症下药,口服抗菌素等。未治愈期间,应适当减少或禁止性生活,以利身体的恢复。

❀性器卫生保洁要点

(1)除了日常的沐浴之外,在性生活前男女都应清洗外阴和生殖器。男子要注意将包皮翻转,仔细清洗龟头和阴茎冠状沟内的污秽,并将阴囊皱褶及阴毛丛中的污物洗净。女性外阴的清洗,应注意大小阴唇和阴蒂附近的垢腻,最后还要清洗一下肛门附近,清洗时应由前往后。正常情况时不要冲洗阴道。因为阴道有"自净"作用。无疾病情况下,频繁清洁冲洗阴道,会破坏它的酸性环境,反而造成细菌易于繁殖,造成感染。

(2)性交后,最好能冲洗外阴,女性最好排便一次,因为尿液有冲刷尿道及阴道前庭的作用,对女性的健康颇为有利。

(3)清洗时使用干净的毛巾或软布。

(4)性交前将双方的手清洗干净同样重要。

(5)经常更换内裤,最好每天一次;内衣和床单亦应经常更换。

什么是女性的"性心理障碍"

女性"性阴影"是指性生活中,女方往往产生一种被侮辱、被强奸、被蹂躏的感觉,心理上的不愉快,就会造成她们对性生活的恐惧和冷淡,这就是潜意识的"性阴影",也叫"性隐忧"。

男性对女性"性阴影"的促成有以下几种类型:

(1)没有感情沟通,没有前戏。

(2)没有商量,强行性交。

(3)性交时,对女方吹嘘自己原来的风流艳史。

(4)女方有病,不加体贴,强行性交。

(5)当女方有性要求给予明示或暗示时,一口拒绝,且不讲明理由,不加安抚。

(6)常用污言秽语谩骂女方,甚至用涉及性交的词语攻击对方。

(7)不征求女方意见,随意改变性交体位。

(8)男方在外寻花问柳,染上性病并偷偷传染给女方。

导致不育的原因有哪些

专家曾经指出,不育的原因实在是太多、太复杂了,其中就包括性交技术方面的问题。在临床实践中,医生经常会发现,在来诊的所谓不育病人中有相当一部分人并非不育,而是不懂得如何生育。要想生育,必须要有正常的性生活,使精子与卵子有相逢受精、进而形成胚胎的机会。

因性问题引起的不育中有两种情况:一是性功能正常,而性交方法不当;二是性功能障碍,包括功能性与器质性,如阳痿、早泄、不射精及一些解剖原因造成的性交不能正常进行的情况。

✹非阴道性

交个别人对生殖系统的解剖部位不了解,结婚多年,女方的处女膜仍然完整无损。原因是非在女方阴道内进行性交。可能错误地在尿道内、肛门内或女方两大腿之间摩擦抽动。这相当于把种子播在无土的地面上,怎么会生根发芽呢?

✹体位不当

采用男上位性交时,射出的精液积聚于宫颈口附近,形成一个精液池,宫颈口正好浸在池内,这样就有利于精子向子宫内游动。倘若采用女上位、侧位、后位、膝胸卧位等体位都不利于精液池的形成,从而有可能造成不育。

✹性交时机与频率选择不当

有些夫妻因单方或双方对性生活缺乏兴趣而很少发生性交,从统计学角度看受孕率显然很低。此外,因不经常射精,精子的活动度和寿命也受到不利的影响。有些夫妇则恰恰相反,因急于怀孕而性生活过于频繁,结果造成不孕。频繁射精会使精液量减少而降低受精能力。精子数目减少,精液变稀,同样会影响生育力,特别对于生育力偏低的人更是如此。

由于人没有动情期,排卵时也不存在性欲明显增强的现象(妇女在月经周期中有时性欲较强,但因人而异,并不总是伴随着排卵)。尽管在排卵时妇女在体温和体征上有些改变,但都是很小的,不易察觉。而且,人的排卵与性交多无联系。排卵期是在下次月经前 14 天,而不是两次月经中间,经期过长或过短的夫妇要正确选择自己的性交时间,若性生活太少,尤其是性交不在排卵期都会使受孕机会减少。普遍认为,人的自然生育率中有 25% 左右。倘若不采取任何避孕措施时,4 个周期中只有 1 次受孕机会。对于不育或生育力低下的人来说,正确地掌握性交的时间和频率是非常必要的。但若机械地遵循基础体温表所示的时间来同房,又容易造成性生活完全受日程表操纵,而不是受感情驱使的状况,易使夫妇对性生活失去兴趣,甚至因厌倦造成性欲降低。其他如反复的妇科检查、输卵管造影、子宫内膜活检等也可影响性生活,从而影响不孕症的治疗。

有时精神因素也在不育中起了一定作用。双方盼子心切,过分焦虑,过分紧张。紧张的情绪会使输卵管痉挛,造成暂时性闭塞,阻挡了精子与卵子的会合,则能影响受孕。许多不育夫妇都是在领养子女后,自己又怀孕的。这充分说明精神因素的重要作用。

性交频率与精液质量的关系有哪些

许多不育患者爱问:"多长时间同房一次最容易怀孕?"有人认为勤同房碰上的机会更多些,而有的人认为少同房几次好。的确,这是个很重要的问题。

还有人问:"为什么化验精液之前还得禁忌房事 3～5 天呢?"

虽然这两个问题的着眼点不同,但实质是一样的,即性生活的次数(射精频度)对精液的质量有影响吗?精子在睾丸内生成后就进入附睾,大约有一半会在到达附睾尾之前就老化、分解、被吸收了。平时贮存在附睾尾中的成熟精子占整个生殖道中的 70%,只有 2% 贮存在输精管内,其余的贮存在输精管壶腹。精囊不是精子的贮存库,但在性静止期精液会有少量流入精囊,并把精子带进去,禁欲的时间越久,贮存在里面的精子也就越多。精子在附睾内达到成熟,获得了为受精所必需的运动能力。附睾的这种环境对于精子的存活还是有利的。但精子也不能无限期地存活下去,在贮存过程中会逐渐衰老,并丧失活力。精子头部细浆可出现黑点,头部可以全部着色或完全不着色。随着排精次数的多少,附睾丸衰老精子的解体和新成熟精子的产生之间,将形成一种动态平衡,维持一定的储备。长期中止性生活时,首先失去受精能力,然后失去运动力,最后在输精管内解体,结果是精液质量下降,即衰老精子的比例会不断扩大。比如夫妇两地分居长期节欲后,前几次射出的精液中所含的老化精子必然较多。老化的精子因顶体发生改变而受精能力下降,若受精的话也会由于染色体和脱氧核糖核酸含量的改变而易使胎儿的中枢神经系统发育受到影响,造成智力低下、畸形,或导致流产。从增加受孕的机会看,禁欲太久是不利的,同房次数太少,精子与卵子相遇的机会也少,这样做对于不育患者来说也是不利的。

国外曾对射精频度与精液质量的关系作过详细的临床研究。志愿者每天手淫一次采集精液标本,共采集 21 天。在试验前每人取 3 次精液样本,每次采集之前应禁房事 3~5 天,取其平均值作为自身对照。结果发现在试验的最初 4 天内,精子密度、精液量及精子总数逐渐减少到对照值的 70%、60% 及 50%。睾丸外精子储备排空后,则各指标趋于稳定,并维持到第 21 天。这三项指标在试验第 5~21 天时相对稳定。当禁欲时间少于 12 小时的情况下,精子密度和精液量减至对照值的一半,精子总数下降更明显,只为对照值的 28%。说明禁欲 24 小时就能使精子储备迅速增加。因此,有必要在估计的计划受孕日前禁欲 3~5 天。采取隔日同房一次比每日同房一次更能增加女方受孕的机会。

精道堵塞的原因有哪些及其解决办法

精道不通最常见的是输精管堵塞。检查输精管堵塞的方法可根据具体医疗条件来确定。最简单易行的方法是睾丸组织活检,即检查睾丸活组织。若血中促卵泡素和睾酮含量正常,睾丸活组织检查也正常,则肯定是输精管道被堵塞了,或者是先天性输精管发育不全。不然是生精功能问题。也可以做一次 X 线照相,即做一次输精管精囊腺造影术。采用亲水性造影剂,不用开刀,直接经阴囊皮肤穿刺输精管,减轻了组织的损伤和患者的痛苦。但尚需在有条件的医院里才以进行这项检查。

据国外资料报道,因精道阻塞造成的不育占男性不育的

3%～10%,引起精道阻塞的原因:①先天性异常;②炎症、结核;③外伤;④囊肿或肿瘤;⑤外来压迫等;⑥杨氏综合征,此症常同支气管扩张合并。

找到了阻塞部位,阻塞部位或闭锁部位不长,又可能手术的话,可以通过显微外科术予以吻合。其他情况,可针对病情如炎症、结核等采取对症治疗方法。

吸烟、酗酒对男性生育能力有哪些影响

国外著名的医学杂志介绍过吸烟与畸形精子的关系。医生们在不育门诊中发现吸烟者中正常精子的数量有所减少,平均减少 10% 左右。如果每天抽烟达 21～30 支时,畸形精子发生率明显增高;抽 30 支以上者,畸形精子发生率更高。吸烟时间越长,畸形精子也越多,随着正常精子数目的不断减少,精子活动力也会减弱。这可能是烟中的毒性物质在体内起作用,使调节精子生成的基因受到损害,致使精子形态发生改变。丈夫吸烟的孕妇先天畸形儿出生率,比丈夫不吸烟者要高 2.5 倍左右。

科学研究结果表明阳痿病人中有 2/3 的人吸烟。国外许多医生经过调查后认为,引起阳痿的动脉供血不全,主要是由于抽烟和饮食不当引起的。医生提议这些病人戒烟、少饮酒,将有助于恢复正常的性功能。

有些研究还表明男性青少年吸烟、酗酒会使男性性征成熟延迟。

酗酒对生殖系统的影响更大,主要有以下几个方面:长期饮酒会造成男性生育力低下;过度饮酒要诱发前列腺炎,甚至继发性功能障碍,并可造成不育;酗酒可损害生殖内分泌功能,加快睾酮代谢,造成雌激素相对增多,因有活性的雄激素减少,睾丸萎缩,可出现阳痿。

酒精能操作精子,受到损伤的精子一旦受精,则常会影响胎儿在子宫内的发育,引起流产,甚至会生出畸形怪胎,或孩子出生后智力差,成为低能儿。酗酒造成胎儿发育差的问题早已引

起人们的注意,认为酒的恶果就是"有误子嗣"。专家们推断妇女生下畸形儿与丈夫嗜烟、服药也有一定关系。

想要当爸爸的男青年,为了未来子女的健康,不要在妻子怀孕期间吸烟、过量饮酒,也不要随便服用药物。

女性性功能障碍及防治

❋阴道痉挛

阴道痉挛是指环绕阴道口和阴道外 1/3 部位的肌肉非自主性痉挛窄缩。这是一种心理生理综合征,任何年龄的妇女都有可能出现这种情况,但其程度差异很大。有的阴道痉挛的确切原因,尚待探讨。多数阴道痉挛患者的致病原因,是由非器质性的因素所引起,包括性活动的经历,以及妊娠恐惧、性病恐惧、癌症恐惧和同性恋行为等,都能引起阴道痉挛。阴道痉挛的治疗十分复杂,应当尽早取得医生的诊治和指导。

❋性欲高潮障碍

性欲高潮障碍是指妇女在正常的性生活中没有性欲高潮的出现。这种性功能障碍,器质性的原因比较少,95% 以上的患者都是属于精神性的。在已婚的妇女中,大约有 10% 左右的妇女从未出现过性欲高潮。治疗性欲高潮功能障碍,首先应该正确了解和看待性与性行为。其次,需要夫妻双方共同的努力,患者应当向丈夫表明自己喜爱的性交方式,以求得丈夫的配合。一般经过努力,大多数患者都可以获得性欲高潮。

❋性交疼痛

在性交时或性交后女方的阴道等部位感觉疼痛,这就是性交疼痛。性交疼痛会影响性生活快感,甚至可导致性行为态度上的变化,因而严重影响性关系。没有任何病变的健康女性,倘若发生性交疼痛,这多半是缺乏性兴奋,而致阴道润滑功能障碍,使阴道干涩,从而造成性交疼痛。如果子宫内膜异位发生在阴道口或阴道内子宫颈骶韧带等处时,阴茎进入阴道或对阴道深部进行冲撞,则容易引起疼痛。一旦发生性交疼痛,应当找医生进行诊治,在医生的指导下对症治疗。

 ## 怎样应对房事中的"突发事件"

※心脏骤停

在性交时,尤其是新婚之夜,夫妻亲昵乃是人之常情,接吻、拥抱在所难免,但在情感表达过程中也应该讲究科学。

人的颈部有一个压力感受器,叫颈动脉窦,位于颈部外侧中端,在其受到压迫后,轻则导致心率减慢,血压降低,重则能置人于死地。男女双方在做爱亲吻时,应该注意分寸,相互搂抱颈部时切忌压迫颈部外侧中端,避免过度用力,防止发生意外。

倘若发生心脏骤停,要立即就地采取人工呼吸和胸外挤压抢救措施,同时速派人找医生前来救治。

※房事晕厥症

在性生活过程中,突然出现面色苍白、意识丧失,但经短暂休息即可恢复,这称房事晕厥症,通常颇为少见。

房事晕厥症的发生,大多属于血管抑制性晕厥,就是性交时由于情绪过度激动、兴奋或因恐惧、心情紧张等引起周围血管扩张,而形成一时性脑缺血所致。也有的是由于本身其他疾病引起的,如癔症、轻微脑震荡等。

房事晕厥症发生后,不要手忙脚乱,必须镇静处理,可将患者头部放低,静卧片刻,一般即可恢复。病情严重的应该送医院急救处理。

※精液过敏

研究发现,精液中含有 10 多种抗原物质,个别男子精液中抗原物质的抗原性特别强,或者因妇女属于过敏体质,性交后就会发生过敏反应。

精液过敏的防治很简单,性交前可选服抗过敏药,如扑尔敏、苯海拉明、非那根等,任选其中一种,临时服用 1 片即可;或由丈夫带上避孕套再同房,也可防止发生过敏。如果发生过敏,可请医生诊治。

❈生殖道裂伤

许多新婚夫妇,缺乏性知识和性交经验,姿势不正确和动作过猛,造成了阴道裂伤或会阴损伤。

(1)造成新婚期间生殖道裂伤的常见原因包括:动作粗暴,不懂生殖解剖部位,姿势不正确,用力方向不对;婚前使用大量的男性激素等。

(2)性生活进行中发生的生殖道裂伤,可产生局部出血、感染,甚至个别女子还因新婚之夜的不良刺激,造成日后的性冷淡症。

(3)预防生殖道裂伤的措施包括:婚前不要乱用男性激素,以免造成过度兴奋;掌握一定的生理和性知识;在新婚生活中,男方应该对女方多加体贴爱抚,态度应该温和,动作应该温柔;在性生活中,发现阴道少许出血,这是处女膜破裂所至,不必害怕,由于性兴奋,轻度疼痛可暂时掩盖,无需特殊处理。如果新娘感觉局部很疼或出血量稍多,性交就要暂时停止,若发现阴道出血量多,难以控制,则立即用纱布压迫止血,并到医院作手术处理,结扎止血,缝补创伤面;初次性生活后,为使处女膜裂痕早日愈合,几天内应避免性生活。

❈阴茎折断

阴茎是一种特殊的肌性器官,一般是松软的,并呈自然下垂状,如果有性冲动时,就会勃起、增粗、增长,成为坚硬的柱形器官。性交时,有的男性对女性外生殖器的结构不了解,角度错误,配合失当,姿势不正,阴茎突然弯曲,就易发生折断。折断后立即剧痛,阴茎顿时变软,因内出血,阴茎片刻肿大,活动阴茎剧痛,皮下出现淤血,引起排尿困难,尿道滴血则可能尿道损伤。阴茎折断多主张手术治疗,轻者可掌握非手术治疗。必须注意预防,新婚前,新娘要学习有关解剖及性知识,性交时的方向要顺解剖部位,动作要轻柔,性生活进行中,转动体位要特别注意,变换角度不宜太大,防止意外。

容易引起不孕的药物有哪些

新婚夫妇应特别注意用药与不育的问题。因用药不当可诱发不孕不育。为此，举数例以引起重视：

※西米替丁，用于治疗十二指肠溃疡或上消化道出血，长期服此药，可致男性精子暂时减少而不育。

※环磷酰胺，用于治疗多发性骨髓瘤等，当成人每日用量达6～10克时，可引起男性精子数量显著减少，甚至完全没有；如妇女使用还可致闭经或月经失调。

※柳氮磺胺吡啶，用于治疗溃疡性结核，有导致精液缺乏、精子数量减少。活力降低等不良反应。

※复方新诺明，用于治疗尿路感染、呼吸道感染、扁桃体炎等，此药可诱发精子数量减少。

※能诱发不孕不育的药物还有：甲状腺制剂，可致妇女停止排卵。利尿药安体舒通和抗精神病药甲硫达嗪等，也会造成闭经或月经失调，甚至内分泌紊乱。

男性生殖器的日常卫生护理

男性生殖器包括睾丸、附睾、输精管、精囊、射精管、前列腺、阴囊、阴茎等，阴囊、阴茎暴露在体外，称外生殖器，其余的器官都在下腹部，因而称内生殖器。男性性器官的卫生主要是阴囊、阴茎和睾丸。

※阴茎

阴茎是男子性交器官，尿道从阴茎内穿过，具有排尿和排精的功能。阴茎的末端呈杯状膨大，称

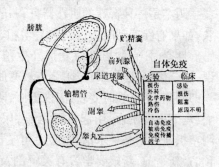

阴茎头或龟头。阴茎被覆的皮肤薄，皮下没有脂肪，不勃起时，阴茎的部分皮肤在冠状沟处复迭并遮盖阴茎间的后半部，即包

皮。包皮内面和阴茎头交接处的小皮脂腺不断地分泌淡黄色的油性物质，与少量的尿液和皮肤脱下来的污垢混合成乳酪状，即"包皮垢"。包皮垢若长期附着在阴茎间表面或集聚在冠头沟内，则可为细菌繁殖造成基地，引起发炎或其他的疾病。所以，上阴茎和包皮要勤洗，以免积垢较多，发生刺痒或感染。

常见的包皮发育异常有包茎和包皮过长。包茎指包皮口狭窄或包皮与阴头茎粘连，使遮盖阴茎的包皮不能上翻露出尿道口和阴茎头。新生儿的包皮几乎都不能上翻，到三岁以后，阴茎头和包皮之间的轻度粘连才自行消失，即可上翻。童年时能上翻的包皮也常将尿道口盖没，青春期时阴茎间即渐露出。婴儿时期包茎不是病理现象，在童年时期包皮长也是正常的。成人阴茎松弛时包皮不遮盖尿道口，尿从尿道口直接射出不先经过包皮囊。包皮上翻时能露出冠状沟，就是正常长度的包皮。

如果包茎严重时则影响排尿，以致造成整个泌尿系统的机能障碍。包茎和包皮过长会减低男子性欲的快感，甚至因包皮牵扯，引起性交的不适或疼痛。包皮过长若保持局部清洁，经常洗涤，不使包皮垢积储，对健康没有影响，但较易发生包皮阴茎头的炎症。屡次炎症可使包皮口缩小，并与阴茎头形成粘连，变为包茎。包茎尽管是先天性病变，但也可为后天获得。包茎时包皮囊内积有包皮垢，易出现慢性炎症，甚至诱发癌变。如果患包茎应积极进行手术治疗，包皮过长也要考虑手术切除过长的包皮。

❀阴囊和睾丸

阴囊为阴茎与会阴间的皮肤囊袋，包含睾丸、附睾等。阴囊在神经系统的调节下，随温度的变化而改变。多处于收缩状态，表面出现多皱襞。如果温度增高时，或对于老年人以及体弱者，阴囊常伸展呈松弛状态，阴囊缩小，皱襞消失。寒冷或对于青年人以及强壮者，阴囊缩小，出现皱襞，并与睾丸紧贴。阴囊的收缩或舒张，能够调节阴囊内的温度，以适于精子的生长和发育。阴囊的皮肤薄而柔弱，不要涂用碘酒及一些刺激性较大的药物，以免造成疼痛或损伤。

　　睾丸在胚胎发生时原在脊柱的两侧,膈肌下后腹壁处。随着胎儿发育,逐渐下降,约在胚胎第 7～9 月内降入阴囊。如出生时未降入,多在出生后短期内降入。未降入阴囊的睾丸统称为隐睾,包括下降不全和异位睾丸。隐睾多数发生在右侧,发生在双侧的占 10%～20%。隐睾对睾丸功能的影响从 5 岁后开始,主要是曲细精管的萎缩,导致精子生长不良。青春期后,通常隐睾者发生睾丸萎缩,若是发生在双侧,则丧失生育能力,并出现男性激素分泌不足(雄激素缺乏)的现象。位置不正常的睾丸,特别是位于腹膜后者,发生肿瘤的机会较正常的要大数十倍。据统计,睾丸肿瘤患者中约 8%～15% 患有隐睾。隐睾必须积极治疗。单侧隐睾多有身体的局部因素引起,常需要手术治疗。双侧隐睾,可先进行药物治疗,效果不满意者再考虑手术。常选择 5～6 岁施行手术(有人主张 3 岁以前),最迟不应晚于 10 岁,不然睾丸的发育障碍不能恢复,造成男性不育。

　　睾丸在初生时只有花生米大小,儿童的睾丸增长到麻雀卵大,到了成年,就如鸽卵大小。左侧的睾丸比右侧的大一些,也比右侧低一些。睾丸表面有一层光滑的膜,在阴囊里可自然滑动,剧烈运动时,不至于受到损伤。但是,暴力的挤压和打击也会使睾丸受到严重损伤,必须尽量防止。

女性生殖器的日常卫生护理

　　女性具有的妊娠和分娩的功能,决定了生殖器官在结构和生理上都比男性复杂,女性外生殖器包括阴阜、阴唇、阴蒂、处女膜、阴道口等,内生殖器包括子宫、阴道、输卵管、卵巢等,女性的生殖器卫生比男性更复杂、更重要。

　　※女性的阴道口距肛门很近,这对于阴道卫生很不利。阴道的外侧端比内侧端狭窄,平时阴道的前后壁是互相紧贴、使阴道口闭合着的,阴唇也具有保护作用,因而阻挡了部分病原体侵入阴道内。阴道上皮细胞在卵巢分泌的性激素作用下增生、表

层细胞角化,从而使阴道黏膜得以抵抗阴道内的病原体侵入。子宫颈内口平时是紧闭的,子宫颈腺细胞所分泌的黏液积在子宫颈管形成黏液栓,阻止病原体进入子宫腔内。黏液栓的下 1/3 能检查细菌,而上 2/3 查不出细菌。子宫内膜周期性的剥脱,能清除子宫的部分污物和病原体。

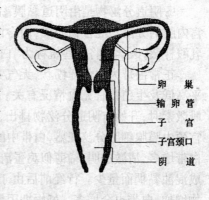

卵　　巢
输卵管
子　　宫
子宫颈口
阴　　道

　※在雌激素的影响下,阴道上皮细胞中富含的糖原,经阴道杆菌的作用变成乳酸。所以阴道在正常情况下呈酸性环境(pH值为 4～5),抑制了在碱性环境下繁殖的病原体,子宫颈管的黏液呈碱性,使适应于酸性环境的病原体的繁殖受到限制,适应于酸性或碱性环境的病原体在女性的内生殖器不同阶段受到生长和繁殖的抑制,便可保持相对清洁和卫生。倘若进行内生殖器官的手术,阴道冲洗是必须的,但若过多地清洗阴道会破坏阴道内和子宫颈管的正常酸碱平衡,使原来受到抑制的病原体生长和繁殖活跃起来,从而引起阴道、宫颈、宫腔、输卵管等器官的炎症。

　※如果病原体从皮肤或黏膜侵入人体之后,引起机体免疫系统的两种反应:一是白细胞逸出血管外,聚集在病原体周围吞噬病原体;一是受到侵袭的人体组织,很快就产生一种自身的名叫"抗体"的化学物质。在抗体的作用下,抗原的作用被削弱,或者抗原本身被消灭,以限制炎症的发展。抗体是一种对抗致病微生物的作用的蛋白质分子,因而,免疫系统功能的强弱与身体的状况关系密切。当体弱多病时,免疫功能就下降,营养充分、健康良好时,免疫功能的作用就较强,性器官的卫生也依赖于身体的整体健康水平。

※阴道分泌物是由阴道黏膜渗出物、宫颈体及部分来自子宫内膜的分泌物混合物而成,内含阴道上皮脱落细胞、白细胞、乳酸杆菌,医学上将这些统称为"白带"。

正常白带为白色稀糊状,无气味,量多少不等,与雌激素水平高低及生殖器官充血情况有关。青春期卵巢逐渐发育,分泌雌激素时,开始有阴道分泌物排出,在月经中期接近排卵期时,宫颈内膜腺细胞分泌旺盛,白带中的宫颈黏液占主要成分,此时白带增多,清澈透明,稀薄似鸡蛋清。排卵2～3天后,白带又变成混浊黏稠而量少。行经前后由于盆腔充血,使阴道黏膜渗出物增加,白带也会增多。妊娠期因雌激素水平高,阴道黏膜渗出物及宫颈分泌物都增加,白带也较多。性生活前后、阴道内使用避孕药物等,都引起白带增多。均属正常的生理范围。

※白带异常是妇科临床上最常见的症状,指白带出现色、质、量的改变。常因生殖器官的炎症或癌引起的,必须及时作妇科检查。临床上常见的白带异常主要有:

无色透明黏性白带:外观和正常白带基本相似,只是量比较多,常见于应用雌激素药物,或应用阴道避孕药之后,中医认为体虚也会出现这种白带。

脓性白带:色黄或黄绿有臭味,大多为滴虫或化脓性细菌感染所引起,常见于滴虫性阴道炎、慢性宫颈炎、老年性阴道炎、子宫内膜炎、宫腔积脓、阴道异物等。

豆腐渣样白带:白带呈豆腐渣样或凝乳状小碎块,为霉菌性阴道炎所特有,常伴有外阴瘙痒。

血性白带:白带内混有血,血量多少不尽,对这类白带应警惕恶性肿瘤的可能,如宫颈癌、宫体癌等。但某些良性病变也可出现这种白带,如宫颈息肉,宫内节育器所引起的副反应,黏膜下肌瘤,老年性阴道炎,重度慢性宫颈炎等。

黄色水样白带常常是由于病变组织的坏死或变性所致,多发生于子宫黏膜下肌瘤、子宫颈癌、子宫体癌、输卵管癌。黄色水样白带量多而带有恶臭味者,必须要检查确定病因并进行治疗。

女性的特殊时期的性卫生及其保健

❋月经期

月经期男女双方均应克制自己,避免性生活。经期子宫内膜剥脱,子宫腔有创伤面,此时性交容易引起生殖器官的炎症,还可加重盆腔充血,容易引起月经量增多及月经期延长。若原来已患盆腔炎,经期性交还可能招致盆腔炎急性发作。有些妇女月经净后2～3天月经又复回潮,此时应特别注意,以免性交污染。

❋妊娠期

在妊娠初期的头三个月里,应避免性生活,以免性的冲动引起子宫收缩,而发生流产。妊娠后三个月,也应避免性生活,以免性刺激,引起早产。尤其是妊娠最后一个月,更不宜进行性生活,以免发生产道炎症或阴道出血。其他时间虽不是绝对禁止,应有节制。性交时应避免女方腹部受压,性交动作不宜过分剧烈。若有流产或早产史的,应遵医嘱,在整个妊娠过程中实行夫妇分居。孕妇洗澡应避免坐在水中,盆内可放只小凳坐着洗或擦身,防止细菌进入阴道。

❋产褥期

妇女怀孕后,生殖器官及身体其他部位所产生的变化在产后逐渐复原,大约需要6～8周时间,称为产褥期,俗称"月子"。此时妇女身体抵抗力较差,加上产后子宫内胎盘剥离后留下了创面,更容易得病。产褥期应特别注意休息,在此期间不宜有性生活,以免引起产道发炎或妨碍会阴、阴道伤口的愈合,产后阴道血性分泌物持续时间较长,则节欲时间相应延长。产褥期还要禁止盆浴或坐浴,以免细菌进入宫腔而感染。

❋哺乳期

哺乳期妇女对性的要求较少,同时因日夜照看孩子,性生活应有节制。哺乳期阴道壁较为脆弱,性交时动作不宜过猛,以防止阴道裂伤出血。

※绝经期

此时卵巢功能衰退，不再排卵，虽卵巢内分泌素作用衰落，但过去性生活的经验，在大脑里留下深刻的印象，故仍有性的要求。绝经后相当长时间，生殖器完全萎缩，阴道变窄，才会妨碍性生活的进行。

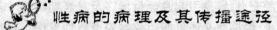

性病的病理及其传播途径

性病是指因性交而传染的疾病。过去性病仅指曾猖獗一时的梅毒、淋病、性病淋巴肉芽肿及软性下疳等四种传染病，随着科学的发展和研究的深入，人们逐渐认识和发现许多过去已知的和未知的病原体，也可以通过性生活而传播，有些甚至可由母亲传至胎儿或新生儿。为此，1975年世界卫生组织（WHO）决定以"性传播疾病"代替原先"性病"的名称。因此，现在可以这样认为，凡因性爱行为引起性器官间传染的疾病和性器官外接触传染的疾病统称为性传播疾病。

与"性病"这一概念相比较，性传播疾病的涵义扩大了，它既包括了性交时性器官直接接触传染的疾病，如梅毒、淋病、性病淋巴肉芽肿、软性下疳，以及腹股沟肉芽肿等"经典"性病；也包括除性器官以外的皮肤对皮肤、皮肤对黏膜、黏膜对黏膜的接触而传染的疾病，如滴虫病、疥疮、阴虱、念珠菌病、股癣、生殖器疱疹、尖锐湿疣、非淋病双球

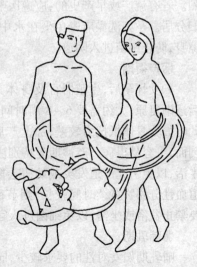

菌性尿道炎、非特异性阴道炎、性病性盆腔炎、病毒性肝炎和艾

滋病等。在诸多性传播疾病之中,艾滋病被人们称之为"超级癌症",目前医学水平对此尚无很有效的治疗方法,故患者死亡率极高,为人类当前的大敌。我国现在已发现艾滋病患者及病毒携带者,但人数尚少。目前在我国最常见的性病主要有淋病、非淋菌性尿道炎、阴部尖锐湿疣等。

※性病类型

(1)螺旋体性疾病(梅毒);

(2)细菌性疾病(淋病、软下疳、腹股沟肉芽肿、肠道细菌感染等);

(3)病毒性疾病(生殖器疱疹、尖锐湿疣、传染性软疣、病毒性肝炎、性病淋巴肉芽肿、艾滋病等);

(4)真菌性疾病(生殖器念珠菌病、股癣等);

(5)动物性疾病(滴虫病、阴虱、疥疮、阿米巴病等);

(6)其他(非淋菌性尿道炎、非特异性阴道炎等)。

※性病的传播途径

(1)性器官

主要通过性器官接触或性交时传染,如淋病、非淋菌性尿道炎、梅毒、性病性盆腔炎、软下疳、滴虫病等;

(2)血液

主要使用被污染的血液制品及消毒不严格的医疗操作器械而被传染,如乙肝、艾滋病;

(3)肛交

主要通过肛门性交传染或性器官性交传染,如同性恋者所患艾滋病;

(4)皮肤黏膜

主要是皮肤与皮肤、黏膜与黏膜接触性传染或性器官间接触传染,如尖锐湿疣、生殖器疱疹、疥疮等;

(5)粪口

主要是通过手指污染粪便传染或口淫时粪口传染,如肝炎等。

综上所述,我们对性病已有了初步的认识,现在通常所讲的性病,已不再单纯是过去所指的"经典"性病,它包括的范围扩大了,患病的机会与渠道也不仅仅是不洁性交一项。因此,我们应该对性传播疾病有正确的认识,积极预防性病的传播。同时也不能再用传统的观念对待性病患者,而患者更不应讳疾忌医,延误治疗。

什么是淋病及其处治办法

淋病是由淋病奈氏菌(简称淋菌)引起的以泌尿生殖系统化脓性感染为主要表现的性传播疾病。其主要传染方式是性交,但带有淋菌分泌物的器物也有可能导致间接传染,如被污染的毛巾、脚布、衣物等,孕妇患有淋病,胎儿娩出经过产道时能受感染造成新生儿淋菌性眼炎。

淋病发病率相当高,占整个性病发病的2/3以上,且潜伏期短。淋病分急性和慢性两种,病程在两个月以内的属于急性淋病,超过两个月的为慢性淋病。

男性患淋病几乎都是通过性接触传染,发病较女性剧烈,一般感染2天左右发病,多为急性淋菌性尿道炎。患者在排尿时有灼热和刺痛感,由尿道内向外溢出脓性或血脓性分泌物。尿频、尿痛,还伴有不同程度发热、乏力等症状。如急性治疗不及时,可转为慢性淋病尿道炎,或并发淋病性附睾炎。女性淋病患者自觉症状较轻,多数人无明显不适,即或有也是较轻微的灼热、尿频、尿急等,多发病表现为宫颈炎、尿道炎、前庭大腺炎。如不及时治疗,会引起一系列并发症,绝大多数病例合并生殖系统感染,可引起子宫内膜炎、输卵管炎、使输卵管完全阻塞导致不孕。另外,孕妇患淋菌性宫颈炎,易造成胎膜早剥、羊膜腔内感染,可引起早产或产生败血症等疾病,所以说,淋病对女性危害甚大,不可忽视,特别是孕妇,一旦发现,应及早中止妊娠,足月可行剖腹产。

淋病的预防除禁止不洁性交外,还要注意间接传染。不使用被污染的器物,阴部不直接接触公共用具。若男女有一方患病,另一方应注意被褥、用具的消毒和隔离,同时一定要作必要的检查、治疗。由于目前我国淋菌对青霉素产生耐药性超过5%,故基本不将青霉素列为首选药物。而是首选头孢曲松钠,并加用红霉素。临床治疗主张大剂量一次彻底根治,以免转为慢性或其他并发症。

由于性病有多种同时传播的可能,所以淋病患者在治疗的同时,应进一步检查是否还患有梅毒及其他性传播疾病,以便及早治疗。

什么是梅毒及其症状

梅毒是由一种叫苍白密螺旋体的病原体引起的慢性传染病。这种病有后天与先天之分,先天梅毒也叫胎传梅毒,是通过母体的胎盘传入胎儿的。后天梅毒也称获得性梅毒,主要是通过性交感染,螺旋体通过皮肤或黏膜的细微损伤侵入人体而发病。也有极少数患者是通过非性关系(如输血或接触被污染器物)而感染。由于梅毒是严重危害人体健康的性病之一,所以对其的诊治要格外注意。

由于不洁性交而传染的梅毒,如果没有得到治疗,先是3～4周的潜伏期,便于感染处出现初疮(亦称硬性下疳),多见于外生殖器部位,如冠状沟、阴茎头、大小阴唇、子宫颈、阴蒂等处,呈圆形或卵圆形鲜肉红色糜烂,表面有少许渗液或覆有一层灰白色薄膜。其中心稍凹陷,边缘稍隆起,边界清楚,直径约1～2厘米。硬性下疳多为单发,触之软硬如同软骨,不感疼痒,但此时有极强的传染性。硬下疳如不治疗,经数周后可自愈,而进入一期潜伏梅毒。

在感染8～10周,患者全身发生二期梅毒,出现梅毒疹。二期梅毒皮疹有多种,常见的有斑疹、丘疹、湿疹及扁平湿疣等。发疹前常发生低热、头痛、骨痛、神经痛、四肢疼痛等前驱症状,持续约3～5日左右,待皮疹出现后自行消退。各种梅毒疹一般愈合后不留疤痕,但传染性极强,斑疹为最常见,约占二期梅毒的70%～80%。早发性斑疹的直径约0.5厘米大小圆形或椭圆形淡红色斑,各个独立,不相融合。多先发于身上,渐次延及四肢,几天后遍布全身。斑疹约经数日或2～3周后即可不治自愈。复发性斑疹一般发于感染后2～4个月,也有退至半年或一二年者,皮肤损伤形状比前者大,但数目较少,多发于下肢、肩胛、前臂及肛门周围,经过时间较长,愈后可反复再发。

丘疹可分为大型和小型两种,临床最多见是大型丘疹。形状为扁豆至指盖大小,略高起、中央微凸的扁平浸润,境界明显,呈肉红色或暗红色,多分布在外生殖器、肛门、股内侧、乳房下方等皮肤表面或多汗部位,表面常湿润,称为湿疹性丘疹,患者感觉灼痒,行走及摩擦时可感疼痛。此类丘疹表面的渗液中含有大量梅毒螺旋体,传染性极强。

二期梅毒还对人体的黏膜产生损害。常见于唇、舌下、颊黏膜、生殖器黏膜。为灰白色或乳白色约如指盖大小微隆起的斑片,拭去表面灰白色薄膜,露出鲜肉红色,无明显痛感,有多数梅毒螺旋体,传染性强。

二期梅毒除皮肤及黏膜皮疹外,还可发生梅毒性脱发、颈部白斑、骨炎、骨膜炎、关节炎等病症。

感染梅毒3～4年,少数在30年后发生三期梅毒,又叫晚期梅毒。发生的原因主要是早期不治或治疗不足,体内残留螺旋体继续损害机体,其发生率约占患者的30%左右,故早期彻底治疗十分重要。

晚期梅毒皮肤及黏膜损害为结节性梅毒疹和梅毒树胶肿,临床上已无传染性。结节性梅毒疹为多个粟粒或豌豆大小红色隆起的浸润性小结节组成,常呈环状或蛇形性排列。愈后留有瘢痕,常见于躯干、四肢,也有见于颜面。梅毒性树胶肿好侵犯小腿、头、额等处。初发为豌豆大硬结,后逐渐增大、软化,最后破溃,流出少量胶样分泌物。一般溃疡处愈合后,它处又继续蔓延。树胶肿发生在鼻部时可使鼻梁下陷形成鞍鼻。发生在上腭时常致口腔与鼻腔穿孔。病程缓慢，可以自愈。未经充分治疗的患者，1～10年以后可向内脏器官发展，使神经、心脏、血管、骨、眼睛等处受到侵犯，因而产生器质性病变和功能障碍。

由于梅毒对人体有严重损害，并且有极强的传染性，所以防治梅毒是预防性病的重要任务之一。梅毒的防治原则是对早期患者要求彻底治愈，以消灭传染源。对晚期患者要求控制症状，保护器官功能，延长生命。梅毒的治疗必须做到早期足量，即早发现、早诊断、早治疗，用药要足量，治疗要正规，按计划完成疗程，并进行疗后追踪，及早发现复发。现代抗梅毒的首选药青霉素，患者要按照治疗方案坚持注射。

婚姻家曲

幸福的家庭应施行家庭理财管理

结婚是家庭生活的开始,家庭生活中重要的一项便是家庭经济管理。经济管理的好坏、恰当与否,对家庭的和睦与幸福有着深刻的影响。

理财方式的选择,是家庭经济管理的基本内容。采用何种理财方式,可视各家的具体情况、夫妻性格、生活方式和生活水平而定。

家庭理财方式虽然多种多样,但基本有以下三种类型:

❋独断式

即丈夫或妻子一人独揽财政大权,一人把所有收入悉数上缴,只留少量零用钱,如有个人额外支出,需向对方索取。这种方式的好处是家庭经济能够按计划严格管理,很有秩序。对夫妻收入较低的家庭,比较有利,易于精打细算,把有限的钱花得恰到好处。另外,如果一方对家庭经济管理毫无兴趣,或有滥花钱的毛病,那么,由另一方统管的方式也对家庭有利。但是,在家庭经济收入逐年增加，夫妻关系又比较平等的现代社会，这种方式的弊端也十分明显，不掌握经济大权的一方一般总有花钱不自由、受压制的感觉。如果一方统得过死或对另一方过于苛刻，会使对方的不满和抱怨升级，继而引起夫妻矛盾，家庭内战。

※自由式

即各自收入各自管，各人分管一部分家庭支出，如一方管房租、水电费、托儿费，另一方负责日常生活开销，若要添置大件，则双方协商，共同出资。这种方式的好处是各人都有财政支配权，双方互不干涉，有很大的自由度，比较适合双方收入差不多且经济较为宽裕的小家庭。但这种方式不可避免的缺点是家庭经济结构过于松散，容易出现无计划无节制。如果一方花钱无度，很难对其进行管束；一方出现赤字，要求另一方援助，也容易引起矛盾。所以，如果选择这种理财方式，需要双方高度的家庭责任心和自律精神，并要有良好的感情基础，否则易出现散漫无度、离心离德的倾向。

※合作式

即双方根据收入和家庭的支出需要，各拿出一部分作为全家生活费，由一方掌管或轮流执政。余下部分各自自由支配。另外可商定一个家庭储蓄的方法，将双方工资收入的一部分和某些额外收入进行储蓄，作为家庭储备或用于购买大件物品。这种方式的好处是不言而喻的，既有一定的统筹，又有相对的自由，能够使家庭经济管理做到有条不紊，家庭成员个人的消费权利又能得到保证。"小金库"作为一种公开而合法的存在，还可以为夫妻之间互相赠送礼品、纪念品提供物质基础，从而增进夫妻间的情感，增添日常生活的情趣。当然，采用这种方式，仍然需要双方的坦诚和信任，如一方隐瞒工资外收入，没有按约定交出作为家庭储蓄，很可能引起另一方的不满。所以，商定家庭支出的额度和储蓄的方式非常重要，关系到采用这种方式的成败。

以上所述只是三种基本理财方式，在实际生活中，会有这几种方式的改进型或综合型，但不管选择何种方式，都需注意一条原则,即统筹和自由兼顾,统筹和自由的程度可以因家庭而异。另外,在贯彻理财方式时,坚持夫妻平等,共同协商,既有原则性,又有灵活性,同样不可忽视。

怎样制定家庭预算

编制家庭预算是家庭经济管理的一个重要组成部分,这种"先算后花"的原则可以保证家庭收支基本平衡,防止陷入前吃后空、入不敷出的窘境。新婚夫妻大多缺少理财经验,所以做好家庭预算尤为重要。

编制家庭预算首先须确定预算周期,一般定为月预算和年预算。月预算的目标通常是日常生活开销。比较详细,年预算的目标主要是家庭大件物品的购置和较大的家庭设施的改善等。

月预算主要可分两大部分:固定开支和非固定开支。固定开支是指在一定时期内数目基本不变,无法省略的费用,包括房租、水电、煤气、电话、月票费,以及托儿费或学费、老人赡养费。非固定开支是指弹性较大,可多可少的支出项目,基本类别包括:①食物:日常伙食和在饭馆吃饭的花销;②服装、鞋袜费;③日杂用品和小件家庭用品购置费;④书报杂志订购费;⑤个人修饰美容费用;⑥医药费;⑦娱乐和旅游费用;⑧亲友交际费用;⑨储蓄;⑩其他临时性杂用。

作月预算时固定开支部分必须留足,非固定开支中的①、②、③项应规定一个基本数额,再根据每月的实际情况予以调整;储蓄一项可开列一个固定数目,也可在年预算中予以计划。其余各项可视实际情况作合理的规划,支出数额每月不一定相同,但要有一个平均数,可以在月与月间相互弥补。

作年预算要对家庭的一些大目标进行计划,比如购置大件家用电器、更换家具、装修房屋、较远距离的旅行等,并为此进行储蓄筹款,或在月预算中注意压缩某些开支,以期完成大目标。

作预算的原则是实事求是,宽紧适度,尤其是非固定开支部分,一定要计划运用得当,打得太宽,容易造成浪费;抠得太紧,会难以做到,甚至影响夫妻感情。同时,预算时要注意考虑大目标,压缩某些可支可不支的项目,以达到花钱的整体效益。

控制和影响家庭预算的一个主要因素是家庭收入,如果家庭收入很高,大大超过日常必须的生活费用,那么,作预算可能较为容易一些,并可以加大某些享受费用,提高生活水平。但是,如果家庭收入中等,那么,预算就得谨慎一些,以便将钱用得更合理,并逐渐增厚家底。最困难的预算是家庭收入仅够甚至低于日常需求的家庭,这需要精确的计算和采用保重点的方式,才能使家庭经济运行正常。

家庭预算一经确立,夫妻双方应共同遵守,努力实现,不应轻易突破。如果需要临时改变预算的一项或几项,也应共同商议。如此才能达到预算目的。

编制家庭预算在某些夫妻看来,也许以为过于复杂,所以宁愿凭直觉花钱。然而凭直觉花钱是非常容易失败的。采用预算方式是一种改善花钱习惯的手段,如果运用得当,它能使你生活得更好。

理智的消费应遵循哪些原则

现代社会的消费方式可谓五花八门,对于一个初创时期的家庭来讲,选择何种消费方式,关系到小家庭的生存是否轻松愉快,是否能为家庭的发展打下良好的基础。

将一般人们的消费方式归纳起来,大致可分三类。

❋计划型

按家庭收入的实际情况和夫妻生活目标制定计划,消费时大致按计划进行,非常理智,很少出现盲目和突击性消费。

❋随意型

这一类型的人完全按个人喜好和临时兴趣进行消费,较少考虑整体消费效益,所谓钱多多花,钱少少花是这部分人的突出特点,较易出现盲目和浪费性消费。

❋节俭型

消费时精打细算,能省即省,并且善于利用再生性消费。这一类型的消费方式能够使家庭逐渐殷实,然而过于节俭的意识有时可能因过量购买便宜货而造成积压性消费。

随着现代社会经济的发展和生活水平的提高,大多数青年喜欢随意型消费。这种消费方式在婚前适合个性自由,不会出现大的弊端,但小家庭建立以后如果仍然一如既往地随意消费,可能引致家庭矛盾,或使家庭经济走入窘境。合理的消费方式应是根据家庭的经济状况,适合夫妻双方的习惯、兴趣和爱好,制定总体的消费计划,在大的计划之下,允许进行部分的自由消费,同时注意讲求消费效益。

节俭型的消费意识似乎属于老一代,然而对刚刚建立家庭、基础尚很薄弱的新婚青年而言,节俭依然是一种值得提倡的消费观念。适当的节俭可以带来可观的效益。

在消费方式的选择上,注意各类消费的比例也十分重要。保证温饱是必要的,在此前提下,善于进行文化和智力投资,将有益于家庭的整体发展。另外,一定的文体娱乐消费也是人生乐趣之一,不可予以剥夺。家庭的人情消费同样重要,如果以一方的节衣缩食来为配偶买一件礼物,其消费从表面看似乎不值甚至浪费,然而真正所得却是超值的情感效益。所以,健康的消费应是合理合情的消费。

在具体消费时,应努力做到:

※避免盲目性消费

盲目性消费就是缺乏计划,花钱不够深思熟虑。如购买看似便宜实则没有多大用处的物品;随大流抢购市场热销而自己并不急需的商品;等等。对计划外的开支持谨慎态度,可以有效地避免盲目性消费。

※减少浪费性消费

浪费性消费通常表现在生活的细枝末节上,如食品买多了变质,下饭馆菜点多了扔掉;不注意随手关灯关水龙头等等。还有一种浪费性消费是由于过分节俭造成的,如一件本该扔掉的东西舍不得扔,多次修修补补,其修理费相加恐怕足以买一件新的。这是一种隐性浪费,亦应注意。

※限制积压性消费

造成积压性消费的原因往往是抢购和赶时髦,购进大量家庭一时用不完或暂时用不了的东西,造成积压,使商品的使用价值逐渐减小甚至失去,也可能使自己丧失购买更急需或更合心意的商品的支付能力。这在本质上亦是一种浪费。

※抑制冲动性消费

冲动性消费往往源于享乐意识,看见某件喜爱的东西,明知价值偏高,亦毫不犹豫地买下,等日后在它处发现同样的东西价格要便宜得多,便后悔不迭。或者一时兴起,上饭馆大吃大喝一顿,踏入平常绝不涉足的高档娱乐场所痛玩一场,等等,一个月的生活费在几小时挥霍殆尽。此种冲动性消费对工薪阶层危害不小,应理智地予以控制。

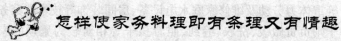
怎样使家务料理即有条理又有情趣

家务,是家庭生活中无法避免的一项任务,家务安排、处理得好坏,关系到家庭生活是否轻松愉快,关系到工作学习是否有充沛的精力。因此,在家庭管理中,家务管理是一个重要的方面,学会科学地进行家务管理,对新婚家庭大有益处。

家务管理综合起来说,可以遵循以下几个原则:

✢计划性

家务劳动是十分琐碎繁杂的,如果毫无计划,杂乱无章,可能终日为家务所累,搞得疲惫不堪。因此,可将家务通盘考虑,然后分类安排,计划处理。每天、每周、每月的家务应大致列一下,如整理清扫类家务可安排每月一次,洗衣擦地类家务可每周或三四天一次,采买类家务两三天或一周一次,采买前最好写张清单,以免漏买再重购;日常家务也要有个时间安排,早晨干什么,晚上干什么,形成规律,也容易熟中生巧,提高效率。

✢简单化

家务事通常都是可大可小、可繁可简的,贯彻简单化原则,可以省却许多精力。简单化首先体现在生活内容要简单,比如日常饭菜尽量简单而有营养,最低限度地减少请客吃饭的次数;尽可能穿好洗好晾不用熨的衣服;等等。其次是家庭陈设力求简单大方,装修房屋时要考虑清洁卫生的容易程度,以避免不断清扫、整理的麻烦。要做到家务劳动的简单化,有一点非常重要,即不能对家务劳动的要求太高,标准太苛刻,不必把每件家务事都做得十全十美,凡事适可而止,家务劳动的数量、强度和时间都可大大降低。

✢分工合作

夫妻俩共同分担家务,进行合理的分工,可以扬长避短,取得家务劳动的最佳效果。按照各人的身体条件、特长、兴趣爱好及上下班时间等进行分工,各自承担比较适合自己的家务,干起来会得心应手,省力又省时。一般家庭丈夫多承担采买、大清扫等重体力劳动及维修家庭水电设备、房间装饰等技术性家务,妻子则负责做饭、洗衣、缝纫、照看孩子等相对较为繁琐的家务。这样的分工比较符合男女两性的特点,但也并不绝对,每个家庭都可根据自己的特点来分工,但无论怎样分法,都不能强人所难,否则可能事倍功半,甚至影响家庭和睦。另一方面,分工并不是绝对的承包,在分工的前提下,亦应有程度不同的合作和帮助,才能提高家务劳动的效率,同时增进夫妻感情。比如一起进行房间清理,你拆我洗;一起做饭,你洗我烧,等等。分工合理,合作愉快,这是夫妻分担家务的最佳模式。

※ 充分使用家电

生活水平的提高,使得家庭电气化成为现实。充分利用家用电器,并使其的价值和功用发挥到最大限度,可以大大降低家务劳动的强度和节省时间。有的家用电器虽然价格比较昂贵,但花钱买时间、换方便还是值得的。新婚家庭有计划地购置一些家用电器,可以使家庭生活变得轻松和美好。

※ 利用社会服务

将一部分家务劳动转嫁出去,有效地利用社会上的家庭服务网络,达到减轻家务量的目的。首先要熟悉社会家庭服务的种类、机构、价格等。现有家庭服务机构基本以社区性为主,服务项目也很多,如全日保姆和钟点零工介绍、家庭教师介绍、洗熨衣服、代换煤气罐、代买菜买粮、送货上门、接送孩子、护理病人、搬家、家庭装修、清洗家用电器等。一般家庭可视具体情况,从经济、方便、质量三个方面综合考虑、权衡,采取较为得当的决策,选择一部分适合自己家庭的服务项目。有些项目虽然自己也可承担,但较为费时费力,比如搬家、清洗家用电器等,不如花点钱请人做,省下的时间和精力可用于自己擅长的工作,同样可以有经济效益。两下比较,利用社会性服务是相当有益的。有些项目如一时还没有把握,可以先试行,比较之后再决定。利用社会服务的另一方面,是利用社会化的加工服务,比如购买主副食成品和半成品、速冻类食品、方便食品等等,都可以大大节省家务时间。家务劳动社会化是人类从根本上摆脱家务困境的出路,现有家庭不妨从最适合自己的一点开始迈步,逐渐深入,并在实践中摸索比较,努力使家庭享用社会服务取得最好效益。

煤气灶具的漏气检测和补救办法

煤气灶具未使用而厨房仍有煤气味,就要考虑是否漏气。

先将通往灶具的煤气总开关关死,过1个小时后,只打开灶具开关,同时点燃炉灶,如仍能燃起一股火苗,说明其不漏气,如点不着火,则灶具有漏气处。沿煤气管检查,看看接口处是否严密,气管有无裂破之处,打开总开关后用浓肥皂液滴涂在接口及怀疑泄漏之处,如肥皂水起泡,则说明有漏气。先将软湿肥皂揿住漏处,使煤气暂时不能泄漏,然后立即通知煤气公司派员检修。

各种衣服污渍的去除方法

衣服上沾染上各种污渍,有时用洗衣粉并不能完全洗掉,可以采用其他方法清除。

※除果汁渍

先用1:20的稀氨水来中和果汁中的有机酸,再用肥皂洗净。呢绒类衣服可用酒石酸溶液洗涤。丝绸可用柠檬酸或肥皂、酒精溶液来搓洗。

※除酱油渍

在温洗衣粉溶液中加少量氨水和硼砂,再将织物搓洗,即可去除。

※除圆珠笔油渍

先将污渍浸湿,再用苯丙酮或四氯化碳轻轻擦拭,然后用洗涤剂、清水洗净。但不要用汽油擦洗。

※除红墨水渍

先洗去浮色,然后再用10%的酒精或0.25%的高锰酸钾溶液清除。

※除蓝墨水渍

先用肥皂洗搓,然后放入2%草酸溶液中浸泡一会儿,最后用洗涤剂洗净。

※除墨汁渍

先用清水漂洗,然后用饭粒加洗涤剂一起搓洗。如仍有残迹,可用稀氨水洗涤,最后漂清。

❋除锈渍

用1%草酸溶液擦拭衣服上锈迹,再用清水漂洗。

❋除血渍、奶渍

将生胡萝卜捣碎加少许盐,涂在血渍或奶渍处揉搓,再用清水漂净。也可先用生姜擦,然后冷水搓洗。

❋除尿渍

衣被上陈旧的尿渍先用淡氨水或硼砂溶液搓洗,再用冷水漂清。

❋除烟油渍

刚滴上的烟筒油,要立即用汽油搓洗,如仍有色斑,可用2%的草酸液擦拭,再入清水漂净。

 ## 新婚期间要注意饮食

❋摄入足够蛋白质

新婚夫妇应在保证总热量需求的前提下,摄入富含优质蛋白质的食物。优质蛋白质可以强精益气,消除性交后的疲劳感;优质蛋白质是生成精子、卵子的基本原料;可转化为精氨酸,提高男子精液、精子的数量和质量,增强精子活力;优质蛋白质还能使女子处女膜破裂失血创面愈合,提高受孕率。瘦肉、鱼、奶和蛋类等,都属于优质蛋白质,营养价值高于植物性食物(米、面、大豆、蔬菜等)。

❋补充足量维生素

维生素对男女性器官的生长、发育、生精、排卵、怀孕等,都发挥着十分重要的作用。维生素 A 和维生素 B 可以促进蛋白质合成,保持男性生殖系统健康;维生素 C 可降低精子凝集的几率,有抗氧化功能;维生素 E 具有调节功能和延长精子寿命的作用。维生素 A 和维生素 E 共同作用时又有提高性欲的功效。

含维生素 A 丰富的食物有动物肝脏、菠菜、甜瓜、杏仁、葵花籽、食油等。含维生素 B_1 多的食物有全麦粉、燕麦片、粗粮、啤酒、酵母、火腿、瘦猪肉等。含维生素 B_2 较多的食物有动物肝、牛肉、蛋类、花菜、鳝鱼、鲜豆类等。含维生素 C 的食物有青辣椒、鲜枣、山楂、刺梨、草莓、甘蓝、橙等。含维生素 D 丰富的食物有鳕鱼、大马哈鱼、金枪鱼、蛋等。

❋适量吃些脂肪食物

人体摄入足量的脂肪,可以补充机体不能自身合成的脂肪酸,使脂溶性维生素被人体吸收,进而保证人体性欲持续长久。倘若新婚期间脂肪摄入不够,就会影响体内性激素的分泌,阻碍性生活和谐。

新婚夫妇每天摄入的脂肪,应占总热量的 20%,但也不应该过多。含脂肪多的食物,主要有植物油如花生油、豆油、芝麻油、菜籽油等,以及动物油如猪油、牛油、羊油等。

❋注意进食含锌较多的食物

锌元素号称"夫妻和谐素",尽管含量甚微,然而,对于男女性功能的作用非常重要。它能增加血液中性激素水平及精子的数量,促进性腺的分泌。

新婚夫妇每天摄入 15～20 毫克锌,就能满足机体需要。含锌较多的食物有牡蛎、肝、粗粮、坚果、蛋、肉、鱼等。

新婚夫妇蜜月期间,每次房事之后,应该喝一杯热牛奶,吃片面包再睡觉。还应避免食用刺激性较强的食物,应该做到不吸烟、不饮烈性酒、不吃冷食、不喝冷饮,以保障精子、卵子的活力和健康,从而孕育出健康聪明的下一代。

新婚夫妇需要补食的营养品及其含量

❋肉类

肉类是烹调主要食品之一,主要是猪、牛、羊的肉,它们的化学成分十分接近,含有丰富优质的蛋白质、脂肪、糖类、维生素和矿物质等。既含有人体必需的氨基酸,还含各种营养素,人体吸收率高,饱腹作用大,是一种较完美的食物。

每 100 克猪肉,能够产生 1398 千焦耳热量。每 100 克牛肉,能产生 720 千焦耳热量。每 100 克羊肉,能产生 1280 千焦耳热量。

蛋白质能够水解成氨基酸溶解在水中,在肉汤中含有不少蛋白质,营养价值高,而且味道鲜美。

※鱼类

一般食用鱼,可分为海水鱼和淡水鱼两大类。常见的海水鱼包括黄鱼、带鱼、平鱼、鲅鱼、快鱼等;常见的淡水鱼包括鲤鱼、鲫鱼、鳝鱼、鲢鱼、草鱼等,不同种类的鱼风味各具特色。

鱼类能够为人类提供丰富的营养,却不像家禽、家畜需要耗费大量的饲料。鱼类的营养成分与肉类相似。鱼肉含蛋白质 15% ~ 20%,属优质蛋白质,人体吸收率非常高,所含氨基酸也与肉类相似。鱼肉含脂肪 1% ~ 3%,有的甚至可达 11%,且大部分由不饱和脂肪酸组成,呈液体状态,极易被人体消化吸收。

鱼类含无机盐占 1% ~ 2%,海鱼含有丰富的碘,含铜、钙、铁较少。鱼类肝脏含有维生素 A 和 D。鱼的肌肉中,每 100 克含维生素 A66 ~ 170 国际单位,鳗鱼可达 3000 国际单位。黄鱼、鲨鱼中也含有一定量的维生素 A 和 D。鱼类含维生素 B_1 不多,鲜鱼应尽快烹调,避免使维生素 B_1 大量损失。

 婚后新娘的饮食保健

女子结婚后,生理上会发生很大的变化。倘若营养不良,则会影响身体健康,甚至严重时还会引起月经不调等妇科疾病。

需要多吃些营养丰富的食物,如鸡蛋、牛奶、肉、鱼、豆等食品。在加强营养时,也可注意营养适当,倘若营养过剩,会引起身体发胖,失去女性特有的优美体态。

新婚女子在饮食上应讲究合理搭配,不能偏食。只有适宜地把多种食物蛋白质混合食用,才能提高蛋白质的质量,还可以满足机体对无机盐、维生素、糖等基本营养素的需要。在主食方面,应粗细搭配,配食方面应坚持蔬菜与肉类搭配。

新娘子都希望自己的皮肤柔润,头发乌黑,身材匀称,而这些都与食物中的各种维生素密不可分。维生素 A,可以润泽皮肤,使人目光明亮。主要来源于各种动物的肝脏、鱼类、乳类、禽类、蛋类和胡萝卜、菠菜等蔬菜。维生素 D 能使皮肤光滑,主要来源于谷类、豆类、动物内脏、瘦肉及蛋类。女性应经常吃蛋白质、维生素和矿物质含量较多的食物,如水果、胡萝卜、葵花子、大豆、花生、芝麻等。

倘若是油性皮肤,应该少吃些动物脂肪,多吃些新鲜蔬菜和水果,以及豆腐一类的清淡食物。干性皮肤的女子,则应增加豆油、豆浆、胡萝卜素的食用量。

食物中的微量元素对于新娘来说,更是不可缺乏的。比如缺锌,会影响生殖器官的发育。新娘的食物中应多安排些谷类、豆类和动物内脏,以便从中摄取锌元素。又如铁,年轻女子平均每天至少需要铁元素 15 毫克以上,在月经期对铁的需要量更大,倘若缺铁就会出现贫血。所以应多吃些动物肝、心、肾、瘦肉和鸡蛋等食物。

增强性功能的食物有哪些

人们为了提高性功能,希望求得壮阳生精的良药。有些药物是可以提高性功能,但多半只是暂时性的,还会产生一些副作用。平日饮食中,有许多生精品,调理平时的饮食营养是增强性功能和避免性功能过早衰退的有效途径。

从营养学及精液组成的角度分析,生精的食品大致可分为四类。

❀富含性激素及合成激素的胆固醇、卵磷脂等食物

对生精有益,可以促进精原细胞分裂与成熟。这些食物多是动物内脏,如羊、猪、狗睾丸,牛鞭、鸡肝、鸡蛋和胎盘等等。研究证明:以睾丸酮为代表的雄性激素在人体内的含量尽管甚微,但对男性的生长、发育、生殖、代谢等基本生理过程有着显著而重要的作用。雄性激素是在人体内由胆固醇经过化学变化而转变成的。动物内脏、肉类、鱼类、禽蛋中含有较多的胆固醇,被人

体吸收后还能使体内雄性激素水平升高。特别是动物内脏,本身就含有肾上腺皮质激素和性激素,对精液量的增加和精子的生成非常有利。

※富含精氨酸、核酸和多糖等成分的食物

多数为黏腻或滋阴的肉食,如海参、墨鱼、章鱼、鳝鱼、龟胶、龟和蚕蛹等。还有一些富含精氨酸的素菜,如豆腐、花生、核桃、大豆和紫菜等。研究表明:精子蛋白质中含有较多的精氨酸,精氨酸尽管不是人体必需氨基酸,但它在人体内合成的速度极为缓慢,精氨酸具有消除疲劳,提高性功能的作用。现代生理化学分析表明,鳝鱼、墨鱼等食品中含有较多的精氨酸。这些食物中有大量滑黏物,主要成分就是精氨酸。

※富含锌、铜、镁、钙等对生精有益的金属元素的食物

微量元素锌素有"夫妻和谐素"雅称。化学分析研究表明,精子含锌量高达2‰,人体缺锌会导致性功能下降,甚至出现不育症。如果缺锌会使精子数量减少,畸形精子数目增多。锌缺乏也会影响少女的发育,导致身体矮小,性器官和第二性征发育不良等。含锌量最高的食物当首推牡蛎,每100克牡蛎中约有100毫克锌,再者是瘦肉、核桃、花生、芝麻、紫菜、动物内脏、粗杂粮等。铜没有锌那样有夫妻和谐素的美誉,但若人体血清中铜的含量偏低,也会引起男子不育。禽蛋、肉类、肝脏和一些豆制品中都含有铜。上述食物中富含优质蛋白质。可溶性的维生素E对促进新陈代谢、延缓衰老和避免性功能过早衰退都具有一定的作用。

增强性功能的药膳有哪些

药膳是为了治疗、强身和抗衰老的需要,在中医理论指导下,用药物和食物相配合,烹调成的具有色、香、味、形的保健食品,是中医中药不可缺少的组成部分。饮食疗法,是我们中华民族的宝贵遗产。

中医学认为:性功能障碍,大多是因虚损所致,如肾阳虚、肾

阴虚、肾气虚等，所以常以食物、药物补其虚，达到治疗目的。

中医药学认为：补品分多种，有温、寒、热、凉四性，对性功能障碍者，应根据本人情况定其应进的药膳。

进补也有季节性。人体在一年之中有春发、夏长、秋收、冬藏四个阶段，所以食补多选择在秋冬季节。常作的补法是：春宜升补、夏宜清补、秋宜平补、冬宜温补。阳虚证忌清补，宜温补。阴虚证忌温补，宜清补，寒证忌咸，宜温性食品，如牛肉、羊肉、狗肉、鸡肉、胡萝卜、韭菜、香菜、黄豆、刀豆等。热证忌辛，宜凉性食品，如猪肉、鸭肉、鳖肉、芹菜、白菜、大麦、小麦等。一年四季都会找到适宜改善性功能的补品来作药膳。

肾虚可发生性功能障碍，其他脏腑的疾病也能使性功能出现障碍。针对不同脏腑的疾病，不但对补品的四性要加以考虑，而且对食品的五味也要有所选择和限制。肝病应该禁食辛，心病禁食咸，脾病禁食酸，肺病禁食苦，胃病禁食甘。

要辨明食物的性味、功效，根据脏腑疾病辨症施治，采取相应的药膳。

烹调药膳避免使用炸、煎等容易改变食性的技法，适宜采用蒸、炖、煨、煮、氽汤等制作食疗肴馔的烹调方法。动物的鞭、睾丸、肾等，常是治疗性功能障碍药膳中的主要原料，倘若烹调时火太猛，或时间过久，都会使其所含性激素的成分遭到破坏，从而降低药膳的作用。药膳中的菜肴应该新鲜，通常是按配方烹制后现吃，不宜久存。

附录 新婚姻法点析

涉及包办、买卖婚姻应怎样处理

在我国当代社会，婚姻自由早已在我国的婚姻法中确立，自主婚在婚姻生活中占据了主导的地位。但是，由于受传统的缔结婚姻的形式，即"父母之命，媒妁之言"，以及"门当户对"的思想的影响，包办、买卖婚姻以各种形式在我国的现实生活中大量存在。具体形式有换亲、转亲、订小亲以及指腹为婚等等。这违背了婚姻自由的原则，不利于保护公民的合法权益。因此，包办、买卖婚姻被我国婚姻法明文禁止。我国《婚姻法》在第三条明确规定："禁止包办、买卖婚姻和其他干涉婚姻自由的行为。"从而保护婚姻当事人的婚姻自由权。

包办婚姻是指婚姻当事人以外的第三者，包括婚姻当事人的父母，违背婚姻自由的原则，在婚姻当事人不自愿的情况下违背其意志，包办强迫其缔结婚姻。买卖婚姻是指婚姻当事人以外的第三人，包括婚姻当事人的父母，以索取大量的金钱或财物为目的，包办、强迫婚姻当事人缔结婚姻。包办婚姻和买卖婚姻二者之间既有区别，又有联系。买卖婚姻必定是包办婚姻，而包办婚姻却不一定是买卖婚姻。包办婚姻与买卖婚姻二者之间是包含与被包含的关系。包办婚姻是违背婚姻自由的行为，但是包办婚姻有一部分是不索取大量财物的，而买卖婚姻却是既包办强迫又索取大量财物的。

最高人民法院发布的《关于人民法院审理离婚案件如何认定夫妻感情确已破裂的若干具体意见》第6条的规定："包办、买卖婚姻，婚后一方随即提出离婚，或者虽共同生活多年，但确未建立起夫妻感情的"，视为夫妻感情确已破裂，一方坚决离婚，经调解无效，可依法判决准予离婚。1984年8月30日最高人民法院发布的《关于人民法院贯彻执行民事政策法律若干法律问题的意见》第 17 条规定："属于包办强迫买卖婚姻所得的财物,离婚时,原则上依法收缴。"由此,对于包办买卖婚姻,可以作以下处理:

　　※对于包办买卖婚姻,婚后一方随即提出离婚,应准予离婚。

　　※对于包办买卖婚姻,双方结婚多年,生有子女的,一方坚决离婚的,法院将予以调解,调解无效,可准予离婚。

　　※对于包办买卖婚姻中涉及索取大量财物的,离婚时,原则上应准予没收,但亦应考虑当事人的具体情况而定。

　　※第三人干涉婚姻自由情节严重的,使用暴力的,如构成犯罪,则应当根据《刑法》第 240 条、第 241 条、第 257 条的规定追究刑事责任。

 ## 违反一夫一妻制的行为有哪些

　　在实际社会生活中,破坏一夫一妻的婚姻家庭制度的行为,除了重婚外,还有其他的侵犯一夫一妻制的不正当的违法行为。这些违法行为主要是通奸和姘居。通奸和姘居在现代社会中日益成为突出的社会问题,因通奸和重婚而引的离婚纠纷也逐渐增多,因此,引起各界的关注。

　　一般来说,通奸是指通奸的双方或者一方是有配偶的男女,却又与配偶之外的第三人进行秘密的、自愿的发生两性关系的违法行为。姘居是指姘居的男女双方或者一方有配偶,却又与配偶之外的第三人临时公开性同居生活。通奸和姘居都是婚外的性行为,不仅为人们的道德观念所不容,而且也是为法律所明文禁止的。我国《婚姻法》第三条明确规定,禁止重婚。禁止有配偶者与他人同居。

　　通奸、姘居和重婚三者之间有一定的联系,三者在主体、侵犯的客体与事实上的重婚相同。主体都是进行婚外性行为的一方或者双方有配偶,三者都侵犯了合法的一夫一妻的婚姻关系。

而且,在三者之间还会发生转化。秘密的通奸行为由于公开化而转化为姘居,临时的姘居由于经历一定的时期双方以夫妻相称则会转化为重婚的违法犯罪行为。

对于通奸者或者姘居者的法律制裁,主要通过承担民事责任进行的《民法》第46条规定,因一方重婚或即使不以夫妻名义但形成婚外同居关系而导致离婚的,无过错方有权请求损害赔偿,确立了离婚时的过错赔偿制度。因此,由于婚姻当事人一方有通奸或者姘居的违法婚外性行为,而导致夫妻感情破裂,一方提出离婚的,有过错的一方应当赔偿无过错的一方

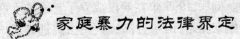

家庭暴力的法律界定

家庭暴力是家庭成员之间虐待的一种严重的情形,是为我国法律所明文禁止的。我国《婚姻法》第3条第2款明确规定,禁止家庭暴力。《中国妇女发展纲要1995－2000》中规定:"依法保护妇女在家庭中的平等地位,坚决制止家庭暴力。"

家庭暴力是指家庭成员中一方对另一方实施暴力的行为。实施家庭暴力的一方往往在家庭经济方面或者在体力上占据优势的地位,受害的一方往往是在经济上依靠施暴者。受害者往往是妇女、儿童和老人。在我国目前,由于公民的权利意识和法律意识地增强,家庭暴力问题受到各行各界的关注,家庭暴力的案件也呈增多的趋势。在妇联组织收到的家庭纠纷投诉中,有1/3涉及到家庭暴力,在基层,这个比例更高。家庭暴力的形式有很多,例如,殴打、行凶、残害、捆绑、限制人身自由等体罚的形式;威胁、恐吓、辱骂等等精神虐待;此外,还有对妇女的性暴力等等。

家庭暴力产生的原因很多,有历史原因、心理原因、经济原因等等。恩格斯曾经说过,自从"母权制被推翻",妇女就"丧失了生产资料所有权而退居家庭,丈夫在家中也掌握了权柄,而妻子则被奴役、被贬低,变成了丈夫淫欲的奴隶,变成生孩子的简单工具了"。制度的原因使女性的地位低于男性。在中国,由

于受大男子主义,男尊女卑思想的影响,男子认为"打老婆是家务事,不犯法"。女性由于权利意识不强,或者由于软弱,或者由于面子上过不去,只有忍着,除非忍无可忍,才去妇联或法院求救。另外,家庭成员之间缺乏交流、婚外恋、经济窘迫、文化层次差异,等等,都可以是家庭暴力发生的原因。

对于家庭暴力,近些年,呼吁进行家庭暴力立法的呼声很高,要求通过法律手段对家庭暴力予以法律规制。长沙市在1996年制定了《关于预防和制止家庭暴力的若干规定》。有的地方针对家庭暴力采用了许多的措施,制止家庭暴力或者给受害者以一定的保护。例如,1995年在武汉成立了首家妇女庇护所——新太阳女子婚姻驿站,山东省高级人民法院选聘了妇女特邀陪审员;吉林省永吉县成立了家庭暴力避险保护中心;2000年4月30日,江苏省首家"家庭暴力伤情鉴定中心"在盐城中级人民法院挂牌成立等等。新婚姻法在制定过程中,对家庭暴力如何进行立法规制进行了深入的研讨,在新《婚姻法》第3条将家庭暴力作为特别的虐待家庭成员行为进行立法,直接规定禁止家庭暴力,在新增的第五章法律责任中规定了实施家庭暴力的法律责任以及救济办法。家庭暴力已有法律明确的规定,实施家庭暴力不再是家务事,而是法律明文禁止,实施家庭暴力要承担法律责任。

保护妇女合法权益原则的相关内容

保护妇女的合法权益是我国婚姻法的一项基本原则,是男女平等原则的重要的补充。新中国成立后,我国妇女在政治、经济、文化等各个方面享有与男子平等的权利,而且宪法和法律中也做了明确的规定。在法律上,妇女有与男性平等的地位,但在实际生活中妇女由于传统和生理等各方面的原因,与男性处于不平等的地位,妇女的实际地位是低于男性的。作为调整婚姻家庭关系的婚姻法,有必要保护妇女的合法权益。从婚姻法的角度保护妇女的合法权益,主要是指在婚姻家庭领域,在遵守男女平等的原则上,以妇女在婚姻家庭中的合法权益明确进行规定,进行保护。

关于保护妇女的合法权益的法律,主要的是 1980 年的《婚姻法》和 1992 年 4 月 12 日通过的《中华人民共和国妇女权益保障法》。1980 年的《婚姻法》在总则中规定了男女平等、保护妇女的合法权益的基本原则;在第 27 条规定,女方在怀孕期间和分娩后一年内,男方不得提出离婚。女方提出离婚的,或人民法院认为确有必要受理男方离婚请求的,不在此限;第 31 条规定,离婚时,夫妻的共同财产由双方协议处理;协议不成时,由人民法院根据财产的具体情况,照顾女方和子女权益的原则判决;第 33 条规定,离婚时,如一方生活困难,另一方应给予适当的经济帮助。具体办法由双方协议;协议不成时,由人民法院判决,而接受帮助的大部分为妇女。《妇女权益保障法》是我国第一部专门保护妇女合法权益的法律,第 9 章 54 条,规定了妇女在政治、文化教育、劳动、财产、人身和婚姻家庭等六个方面对妇女所享有的各项权益进行规定。《妇女权益保障法》在第七章专门规定了妇女的婚姻家庭权益,包括男女平等、婚姻自主权、离婚时对妇女的保护、夫妻财产权、对子女的监护权、妇女的生育权等等。《妇女权益保障法》的颁布实施,对于保护妇女的合法权益起到了重要的作用。

婚姻法在修改过程中,也注重对妇女权益的保护。除了对 1980 年婚姻法中保护妇女权利的确认之外,还规定了家庭暴力、夫妻财产制、男子提出离婚的限制、离婚时财产分割和子女抚养从有利于保护妇女的角度出发、离婚时的过错赔偿问题等等。也就是说,保护妇女的合法权益的原则贯穿于婚姻法的整个制度。

 结婚是否一定要举行仪式

根据各国的规定,结婚的程序可以分为 3 类:

※登记制

结婚必须到法定的登记机关进行登记,婚姻才合法成立,具有法律效力。

※仪式制

结婚必须举办一定的仪式,才被一定的社会所承认。

※登记和仪式同时具备

登记和举行仪式是婚姻成立的法定条件,缺一不可。

我国公民结婚实行登记制,一男一女必须亲自到婚姻登记机关进行登记。我国《婚姻法》的第 8 条规定:"要求结婚的男女双方必须亲自到婚姻登记机关进行结婚登记。符合本法规定的,予以登记,发给结婚证,取得结婚证,即确立夫妻关系。未办理结婚登记的,应当补办登记。"由此,进行结婚登记是婚姻合法成立的惟一的形式。因此,一男一女结婚,由当事人自己自愿选择,做出决定。

 什么是夫妻个人财产其范围是什么

夫妻个人财产是指所有权归属于夫妻一方的财产,它既包括男女结婚前的财产,也包括男女双方结婚后的部分财产,夫妻通过约定归夫妻一方所有的财产亦属夫妻个人财产。

根据《婚姻法》第 18 条的规定,有下列情形之一的为夫妻一方的财产:

※一方的婚前财产;

※一方因身体受到伤害获得的医疗费,残疾人生活补助费等费用;

※遗嘱或赠与合同中确定只归夫或妻一方的财产;

※一方专用的生活用品;

※其他应当归一方的财产。

 "订婚"是否具有法律效力

我国法律没有规定订婚为结婚的必要手续。男女双方在恋爱过程中，自愿订婚作为一种婚约是完全可以的，但父母或他人不能包办订婚。订婚以后，如果一方不愿结婚，要求解除婚约，只要告诉对方就行了，不需取得对方的同意，也不需经过法院或其他机关来解决。任何一方均不能以订了婚为理由，强迫另一方与自己结婚，婚约不具有法律效力，法律既不要求这样的手续，当然也不加以保护。